EL GRAN CIRCO DEL ROCK

DEL ROCK

ANÉCDOTAS, CURIOSIDADES Y FALSOS MITOS

EL GRAN CIRCO DEL ROCK

ANÉCDOTAS, CURIOSIDADES Y FALSOS MITOS

XAVIER VALIÑO

T&B
EDITORES

PUBLICADO POR T&B EDITORES

Barquillo 15 A. 28004 MADRID. ESPAÑA

Tel: 91 523 2704 - www.cinemitos.com/tbeditores

DISEÑO PORTADA: **CARLOS LAGUNA**

ILUSTRACIÓN PORTADA: **AUGUSTO CONSTANZO**

FOTOGRAFÍAS: © **ARCHIVO AUTOR**

© **ARCHIVO T&B EDITORES**

PRIMERA EDICIÓN: NOVIEMBRE DE 2005

© Xavier Valiño, 2005

© T&B Editores, 2005

IMPRESIÓN: **EUROCOLOR, S.A.** Tuercas 1. Polígono Industrial Santa Ana, Madrid.

Impreso en España - Printed in Spain

ISBN: 84-96576-00-0

Depósito Legal: M-43487-2005

ÍNDICE

★★★★★★★★★★★★★★★★★★★★★★★★★★★★★★★★★★★★★★★

La belleza será convulsiva o no será
(Babel; Patti Smith)

XAVIER VALIÑO
ENTRE LAS FIERAS

En 1905 Louis Vauxcelles comenta los lienzos del Salón de Otoño de París. Acaso sin querer patenta un genial seísmo pictórico. Para el irritado académico aquello fue "Donatello chez les fauves" (Donatello entre las fieras). Así que lo de Henri Matisse y compañía se hizo fauvismo. Pues este libro -nada irritante- da buenas ganas de proclamar un merecido *valiñismo*. Una feliz variable filorroquera del *bolañismo* que vengo profesando hacia la escritura del chileno Roberto Bolaño. *Anyway*, la verdad es que se maneja bien Xavier frente al sonido y la furia de tanta famosa fiera -más o menos- suelta. Sale ileso en su papel de nunca atribulado jefe de pista en el circo del *rock and roll*. No me extraña. El amigo Valiño lleva años (nació en el 65) bien abierto de orejas gastando fetén melomanía al pie de sus letras. Como si Nick Hornby fuera de la Terra Chá. Un dato más revelador aún: es de Cospeito. Tierra llana sí, pero poblada de ciudades asolagadas y otros prodigios. De ahí que Valiño esté afeito a buscar tesoros. Que Xavier, además de viajar muy profesionalmente entre País de Gales y Holanda, es un avezado internauta. Por cierto, si al acabar la lectura os quedáis con ganas de más (de más Valiño, digo) hay sabrosos bises suyos; largo y entendido *extended play* sobre toda suerte de asuntos musicales os esperan en su página web: www.ultrasonica.info. Pues eso, vamos a lo de Xavier. Su libro es un estupendo híbrido bibliográfico. Tercia en un mismo estante de tu biblioteca más sonora. Está entre la irónica demostración de que puede existir vida inteligente en el rock (lo dejó por escrito ya otro inspirado paisano, Julián Hernández, a la sazón cantante de Siniestro Total) y esa biblia laica, que muchos tenemos de cabecera, firmada por Nick Cohn bajo el grito tribal de "Awob Bopalobob Alop Bamboom". Las amenas y documentadas andanadas de Valiño son referencial andén en castellano si uno se embarca en el *Mistery Train* de Greil Marcus, clásico del filologismo poproquero. Y podría emparentarse con Hollywood Babilonia, de Kenneth Anger, pero escrito con la lupa enfocada hacia otra fauna. La que nutre otro circo contemporáneo. El del *rock and roll*, vecino tantas veces del hollywoodense, claro. Explora Valiño un enjundioso filón de vidas y de milagros. Unas veces (siete) opta por el perfil monográfico. Son otros tantos capítulos sobre sor Sinead O'Connor, el muro de Phil Spector, dos hijos -muy a su pesar- de la Gran Bretaña (Joe Strummer y Morrissey), The KLF, Kurt Cobain y Fela Kuti. Pero el grueso del corpus valiñorum son las trece entregas hilvanadas a la manera de fascículos de una supuesta misma enciclopedia mítica del *R&R*. La que organiza en ágiles epígrafes subtemáticos: Parejas rock, grupos (ficticios) de película, el rock en la tele, el destino, fans obsesivos, el fin de un idilio en una canción, lo que importa el nombre de la cosa... Hay episodios delirantes, humillantes, de cultos, en directo... Sobre todos, destaco esa sustanciosa treintena de flashes que sirve su top 30 de Falsos Mitos (leyendas urbanas) del Rock. Sin desperdicio. Aunque alguna de las historietas parece salida de algún basurero. Os adelanto un poco. En titulares. De los desbarres de Syd Barrett a lecciones varias de anatomía bizarra: Stevie Nicks ya sólo podía esnifar por el ano, la lengua de vaca del cantante antropófago de KISS, el estómago de Rod Stewart empantanado de semen... Luego están las cenizas de Sid Vicious flotando en los conductos de aire en condiciones del aeropuerto de Heathrow, John Denver francotirador en Vietnam, Ozzy Osbourne catador de murciélagos y decapitador de palomas, las digestiones difíciles de 'Mama' Cass, los maravillosos años mozos de Marilyn Manson, las hazañas sin fin del ET Jackson, las transfusiones tirolesas de Keith Richards, Kate Bush *playmate* del 78... Y como hay gente para todo, en el *mentidero verdadero* del rock hay para dar y tomar. De todo: grupos y discos fantasma, canciones robadas o legendariamente inéditas. Venta de almas al diablo, lindezas VIP al por mayor y otras chocolatinas con las que alimentar los vericuetos de

Internet a mayor gloria y miseria de los hijos/nietos del *rock and roll*. Sí amigos, hay diamantes siempre refulgiendo en el arroyo. Joyitas del infundio muy bien guardadas. Asunto que yo resumiría en dos perlas: Elvis está vivo y tengo muy serias dudas sobre la existencia de Michael Jackson. Resultado, la otra cara del *Rock and Roll Hall of Fame*. O algo así. Y en visita personalmente guiada. Porque Xavier Valiño -con sus filias y fobias- viste y desviste (a mayor cachondeo o para sentencia, allá tú) un escaparate humano tan antológico por vida como por obra. También por sus anécdotas. ¡Obvio! Su cosecha es superfreakismo mágico de la mejor estirpe. Ilustres colgarutis con pedigrí roquero, consagrados héroes de ayer, de hoy y de siempre. Mitos del *R&R* aireados para disfrute de todos los públicos. Como esos animados cameos que estas estrellas -más o menos errantes- hacen en series tan serias como Los Simpson. Pero ojo, la teima de Valiño brilla a años luz de la otra frikilandia que no cesa, protagonizada por payaserío burdamente telerrosáceo. En fin, tiene su aquel. Igual que hacer un prólogo a estas alturas del remix. O en plenos bises del concierto (el desconcierto siempre es el acierto). Cuando para muchos el rock (¿posrock?), con sus ismos y recurrentes variables di-vertiendo ricamente *forever* en un mar de afluentes tribales, daría hoy más bien para un epílogo. Para un... en fin. O fin de la primera parte. Pero, qué queréis tíos. El rock fue (es) un seísmo que -aún apagado- me ha venido regalando benéficos efectos devastadores. Soy un feliz damnificado. *I'm a believer.* Uno es más (aún) de seguir montado en el caballo tan loco de Neil, Poncho y demás reputadísima y salvaxe compaña. Lo de uno sigue siendo eso. Sumar y seguir en un mismo cantar: *My my, hey hey: rock'roll is here to stay. Hey hey, my my: rock'roll will never die.* Dicho de otro modo, constatar como buen hombre esquizoide del siglo XXI -y sin ánimo funeral- que al rock le pasa lo que a Johnny Rotten: *is gone but not forgotten!* Desde luego, tiene gracia la cosa. Prologo el documentado circo de Valiño sobre la indocumentada *troupe* del *rock business*, cuando van y vienen (muy de vuelta) los Rolling a lo suyo. Coincide Xavier con otro más difícil todavía de los Stones. Y mira que ellos algo saben de circos. Para muestra, el que montaron en dos días de diciembre de 68. Una rachí sesentera de las que hacen (la hicieron) época. El *swingin' London*. Los late sixties en un show televisado. Según David Dalton, dos días en los que parecía que el R&R heredaría la Tierra (¿no lo hizo?). Los Stones con Lennon, Clapton, Jethro Tull, The Who, la Faithfull, Lovely Luna y otras fieras -y bellísimas- criaturas haciendo que simpatizáramos -para siempre- con el diablo o nos envenenase -a gusto- Juanito el Rayo Saltarín. Un clásico. Reinventado una y otra vez. «El circo más sexy, más alto, más tonto del mundo. Desde ahora y para siempre cualquier semejanza con hechos reales correrá por vuestra propia imaginación». Un Circo Beat, donde todo el mundo juega... mientras canta Fito Páez. Un *Great rock and roll swindle*, que diría Malcolm McLaren. Pasen y vean: ciegos mitad de precio. Sí, es cierto. Hay todo un mundo en el *backstage* (Pa'kesteis, decían los Nacha Pop en sus conciertos de despedida 80/88). Pero ese mundo (mundillo) es igual a éste. Una (y mil veces) allí, del otro lado de las tablas, uno ha visto incendiarse naves más allá de Orión. A los oficiantes consumir litros y litros de... ¡té a las finas hierbas! Las más encendidas tertulias de botica. Y ¡cómo no! a los *almoust famous, groupies* siempre de guardia, dando cuenta de los supuestos manjares del reseso catering. O bebiéndose -por el morro- el escaso licor disponible para los sudorosos y acorralados artistas. O sea, nada del otro mundo. En un concierto, lo bueno pasa fuera. Sobre el escenario. Cuando los hay, claro. Recuerdo (él es siempre inolvidable) a súper Andy Chango actuando en réplica gariteña del camarote de los Marx Bross. Jugándose el tipo, transformado en replicante porteño de Iggy Pop. Una melé desmelenada. Fue algo para récord, más que para recordar. Como la extremada puntería de otro genio argentino. Profesional de altura y excesivo plusmarquista de excesos en la perpetua olimpíada rock. Es la imagen de Charly García tirándose desde la habitación de su hotel en el séptimo piso (¿alguien ha dicho noveno?) a la pileta para recibir a la prensa. Un salto aún comprobable en Internet. Sí, ciertos rockeros no dejan de descubrir utilidades extra a los servicios hosteleros. También se comportan curiosamente en los aviones. De todo ello hay mucho más que un botón en este libro gracias al esfuerzo de Xavier. Es muy de agradecer. Ha trabajado lo suyo (que es lo nuestro) con material sensible, fungible, risible, inaudito, inédito, inaudible, venerable... hasta refabricar -muy personalmente- la vivísima máquina del tiempo del *rock and roll*. En ella, viajamos por el libro. Sobrevolamos hechos y desechos de ayer, de hoy y de pasado mañana. Tal cual. Igualiño que los Stones, vaya.

En fin. El rock, extraño caleidoscopio. En él, hay muchas cosas: boomerang, religión, elixir de juventud, arte de ensayos, bazar y negocio. Y ninguna. Es un misterio de amor, de dinero y soledad. A saber... ¿Quién sabe? Yo lo que sé es que hay un desierto que se llama Sonora y está en Méjico. Que el nieto de Eugenio Granell, Pedro, está bien crecido (le vi crecer) y tiene el don de la música y ha estrenado disco en solitario. Sé dónde va ya que la Soda es Stereo y argentinamente universal. Que a Lennon y McCartney les ha salido nieto porteño con la música filobeatle de Pablo Sbaraglia. Que hay grupos (*Little Wings*) bautizados con canciones de Hendrix, so ¿para cuando Los Calamaros? También hay quien toma su nombre de personajes creados por Tom Waits, el mejor desenterrador de canciones que conozco. Sé que hay dos Ivanes divinos, cuajados de talento, jóvenes y gallegos. El uno se apellida Ferreiro (pirateado e inolvidable cantante del tiempo y la distancia). El otro, Salgado, gasta dedos impecables al agitar la retrococtelera mágica de su hammond en Donatore di Groove o Cinnamon Gum. Sé que en el *rock and roll* (sea siempre penúltimo, *please*) no hay como la novedad de la vejez. Velaí los Rolling nuevamente tropezando *again and again*, mil millonarias veces, en la misma piedra. Saben por viejos y por diablos en un oficio plagado de bellos cadáveres y enterradores muy profesionales. Sé de viejos músicos bien en activo que ojalá tuvieran para siempre el tiempo de su lado. Gracias e ellos, todos nosotros tenemos los días muy cantados. ¿*No future*? Hoy -cada vez más- el futuro es el pasado. Hoy, que estamos a watios-luz de aquellos sonidos del silencio, acabaremos traficando con la contaminación acústica. Y las dosis serán en miligritos. En fin. Suelo caer en el completismo a la hora de coleccionar obras de artistas que me tocan/atraviesan la piel o la cabeza. O ambas cosas, al tiempo. Pero si algo tiene el estupendo tractatus de Xavier es que se adhiere al enciclopedismo que mola. Es de la estirpe de Voltaire: «Decirlo todo es el secreto para ser aburrido». Y todo lo contrario es este libro. Divertido como pocos. Así que os dejo ya con esta sabrosa sopa de letras -generosa y salerosamente- sazonada a base de ricas anécdotas del *rock and roll*. Valga la redundancia, diría Mozart: el rock es pura anécdota. O no. Hoy, tal vez, don Amadeus sería rockero. ¡Qué sé yo! Mejor preguntadle a Valiño. Leed ya lo de Xavier. Él sí que sabe... Se trata de que hablen de uno, bien o mal, pero que hablen. Se trata de comportarse (bien o mal), pero comportarse. Y cito palabras de roqueros del calibre de Oscar Wilde y Lord Byron.

Lo dicho, invierte en anécdotas: todas crecen.

ALBERTO CASAL

INTRODUCCIÓN

Hasta aquí hemos llegado. Lo que tienes en tus manos remata para mí con esta introducción, que, como todo en este libro, ha sido producto de la casualidad. Todo comenzó cuando tuve que acudir a la Radio Gallega a hablar de mi anterior libro. A raíz de aquella charla, me preguntaron si podría pasarme todas las semanas a hablar de anécdotas del mundo del rock, algo que podría interesar a toda la audiencia, incluso aunque la música que pinchase no les interesase especialmente.

Evidentemente, enganchado a la radio desde hace muchos años, no podía negarme. El problema era que no tenía muy claro qué entraba en esa idea de anécdotas, ni tan siquiera sabía si conocía tantas como me suponían. Así que tuve que ponerme a recopilar momentos curiosos de la historia del rock que se pudiesen comentar en antena para intentar acaparar la atención de una audiencia generalista, tarea un tanto indefinida.

La sorpresa llegó inmediatamente. En unas pocas horas, en mi cabeza se acumulaban datos, recuerdos, informaciones... En el plazo de una semana ya tenía suficiente material para varios meses, y en un mes ya tenía material para mucho tiempo. Así que es fácil imaginar que, en estos más de cinco años, he tenido que seleccionar mucho lo que se ha ido comentando en el programa diario "Estudio 3".

Durante este tiempo, esas historias han dado lugar también a numerosos artículos que aparecieron primero en prensa escrita, y, después, también en Internet. Una noche, en estado de duermevela, más o menos como asegura Keith Richards que se le apareció *(I Can't Get No) Satisfaction*, se me ocurrió -salvando las distancias- lo que antes no había imaginado, aunque ahí estaba reclamándolo: había un libro esperando a darle forma.

Tras ser recogida mi idea por otros aventureros, la editorial T&B, empecé a darle vueltas a un menú que fue cambiando progresivamente. De los artículos iniciales poco queda, y la mayoría fueron escritos partiendo de cero para esta publicación. Gran parte de los que se han quedado fuera aún pueden ser consultados en la red.

El resto, lo que ha llegado a la versión final, ha pasado por el escrupuloso y acertado examen de, en especial, David Saavedra, a quien le debo que no me haya desviado mucho de la idea inicial. También han contribuido con alguna sugerencia Perico Hermida, Víctor Lenore, Javier Palacios y Carlos Rego. Jordi Bianciotto, Javier Blánquez y Jaime Gonzalo han tenido que responder alguna pregunta a traición. Y Alberto Casal puso su talento y genial locura al servicio del prólogo de este libro. Todos entendieron la idea a la primera, diría que mejor que yo.

Por último, el título fue cobrando vida a medida que todos estos episodios iban trasladándose al papel. Además, el reciente relanzamiento de aquel espectáculo que los Rolling Stones montaron a finales de los 60 con unos cuantos amigos bajo el nombre de *Rock'n'Roll Circus* ayudó lo suyo. Allí apareció insospechadamente la foto que acabó de dar unidad a todo lo escrito: Mick Jagger con el látigo, Keith Richards con el trombón, Charlie Watts con los platillos, Yoko Ono vestida de mago, John Lennon como un bufón...

El fabuloso mundo del circo y del rock unidos en la pista, como espectáculos únicos de magia y perversión. Así que sólo queda invitar a unirnos a ellos. Como bien decía Mick Jagger en aquella ocasión: «Habéis oído hablar de Oxford Circus. Habéis oído hablar de Picadilly Circus. Y éste es el Rock'n'Roll Circus. Tenemos visiones y sonidos para maravillar vuestros ojos y oídos, y podréis escuchar el primero en unos momentos». Señoras y señores, con ustedes... ¡El Gran Circo del *Rock and Roll*! ¡Pasen y lean!

LOS DESMADRES DE LAS ESTRELLAS DE ROCK EN LOS AVIONES

Volando voy
(Camarón)

¿Hay algún extraño vínculo entre ser una estrella y comportarse como un imbécil a la hora de coger un avión? Parece que sí, por lo menos en una proporción mucho mayor que lo que sucede en cualquier otro medio de transporte público.

Puede que sean los nervios, la barra libre de la primera clase, el afán de notoriedad entre los ocasionales compañeros de viaje o el *jet-lag*, pero lo que es cierto es que los casos de artistas desquiciados a 10.000 metros sobre el nivel del mar o en un aeropuerto son abundantes.

★★★**Björk. En 1996, la diva islandesa** no pasaba por su mejor momento. Además de haberse convertido en uno de los personajes habituales de los tabloides británicos, un seguidor trató de enviarle una carta-bomba y acabar así con su vida. Aún impresionada por aquel suceso, por aquellas fechas, al llegar al aeropuerto Don Muang de Bangkok, un periodista trató de sacarle unas fotos junto a su hijo Sindri. Björk la emprendió a golpes con el osado reportero y éste tuvo que ser atendido en el hospital. Para su escarnio, las imágenes quedaron registradas y dieron la vuelta al mundo. A pesar de todo, tuvieron un inesperado efecto positivo: «Esa mujer que nunca le había pegado a nadie, pero que perdía su carácter cuando iban a por su hijo, era perfecta para el papel», fue el comentario del director Lars Von Trier para justificar haberle ofrecido el papel principal en su película *Bailando en la oscuridad*.

★★★ **Bryan Ferry**. **El dandy del pop** se estaba echando una pequeña siesta a la vuelta de unas vacaciones con su familia en Kenia cuando le despertaron los gritos de un perturbado mental que había tomado con un simple cuchillo el control del avión en el que viajaba y pretendía derribarlo con sus 400 ocupantes. Según él, «fue el mayor susto de mi vida». Curiosamente, el siguiente movimiento de Ferry fue propiciar la reunión de Roxy Music. ¿Tendría algo que ver en la decisión haber visto en peligro su vida?

★★★ **Courtney Love**. **En los últimos tiempos**, de su conducta impredecible se puede esperar cualquier cosa. Así que lo que hizo el 2 de febrero del 2003 en un avión de Virgin Atlantic en vuelo de Los Ángeles a Londres, en donde iba a participar en una gala benéfica organizada por Elton

De la conducta de Courtney Love se puede esperar cualquier cosa.

John, no cogió a nadie desprevenido. Según el informe policial, Love se dedicó a insultar a la tripulación, actuó de forma violenta y se negó a sentarse y a ponerse el cinturón. Al día siguiente, llamó a un fotógrafo de la revista "Q" para que la retratara convenientemente para la posteridad mientras se paseaba desnuda en un taxi por Londres, al tiempo que le ordenaba a su asistente personal de belleza, quien también la acompañaba en aquel curioso viaje, que le depilara el ano. Dos días intensos, vaya que sí.

★★★ **Diana Ross**. **El 22 de septiembre de 1999, Diana Ross** no estaba de muy buen humor, que se diga. Después de que una agente del aeropuerto londinense la cacheara antes de tomar su vuelo en Concorde a Nueva York, Diana Ross hizo lo propio con los pechos de la agente y le dijo: «¿Qué, te gusta?» A la agente de seguridad no le pareció precisamente bien y tampoco a los responsables del aeropuerto, que la retuvieron durante unas cuantas horas para tomarle declaración y escarmentarla. Seguro que quien fue a recibirla al llegar a su destino tiene una simpática historia que contar.

★★★ **Diego El Cigala**. **En un vuelo Madrid-Tenerife** de marzo de 2003, el cantante le pidió a la tripulación que le colgaran un traje. Una de las azafatas le explicó que no existía armario para trajes, pero se ofreció a colocárselo en los compartimentos destinados al equipaje de mano. El cantante se negó, la insultó y la amenazó de muerte. La azafata se resguardó en la cabina del aparato y Diego El Cigala empezó a golpear la puerta con fuerza. A continuación, lo echaron del vuelo antes de que éste despegara, y el cantante denunció a la compañía por discriminación racial, ya que, según su versión, le habían llamado 'gitano'.

★★★ **Ian Brown (Stone Roses)**. **En su caso, tuvo menos suerte** al comparecer ante su señoría. Acabó pasando cuatro meses entre rejas por sus fechorías en un vuelo de febrero de 1998, y eso que su pecado era similar al de Peter Buck, quien resulto absuelto: un exceso de alcohol que acabó con Ian Brown golpeando en la puerta del servicio, insultando a la tripulación y amenazando con un expresivo «cortaré tus jodidas manos» a una azafata de British Airways.

★★★ **Izzy Stradlin (Guns N' Roses)**. **Para el guitarrista de Guns N' Roses**, su desliz acabó en multa. Su pecado no es de los que se viven todos los días: harto de las colas para utilizar el servicio del avión, le dio por mear en la moqueta de la primera clase de un Boeing 747. El precio: 20.000 dólares. Barato no es, precisamente, aunque puede que ni le importase lo más mínimo.

★★★ **Keith Moon (The Who)**. **El inimitable Keith Moon**, que daría para más de un capítulo sólo con sus anécdotas, también montó su particular espectáculo en un avión, cómo no. Después de una temporada en rehabilitación, y en pleno vuelo intercontinental, empezó a tirar comida por todo el aparato, entró en la cabina, cantó lo que le vino en gana por la megafonía interna y se mantuvo en pie en el pasillo mientras el avión aterrizaba... icon los pantalones por debajo de las rodillas!

Diana Ross tuvo algún roce con la policía en un aeropuerto londinense.

Ian Brown pasó cuatro meses entre rejas por sus fechorías en un vuelo.

★★★ **Kylie Minogue y Michael Hutchence (INXS). Según quienes iban en aquel avión** a principios de los 90, los por entonces novios se lo hicieron en el servicio del avión, algo con lo que más de uno ha fantaseado alguna vez. Parece ser que la puerta del servicio se abrió inoportunamente y todos los que iban en primera clase pudieron verlo perfectamente. Cuando le preguntaron a Kylie, ésta comentó: «Los hechos no fueron exactamente así». ¿Cómo entonces? No queda constancia de si los sorprendidos espectadores aplaudieron o abuchearon a los tortolitos.

★★★ **Liam Gallagher (Oasis). No uno, sino dos,** son los incidentes conocidos hasta el momento del menor de los Gallagher, Liam -¿quién si no?-. El primero sucedió en 1998 cuando, en pleno vuelo entre Hong Kong y Australia, se dedicó a tirar la comida e insultar a la tripulación, se negó a dejar de fumar y amenazó al piloto que trató de calmarlo. Según la aerolínea, Cathay Pacific, todo se debió al 'típico comportamiento de un borracho'. A pesar de que parece haber cierto grado de comprensión en tal declaración, la compañía le tiene prohibido volar con ellos desde entonces. Tres años después, concretamente el 12 de enero de 2001, cuando iba a coger un vuelo desde el aeropuerto londinense de Gatwick a Río de Janeiro para participar en el Festival Rock In Rio, Liam Gallagher le dedicó varios gestos obscenos a la azafata que le atendía, aprovechando para tocarle de paso el trasero, con la consiguiente denuncia de ésta. Nada nuevo en él.

★★★ **Mercury Rev. En un vuelo entre** los Estados Unidos y el Reino Unido, se supone que afectados por las mismas sustancias que les ayudan a componer esas extrañas canciones a medio camino entre la psicodelia y Walt Disney, se propusieron imitar la famosa escena de *Un perro andaluz* de Luis Buñuel. Más o menos, aunque cambiando la cuchilla de afeitar por una cuchara. Fue Jonathan Donahue el que intentó sacarle un ojo con la cuchara a su amigo y compañero en la banda Grasshopper, quien estuvo a punto de perder el ojo. La compañía aérea les vetó de por vida el acceso a sus aviones.

★★★ **Muse. En el 2000, después de haber** recogido el premio a la banda revelación del año en una ceremonia de premios británica, se largaron rápidamente para el aeropuerto, donde les esperaba un jet privado que los llevaría a Munich, lugar en el que tenían programado un concierto al día siguiente. El motor estalló en llamas en pleno vuelo y tuvieron la suerte de no estar muy lejos del aeropuerto londinense del que acababan de despegar. Salieron ilesos del aterrizaje de emergencia. El susto fue tal que tomaron un taxi, volvieron a la fiesta y, según ellos, cogieron la borrachera de sus vidas.

★★★ **Peter Buck (REM). Según se demostró posteriormente** en su aparición ante el juez, el 21 de abril de 2001, en un vuelo entre Seattle y Londres, dos días antes de un concierto en Trafalgar Square, el habitualmente tranquilo guitarrista de REM se tomó un par de pastillas para dormir. Los problemas comenzaron al mezclarlas con alcohol. Cuando le impidieron beber más, rompió una nota de advertencia que le habían pasado, puso un disco en la bandeja de la comida pensando que se trataba de un reproductor de compactos, tiró una cuchara de yogur a la tripulación y se sentó al lado de una desconocida de primera clase asegurando que era su esposa. Más adelante reconoció estar «profundamente avergonzado por el incidente», y, tras las declaraciones de amigos y conocidos como el mismísimo Michael Stipe, su compañero en REM -quien manifestó ante el juez que se le antojaba completamente impensable tal conducta-, se libró de ir a prisión. Se supone que, desde entonces, lee con algo más de atención los prospectos de las pastillas que se toma.

Muse, el susto de sus vidas en un avión.

★★★ **Rod Stewart. En una ocasión,** Rod Stewart pasó la mayor parte de un vuelo a Nueva Zelanda inconsciente en la bodega de un Boeing 747, después de haber sido noqueado por un piloto más que harto de su borrachera y del alboroto que estaba provocando en el avión.

★★★ **Ronald Cheng. Este tipo, desconocido en Occidente,** pero toda una estrella del pop en su país, Taiwan, se emborrachó en la primera clase de un vuelo de Los Ángeles a Taipei y, a partir de ese momento, le dio por fumar, gritar obscenidades a la tripulación y arrastrarse por el suelo del avión. También agarró a una azafata y la encerró en uno de los compartimentos para maletas del avión, de donde tuvo que ser rescatada por el capitán del aparato. El avión se vio forzado a aterrizar en Alaska y el ídolo del pop fue recluido en un hospital psiquiátrico.

LA IMPORTANCIA DE LLAMARSE...

Mi nombre es
(My Name Is; Eminem)

★★

Por supuesto que el título, la portada y la imagen son importantes en el mundo del rock, casi tanto -en algunos casos, incluso más- como el contenido de las canciones. ¿Y el nombre? «Mi nombre es...», cantaba Eminem. Y no se sabe si lo tenía muy claro entonces, porque, al igual que otros muchos, se presentó en sus discos con diversas encarnaciones como Marshall Matthers o Slim Shady.

El nombre es, sobre todo, definitorio. Todos lo saben -o deberían saberlo-. Vamos, que Pink Martini no es un grupo de heavy y Sepultura no son la última sensación del sonido *lounge*. Lo habitual, si no se aventura uno en solitario, es tirar folios y folios a la papelera hasta que aparece ese nombre que hará fácilmente identificable un sonido y en el que todos los componentes de la nueva banda hallen un mínimo común denominador.

Una vez elegido, es mejor no cambiarlo. No por nada, aunque los antecedentes indican que conviene no andar dando bandazos por la vida y mantener al respetable en la seguridad de que saben a qué se enfrentan. En caso contrario, la esquizofrenia del artista conduce, irremisiblemente, al olvido inmediato sin la más mínima piedad.

★★★ **Madonna es el último caso**, aunque por ahora no está claro en qué acabará todo. Louise Veronica Ciccone -su auténtico nombre- comunicó a mediados del 2004 en una entrevista al canal televisivo estadounidense ABC que pasaba a ser Esther. Así, sin más, aunque no era todo: Madonna seguiría una nueva filosofía de vida: «He pasado al menos una década quitándome la ropa y sacándome fotos, diciendo palabrotas en televisión y haciendo cosas por el estilo. No me arrepiento, pero todo el mundo se quita la ropa y después, ¿qué? Me pusieron el nombre de mi madre. Ella murió de cáncer cuando yo era muy joven y yo... quería otro nombre», confesó para justificar su decisión, añadiendo que se había recargado de energía gracias a «haber adoptado un nombre distinto».

La razón del cambio se debe a su identificación con el personaje bíblico del mismo nombre, Esther, y a sus años de práctica del estudio de la Cábala, teosofía esotérica derivada de la lectura del judaísmo más antiguo. En el Antiguo Testamento de la Biblia, Esther es el nombre de la reina que salvó a los judíos de una matanza, acontecimiento recordado en la festividad judía del Purim.

A las órdenes de Esther, antes conocida como Madonna.

No obstante, reconociendo su especial devoción y tino con los negocios, y que seguro conoce bien los casos de aquellos que la precedieron, no parece fácil que se decida a correr el riesgo. Se admiten apuestas. ¿Seguirá la 'chica material' utilizando el nombre de Madonna en las portadas de sus discos y en sus lucrativas giras? ¿Se olvidará de Esther tan rápidamente como abrazó su nueva fe?

★★★ **No tiene más que recordar el caso de Prince** y seguro que se lo piensa. El de Minneapolis, después de ser el artista de color más creativo de los 80, decidió, a principios de los 90, que, desde ese momento, cambiaba su nombre por el de TAPKAP -The Artist Previously Known as Prince, El artista antes conocido como Prince-.

En su caso, todo aquello coincidió con su etapa de enfrentamiento con su discográfica, que se negaba a editar los cientos de canciones que el prolífico artista grababa indiscriminadamente, un episodio que tuvo su punto más reivindicativo cuando apareció en público con la palabra 'esclavo' escrita en sus mejillas.

Podría haber terminado ahí, pero no. Después se inventó un símbolo para identificarse, ☥, tan complicado de reproducir que sólo podía escribirse manualmente. Su compañía tuvo que remitir urgentemente a los medios de comunicación archivos en los que aparecía el susodicho símbolo para que fuera posible transcribirlo en letra impresa. Si a alguien le pareció que el tema estaba más o menos bajo control, Prince rompió todos los esquemas al anunciar un nuevo nombre: Víctor.

Para cuando se cansó y claudicó, retomando el nombre de Prince, a nadie en el mundo le importaba ya lo más mínimo. Su carrera comercial había caído en picado y tan sólo sus actuaciones en directo mantenían su figura de actualidad, aunque hubiera que leerse los carteles un par de veces para saber con qué nombre actuaba.

★★★ **Terence Trent D'Arby le siguió los pasos**, y no sólo en lo musical. Tras un primer disco plagado de éxitos, *Introducing The Hardline According To Terence Trent D'Arby*, nunca volvió a conseguir la misma relevancia pública, ni siquiera cuando fue contratado para suplir al fallecido Michael Hutchence al frente de INXS. Así que, cuando reapareció como Sananda Maitreya, según él debido a una orden que había recibido en un sueño, pocos se lo tomaron en serio. Los conciertos de Sananda Maitreya de los últimos tiempos se anunciaban, cómo no, como el artista antes conocido como Terence Trent D'Arby.

★★★ **La fe fue la que motivó que** uno de los grandes artistas de los 70 a nivel comercial dejara de ser **Cat Stevens** para pasar a llamarse Yusuf Islam. Evidentemente, con la palabra Islam en su nombre, quedaba clara su conversión. Además, por si quedaba alguna duda, fue una de las voces públicas más relevantes que apoyaron la amenaza de muerte integrista contra el escritor Salman Rushdie. En su caso, su carrera no empezó una cuesta abajo sin final visible, sino que se negó a seguir grabando y editando discos.

En todo este tiempo, sus apariciones se pueden contar con los dedos de una mano. Cuando editó una nueva versión de su *Peace Train* en homenaje a los menores víctimas de la guerra de Irak, al Gobierno de los Estados Unidos no le pareció precisamente bien: durante un tiempo se le prohibió la entrada en aquel país. La explicación oficial, más que una disculpa, parecía una amenaza a todo aquel que profesara la religión musulmana: aunque pudiera no ser Cat Stevens, había alguien con el nombre de Yusuf Islam fichado en los archivos policiales.

★★★ **El cambio puede reducirse** a quitarse el diminutivo para recuperar su verdadero nombre, como intentó **Debbie Harry** de Blondie con su carrera en solitario, al decidir pasar a ser Deborah, un movimiento que más parecía querer ser un signo de madurez con el que dejar atrás el pop -¿simple, según su impresión?- de sus inicios.

★★★ **También se puede reducir a un** sencillo cambio de apellidos. **John Cougar** pasó a ser John Cougar Mellencamp, justo antes de decidirse por John Mellencamp. Daba igual: tanto Debbie como John no consiguieron con sus nuevas encarnaciones el éxito de antaño.

★★★ **En el caso de John Lydon**, lo cierto es que tuvo una digna carrera al frente de Public Image Limited (PIL). Su carácter deslenguado y provocador eran los ingredientes perfectos para que acabara formando parte de la versión británica de "La isla de los famosos", poco después de la gira de reunión de los *Sex Pistols*, "The Filthy Lucre Tour" (*La gira del lucro indecente*), en la que reconocía abiertamente que se habían reunido «por la pasta». Suponemos que, con el mismo espíritu punk de siempre, lo que los demás pudieran pensar le daba igual. Él también es consciente de que su verdadera huella en la historia del rock la dejó cuando se hacía llamar Johnny Rotten -Juanito Podrido- al frente de los Sex Pistols, en unos pocos meses a finales de los 70.

De Johnny Rotten en los Sex Pistols a John Lydon en "La isla de los famosos".

¿Es Víctor? ¿Se le conoce como Símbolo? ¿Se le puede llamar Prince? ¿Y cómo se dice TAPKAP?

★★★ **También se han dado casos** de cambios de nombres por parejas. Cuando Jennifer López decidió dejar a Puff Daddy en el momento en el que éste tenía que enfrentarse a un juicio que todo el mundo seguía -y que afectaba a la imagen pública de Jennifer: el amor no puede con los negocios en determinados ámbitos-, ambos optaron por nuevas identidades. J-Lo consiguió mantenerse más o menos en una primera plana, pero P Diddy, nombre sugerido por su colega Notorius Big, no volvió a levantar cabeza y se convirtió en objeto universal de ridículo.

The Daltons, unos extraños teloneros de U2.

★★★ **Otros se complican más la vida. Lisa 'Left Eye' Lopes,** componente del exitoso trío TLC, optó por iniciar una carrera en solitario con el nombre de NINA, acrónimo de Nueva Identidad No Aplicable, siglas que, al parecer, también sirven en los *ghettos* para designar a las armas de nueve milímetros. Mientras, el rapero **Q-Tip** pasaba a ser Kamaal The Abstract, un nombre que, según él, iba mucho mejor con su música «más real y arriesgada», y que era una combinación de su auténtico nombre y de un viejo seudónimo de los tiempos en que formaba parte de A Tribe Called Quest.

★★★ **Nadie se enteró en ninguno de los dos casos**, lo mismo que le pasó a Colin Vearncombe, nombre con el que ahora se presenta quien hace años consiguió el mérito de poner *Wonderful Life* en todas las listas para poder decir que fue artista de un único éxito cuando grababa como Black. ¿Y si hablamos de Peter None? Lo mismo, que nadie identifica a Herman, otrora líder de los recordados Herman's Hermits.

★★★ **Distinto es el caso de aquellos** que utilizan otros nombres para ocasiones muy especiales, sobre todo conciertos únicos o grabaciones especiales, y que siguen con su nombre de siempre el resto de las veinticuatro horas del día. **REM** triunfó en un pequeño club londinense en 1991 como Bingo Hand Job, alcanzándose en la reventa cifras astronómicas para conseguir una entrada, después de que se corriera la voz por toda la ciudad.

★★★ **Sin embargo, a sus amigos de U2**, disfrazados como The Daltons -se supone que un grupo de country- y teloneándose a sí mismos en su gira americana, nadie les hizo caso. En la gira de "The Joshua Tree" de 1987 aparecieron en escena dos veces: el 1 de noviembre en Indianápolis y el 18 del mismo mes en Los Ángeles. Poco después, el 12 de diciembre en Virginia, su lugar fue ocupado por miembros de su equipo. La última aparición pública de U2 como The Daltons se produjo en la ceremonia de entrega de los Grammy de 1989, donde Adam Clayton tomó, para presentarse, una famosa frase de los Blues Brothers de su película *Granujas a todo ritmo*: «Somos un grupo que tocamos dos estilos: *country* y *western*».

★★★ **Componentes de ambos grupos, REM y U2**, tocaron juntos en una única ocasión, con motivo de la investidura del presidente Bill Clinton. Michael Stipe y Peter Buck, de REM, junto a Adam Clayton y Larry Mullen, de U2, aparecieron con el nombre de Automatic Baby (en referencia a dos de sus discos de más éxito, *Automatic For The People* de REM y *Achtung Baby* de U2), para interpretar una única canción, *One*, de los irlandeses.

★★★ **Franz Ferdinand utilizaron el nombre de** A Touch Of Velvet para poder adelantar en pequeños clubes las canciones que formarían parte de su segundo disco. Y, a mediados de los 80, XTC editaron un par de discos psicodélicos con el nombre de The Dukes Of The Stratosphear (Los duques de la estratosfera) sin que nadie reconociese su verdadera identidad hasta que ellos mismos se descubrieron.

★★★ **No es algo nuevo. The Beatles** coquetearon con un nombre ficticio que no llegaron a utilizar, Ricky And The Red Streaks, que Paul McCartney propuso para irse de gira y con el que Jack Oliver, un ejecutivo de Apple, incluso llegó a reservar una actuación en Alemania para el grupo en la época del disco *Let It Be*, más o menos cuando estaban en trámites de separación definitiva.

★★★ **Después, cada uno de ellos** utilizó distintos seudónimos en sus aventuras en solitario. John Lennon fue, entre otros, Reverend Thumbs Ghurkin, Mel Torment, Dr. Winston, Booker Table And The Maitre D's, The Reverend Fred Gherkin, Beatcomber, Kaptain Kundalini, Mr. Leslie o Dwarf McDougal; Paul McCartney se convirtió en Percy Thrillington, Billy Martin, Apollo C. Vermouth o The Fireman para un disco que editó con el productor Youth; George Harrison apareció como Son Of Harry, Hari Georgeson, Jai Raj Harisein o L'Angelo Misterioso; finalmente, Ringo Starr se hizo pasar por Ognir Rats, Roy Dyke o Richie Snare.

★★★ **El juego llegó tan lejos que**, en más de una ocasión, The Beatles parecieron revivir tras su separación. En 1976, un grupo canadiense llamado Klaatu, que sonaba como los de Liverpool, jugó con el equívoco durante un tiempo hasta desvelar su identidad. Más adelante, en 1996, unos daneses llamados Rubber Band editaron *Xmas*

The Beatmas, en el que jugaban a recrear conocidas canciones navideñas como si se tratase de temas de The Beatles. Sin ir más lejos, el *Last Christmas* de Wham sonaba como *Mr. Postman*, y *Silent Night* adoptaba la forma de *Lucy In The Sky With Diamonds*, entre las once joyas de aquel impagable disco.

★★★ **Elvis Costello utilizó a lo largo de su carrera** diferentes disfraces, como Howard Coward, The Imposter, Napoleon Dynamite, The Beloved Entertainer, The Emotional Toothpaste o, incluso, su verdadero nombre, Declan Patrick -con el añadido de Aloysius- MacManus, pero sin olvidar nunca aquel que le había dado la fama. Por su parte, los **Sex Pistols** llegaron a presentarse de muy distintas guisas, entre ellas la de The Spots, acrónimo de *Sex Pistols On Tour Secretly* -Sex Pistols de gira secreta-.

Manolo García y Quimi Portet, detrás de El Último de la Fila, Los Burros, Las Burras y Los Peatones.

★★★ **En nuestro Estado, *Los Peatones*** nacieron de la unión de **Radio Futura** y **El Último de la Fila** para una fiesta de Radio 3, mientras que Manolo García y Quimi Portet jugaron a ser teloneros de sí mismos en alguna ocasión cuando aún eran conocidos por Los Burros, vestidos de mujer y con el 'original' nombre de Las Burras. Travestido en ama de casa también se presentó Iván Ferreiro de Los Piratas junto a su hermano bajo el nombre de As Ferreiro, acompañando a un imaginario artista portugués llamado Rai Doriva, en actuaciones semanales durante unos meses en un pub de Vigo.

★★★ **Los Del-Tonos, por problemas legales,** se presentaron como Albert & The Blue Kings en un disco grabado con un pianista austriaco recreando clásicos del blues, o como Z Z Top un 28 de diciembre, día de los Santos Inocentes. Su líder, Hendrik Roever, grabó dos discos de 'turbo-pop' disfrazado de Hank, que se hacía pasar por su hermano.

★★★ **No obstante, el grupo que más** ha jugado al despiste es **Siniestro Total**, quienes se han presentado, según la ocasión, como Sonny Boy And The Williamson, Hound Dog Men (ambos grupos con una orientación blues), Los Minusválidos del Ritmo (su faceta pop), Os Subxenios (mirando hacia Frank Zappa), Los 7 Pelmas (banda de ska tipo Madness) o Loopy de Loup (tocando un poco de todo). Nada raro en un grupo que empezó con el descacharrante nombre de Mari Cruz Soriano y los que Afinan su Piano.

★★★ **En cualquier caso**, todos tenían claro el nombre que les daba de comer y sólo hicieron uso de sus *alter egos* para aventuras esporádicas. Por eso, lo de Madonna transformándose en Esther está por ver.

ANTES MUERTO QUE SENCILLO, LOS MOMENTOS MÁS DELIRANTES DEL ROCK

Todo en el nombre del rock and roll
(All In The Name Of Rock And Roll; Rod Stewart)

Los músicos de rock saben bien cómo escandalizar. Unos cuantos, está claro, lo hacen sin ser conscientes de las consecuencias de sus actos. La mayoría, no. Todo es posible en el nombre del rock y ya se acepta como algo con lo que hay que convivir, sin entrar en mayores consideraciones.

Que se lo pregunten, si no, a los responsables del Hotel Hyatt de Los Ángeles, donde se alojaban las estrellas del rock británicas a su paso por la ciudad en los setenta. Para que los desmanes de las estrellas no asustasen al resto de los huéspedes, colocaron una foto de un melenudo en recepción con la siguiente leyenda: «Trate a esta persona con respeto; puede que haya vendido un millón de discos»; o, lo que es lo mismo, valórenlo por su dinero, no por sus actos. Por lo tanto, ¡que comience el espectáculo!

★★★ **Bob Dylan. Cuando Dave Stewart**, componente de Eurythmics y, también, productor, conoció a Bob Dylan, le habló de su estudio de grabación en una antigua iglesia en Crouch End y le invitó a conocerla si pasaba por Londres, seguramente creyendo que nunca vería tal cosa. Un buen día, Dylan quiso aprovechar la oportunidad, aunque las indicaciones que tenía no eran muy completas. Se pasó por aquel barrio y encontró una antigua iglesia. Nadie le respondió, así que llamó a la puerta de al lado. «¿Está Dave por aquí?» La señora de la casa lo invitó a pasar y le dijo que Dave había salido, pero que volvería a la hora de la comida. Cuando Dave, un fontanero, regresó a casa, su mujer ya empezaba a ser consciente de quién era aquel tipo que llevaba unas horas sentado en la cocina. «Que no te entre el pánico querido, pero creo que Bob Dylan está en la cocina», le dijo a su marido. Después de unos minutos de confusión, el incrédulo fontanero y su mujer condujeron a Dylan hasta el estudio del Dave músico que andaba buscando.

★★★ **Bob Dylan. En diciembre de 1963**, el Comité de Emergencia de las Libertades Civiles le concedió a Bob Dylan un galardón por su contribución a la causa de los derechos civiles. Dylan se presentó a la cena, pero estaba tan borracho que acabó vomitando en los baños. Cuando por fin subió al estrado a recoger su premio, el 'políticamente correcto' cantautor sorprendió a su audiencia asegurando que veía en sí mismo algo de Lee Harvey Oswald, el supuesto asesino del Presidente John F. Kennedy. Fue abucheado. Unos minutos más tarde reflexionaba en voz alta: «Si digo la verdad, ni siquiera sé lo que es la política».

★★★ **Bobby Darin. Puede que entre los casos** de parentescos descubiertos más bien tarde, el más conocido sea el de la actriz Liv Tyler, a quien se le reveló un buen día que su padre no era Todd Rundgren, como había creído desde su nacimiento, sino Steven Tyler, cantante de Aerosmith. Pero lo de Bobby Darin descubriendo que la mujer que creía su hermana era, en realidad, su madre, y que su madre era, en realidad, su abuela, no deja de ser el caso más chocante. Nunca logró superar aquella confesión.

★★★ **Bow Wow Wow. Malcom McLaren había sido** el mánager de The New York Dolls y los Sex Pistols, y había cobrado un millón de libras de la época a Adam & The Ants por su asesoramiento para triunfar, así que sabía bien cómo epatar a los medios y conseguir lo que quería. Con su siguiente proyecto, puso en práctica todos sus conocimientos, aunque de qué manera... En una lavandería contrató a una cantante de 14 años llamada Myant Myant Aye, a la que cambió el nombre por el de Annabella Lwin, le montó una banda a su medida, le escribió letras sugerentes y la hizo posar desnuda para el debut de su grupo Bow Wow Wow, a pesar de la oposición de su madre y de la acusación de pornografía infantil. Aquel disco, que en los Estados Unidos apareció con un vestido blanco transparente cubriéndole el cuerpo, se iba a titular *Ronnie Reagan, Sue Ellen, Cassanova, Botticelli, In A Time, Never, Never, Queen Diana, Rockefeller*, aunque al final su título fue *See Jungle! See Jungle! Go Join Your Gang Yeah! City All Over, Go Ape Crazy* (¡Mira la jungla! ¡Mira la jungla! ¡Ve y únete a tu pandilla, sí! Por toda la ciudad, vuélvete loco como un mono). Así de barato se vende el éxito.

Brian Wilson, rescatado para la música por un psiquiatra algo avaricioso.

★★★ **Brian Wilson (Beach Boys). Tras años desaparecido** en combate por su adicción a las sustancias prohibidas y el daño que éstas le habían infringido a su cerebro, Brian Wilson reapareció en 1988 con un disco en solitario. Al psiquiatra que lo había recuperado, Eugene Landry, no le pareció suficiente las facturas que le pasaba por sus servicios, así que consiguió aparecer acreditado en el disco como coautor de las canciones y productor ejecutivo, controlando cada movimiento del recordado compositor de los Beach Boys.

★★★ **Carnie Wilson (Wilson Phillips). La hija de Brian Wilson**, Carnie Wilson, montó su propio numerito televisivo, no precisamente relacionado con el negocio de la música -en el que su grupo Wilson Phillips ya no tenía mucho que decir-: para dejar claro al mundo que ya no se le podría menospreciar más por sus abultadas dimensiones, decidió prestarse a una retransmisión en directo de su operación de reducción de peso.

★★★ **David Koresh. Su grupo, Messiah, era habitual** de los escenarios de Waco. Él era el guitarrista, pero aprovechaba sus conciertos para captar adeptos para otra causa, el culto de los *davidianos*. Al responsable del sello Lone Star Music le llegó un buen día una maqueta de aquel grupo titulada *Madman In Waco* (Hombre loco en Waco). No firmó el contrato e hizo bien en no tener más contacto con aquel chiflado. Meses después, David Koresh se suicidó en su rancho de Waco, matando de paso a los 80 componentes de su particular secta que se encontraban en la vivienda.

★★★ **Depeche Mode. Por increíble que parezca, Axl Rose**, de Guns N' Roses, siempre se declaró un seguidor de Depeche Mode, tanto que los persiguió hasta conseguir invitarlos a su mansión de Beverly Hills para una barbacoa. Encontrarse con un cerdo muerto no fue del agrado de los británicos, vegetarianos estrictos. Poco después emitían un comunicado de prensa en el que aseguraban que «el grupo no quiere asociarse con nadie que vaya por ahí matando cerdos sólo por diversión».

★★★ **Dexy's Midnight Runners. En sus espectaculares inicios**, la banda era noticia continuamente por atacar a sus críticos a plena luz del día, imponerse un estricto régimen de entrenamiento diario de 10 kilómetros corriendo, pagarse páginas enteras de anuncios para explicar la razón por la que no hablaban con periodistas... Su acción más recordada tuvo lugar cuando acudieron a la sede de su compañía EMI, cabreados por sentir que el sello tenía paralizada su carrera. Tal y como haría la Mafia, secuestraron las cintas originales de la grabación de su primer disco *Searching For The Young Soul Rebels*. Su productor, en un último intento de parar el secuestro, se tiró delante de la furgoneta. «¡Acelera!», le gritó a su conductor Kevin Rowland, el líder del grupo. Lograron lo que querían: doblaron sus ingresos por derechos de autor, firmaron con otra compañía y la industria tuvo muy en cuenta el incidente desde ese momento a la hora de negociar con ellos.

★★★ **Duff 'Rose' McKagan (Guns N' Roses). El bajista del grupo**, tras haber escuchado que unos traficantes habían secuestrado al antiguo batería del grupo, Steven Adler, por no haberles pagado, se subió a un coche y se fue en su búsqueda, pertrechado para su misión como Rambo. Cuando llegó a la casa en la que suponía que se encontraba su amigo, empujó a la señora vietnamita que le abrió la puerta y, a pesar de las protestas de ésta, recorrió todos los rincones de la vivienda golpeando puerta tras puerta. Una vez comprobado que allí no había nadie, y ante las preguntas de la mujer, no pudo recordar a qué había ido allí. Más o menos como el argumento de una película de los hermanos Coen.

★★★ **Elton John. En una ocasión**, mientras compartía techo con su novia Linda y el compositor de sus canciones Bernie Taupin, éstos encontraron a Elton John deprimido y con la llave del gas abierta con intención de suicidarse. Aunque, según ellos, no se trataba de un intento totalmente en serio: la llave del gas estaba al mínimo, la ventana de la cocina abierta y el cantante había puesto una almohada bajo su cabeza para descansar cómodamente mientras intentaba irse al otro mundo.

★★★ **Elvis Costello. En 1978, cuando** Elvis Costello se estaba separando de su primera mujer, Mary, comenzó una relación con la conocida *groupie* Bebe Buell, modelo que había tenido relaciones con muchos otros músicos. Un año después, Costello decidió volver con su mujer. Más tarde, compuso *Human Hands* de su disco *Imperial Bedroom* con la intención de recuperar a Buell. Volvieron a unirse y mantuvieron una relación con numerosas interrupciones hasta 1985, fecha en la que Buell supuestamente tuvo un aborto de un hijo de Costello. La separación que le siguió fue aún más agria. Buell aseguró que una gran parte de las canciones de Costello las había escrito para ella, incluyendo la mayor parte de *Armed Forces*. Costello respondió desde la portada del disco: «Mientras grababa este álbum apareció una americana en mi puerta. Como mucho llegamos a ser extraños unidos por una aventura teórica y de flirteo. Pensé que venía para una visita corta y que yo podría satisfacer mi curiosidad sobre ella. Pero apareció con ocho maletas como una novia de encargo y se mudó a mi casa. Fui demasiado estúpido y vanidoso como para negarme. Ella después dijo que había inspirado la mayoría de las canciones de este disco, cuando resulta que todas estaban casi acabadas cuando nos conocimos. También dijo lo mismo del disco anterior -algo imposible cronológicamente- y de otras composiciones. Es un engaño trágico sobre el que me gustaría decir 'No voy a dignificarlo con una respuesta', pero la 'dignidad' no es algo que se pueda aplicar a esta historia».

★★★ **Elvis Presley. El Rey era también** el mayor coleccionista de armas del rock, muchas de las cuales aún adornan las paredes de su mansión, Graceland. Dispararle a los aparatos de televisión era uno de sus pasatiempos favoritos. Cuando le presentaron al Presidente Nixon, Presley le regaló un Colt 45. A sus novias también las agasajaba con revólveres. El día que supo que sus guardaespaldas Red y Sonny West habían publicado un libro titulado "Elvis: What Happened?" ("Elvis: ¿Qué sucedió?"), en 1976, Presley, tras esnifar una buena cantidad de cocaína y bien pertrechado con un cinturón cargado de pistolas, despertó a parte de su personal al grito de «¡Arriba! ¡Vamos a cazar cabezas! ¡Vamos a matar a esos hijos de puta!»

★★★ **Eric Faulkner (Bay City Rollers). Lo mejor para una buena** campaña de promoción extra son, sin duda, los escándalos publicados en los medios de comunicación a la mañana siguiente. Así que cuando uno de los componentes de los Bay City Rollers, en concreto el guitarrista Eric Faulkner, tuvo una sobredosis en casa de su má-

nager, Tom Paton, éste, consciente de tal premisa, llamó primero a la prensa y, una vez asegurada su cobertura, se le pasó por la cabeza que tal vez debería avisar también a una ambulancia.

★★★ **Eurythmics. Algunas fiestas de presentación** de discos se convierten en legendarias, en especial las de aquellos artistas que han tenido grandes éxitos y que quieren repetir la jugada, con la discográfica poniendo a su disposición todo lo que haga falta. Para la presentación de *We Too Are One* del dúo Eurythmics en 1989, más de 300 periodistas fueron invitados a volar a Niza y alojarse en un hotel de lujo. Aquel concierto se celebró en la playa con un gran despliegue de fuegos artificiales. Aunque la pirotecnia corrió a cargo del alcalde de Cannes, que daba una recepción la misma noche, la presentación de aquel disco le costó a RCA el 90% del dinero destinado a la promoción de todos sus artistas en un año.

★★★ **Frank Infante (Blondie). Ya se sabe que las** resoluciones judiciales son a veces sorprendentes, y más en los Estados Unidos. También no es menos cierto que algunas demandas se las traen. El bajista de Blondie llevó a juicio al resto del grupo por... ¡no invitarle a acompañarlos en su juergas nocturnas! Lo más curioso es que salió victorioso del pleito: un acuerdo extrajudicial le reportó una cantidad desconocida y, por increíble que parezca, siguió formando parte del grupo.

Elvis Presley regalaba armas a sus allegados y también las utilizaba para algo más.

★★★ **George McRae. El cantante soul estaba ya** en antecedentes de los oscuros negocios del responsable de su sello T.K. Records, Henry Stone. La mayoría de los artistas le reclamaban a la discográfica grandes cantidades en concepto de derechos de autor que éste nunca les pagaba. George McRae se presentó un buen día en su oficina para reclamarle unos cuantos miles de dólares que le debía por su éxito *Rock You Baby*. Henry Stone no se intimidó: le dio todo lo que llevaba en aquel momento con él y la llave de un Cadillac que estaba aparcado fuera. George McRae se marchó más o menos convencido... ¡hasta que descubrió que el coche era alquilado!

★★★ **G.G. Allin. Sus actuaciones a principios de los 90** se convirtieron en las más temidas del rock -o las más celebradas, dependiendo de la opinión de cada cual-. Para algunos, G. G. Allin fue el símbolo definitivo de la rebelión del rock, llevándolo hasta sus extremos más peligrosos; para otros, se trataba de un lunático cuyos intentos de escandalizar no debían ser tomados en consideración. En cualquier caso, se convirtió en el mayor degenerado del rock, con más de 50 detenciones, y para el que la música no era más que una excusa para mostrar en escena su comportamiento violento y escatológico. A pesar de su currículo, cuando prometió suicidarse en el escenario en la noche de Halloween, muchos no se lo creían. No pudo cumplir su amenaza, ya que antes, el 28 de junio de 1993, apareció muerto de una sobredosis en el apartamento de un amigo. La noche anterior había abandonado corriendo y desnudo su última actuación, perseguido por la policía y en medio de los disturbios provocados por sus seguidores.

★★★ **Gloria Trevi. La "Madonna" mexicana** se convirtió en la protagonista de una historia bastante truculenta. Tras iniciar una relación a los 14 años con el que se convertiría en su mánager, Sergio Andrade, bastante mayor que ella, Trevi comenzó a proporcionarle muchachas adolescentes. Siempre según la versión judicial, éste las pegaba, las hacía beber de los váteres, las violaba y las forzaba a la prostitución. Cuando se les acusó en 1999, se escaparon a Brasil. Fueron arrestados en Río de Janeiro y pasaron 25 meses en prisión, donde Trevi se quedó embarazada, asegurando que había sido violada por un carcelero. Las pruebas demostraron que el padre era, en realidad, como todos sospechaban, su mánager.

★★★ **Gregg Allman (The Allman Brothers Band). Tras separarse de Cher**, la siguiente pareja conocida de Grez Allman fue Shannon Wilsey, más conocida como Savannah y por su historia como groupie y como actriz en más de cien películas pornográficas. Con el cuarentón y cocainómano Allman estuvo unos años, antes de dejarlo por Vince Neil (Mötley Crüe) -el cantante que no ofrecía un concierto antes de que una mujer le hubiera 'servido'-. A éste le siguieron Billy Idol, Axl Rose (Guns N' Roses), Slash (Guns N' Roses), David Lee Roth (Van Halen) y Mark Walhberg. Cuando Savannah tuvo un accidente de tráfico en 1994 que le deformó la cara, en lugar de ir al hospital se dirigió a su casa y se pegó un tiro. La novia de tantas estrellas del rock prefirió suicidarse antes de perder su único valor seguro: su belleza. Tenía 24 años.

★★★ **James Brown. En 1959, con sus primeros beneficios** en la música, el 'padrino del soul' se compró un flamante nuevo Cadillac. James Brown y su banda, The Famous Flames, se paseaban en el coche con las ventanillas subidas para aparentar que tenía aire acondicionado. En una gira por el Sur de los Estados Unidos, entre ciudades del desierto, el coche paró a repostar en una gasolinera. Las ventanillas seguían subidas mientras el dependiente los atendía con calma. Una anciana que se encontraba detrás del vehículo contemplaba atónita lo que sucedía mientras el grupo reía y sudaba, reía y sudaba, reía y sudaba. Finalmente, la señora abrió bruscamente la puerta gritando: «Salgan rápidamente antes de... ¡que se mueran ahí dentro!»

James Brown rescatado de morir asfixiado en su flamante Cadillac por una viejecita.

★★★ **Jerry Lee Lewis. En 1976, el pionero del rock** Jerry Lee Lewis fue detenido por la policía a las puertas de la mansión de Elvis Presley, Graceland, bastante borracho y blandiendo un revólver, mientras le gritaba repetidamente al rey del rock que sacara su 'grasiento culo' de allí dentro para dilucidar cuál de los dos era el auténtico rey.

★★★ **Jim Morrison (The Doors). En los años 60,** las publicaciones periódicas musicales no tenían los mismos medios que ahora. La semana que Jim Morrison falleció, el "New Musical Express", tal vez la revista musical más influyente, apareció con el siguiente titular: «El rumor de la muerte de Jim Morrison se ha exagerado». Cuando Jimi Hendrix murió, "Melody Maker", la revista de la competencia, apareció en primera página con el titular «Chris Farlowe se une al grupo Colosseum». El fatídico concierto de The Rolling Stones en 1969 en Altamont, que incluso ellos consideran un gran error y en el que falleció un espectador a manos de Los Ángeles del Infierno, entre otros disturbios, fue saludado en el *New Musical Express* como «el mejor concierto pop que se ha celebrado jamás», además de declarar el cronista que «Los Ángeles del Infierno controlaron la situación en todo momento».

★★★ **Jimi Hendrix. Además de estar considerado** por muchos como el mejor guitarrista del rock, Jimi Hendrix tiene en su haber otro récord: el pene más prominente de los medidos en el mundo del rock. La responsable de la medición fue Cynthia Plaster Caster, quien, más que lo que se le supone a una *groupie* al uso, se dedicó a hacer moldes en yeso de los penes en erección de aquellas estrellas del rock que le interesaban y se prestaban a su experimento. Paradójicamente, todo empezó como un trabajo académico: su profesor de arte en la Universidad de Illinois les pidió a sus alumnos que confeccionaran un molde de algo duro. Aquel encargo acabó convirtiéndose en la principal actividad de Cynthia, que mantiene una colección que sigue creciendo hasta el día de hoy, aunque hubo un tiempo en el que el socio de Frank Zappa, Herb Cohen, que financiaba la obra, le hurtó las reproducciones y tuvo que recuperarlas tras la correspondiente demanda judicial y el relato en público de sus actividades. Su atípico trabajo fue inmortalizado en la canción *Plaster Caster* de Kiss y en el documental *Plaster Caster: A Cockumentary Film*.

Jimi Hendrix tiene uno de sus records inmortalizado en un molde de yeso.

★★★ **John Fogerty. John Fogerty contra John Fogerty.** ¿Qué puede haber más extraño que una demanda contra uno mismo? Para empezar, John Fogerty había firmado un contrato en su juventud que lo tuvo diez años en dique seco, al impedirle cantar las canciones de su grupo Creedence Clearwater Revival. Después, llegó la demanda de su antigua compañía, Fantasy. Bien es cierto que se trataba de abogados que servían a la misma persona en momentos distintos de su trayectoria, pero también no deja de ser curioso que John Fogerty se demandara a sí mismo por haber plagiado la canción *Run Through The Jungle* de la Creedence Clearwater Revival años más tarde en solitario y titularla *The Old Man Down The Road*. Aunque las canciones son casi iguales, John Fogerty, a través de su antiguo sello Fantasy, perdió la demanda interpuesta contra John Fogerty tras presentarse ante el juez, guitarra en mano, para mostrarle las diferencias.

k d Lang no conoce el olor de una coliflor podrida en la nevera.

★★★ **Johnny Cash. Por raro que parezca,** Johnny Cash tuvo unas visitas bastante breves a la prisión, si no contamos sus discos en directo grabados en San Quentin y Folsom Prison -aunque en este caso, por propia voluntad-. En la primera ocasión fue condenado a 30 días tras ser detenido en 1956 por la brigada de narcóticos de El Paso, aunque quedó en libertad condicional. Diez años más tarde sí pasó una noche entre rejas por el delirante delito de... ¡arrancar flores de madrugada junto a una pandilla!

★★★ **k d Lang. Su participación activa** en política no tuvo buena acogida. Se prestó a protagonizar una campaña para PETA, siglas de la organización Gente por el Uso Ético de los Animales, con un anuncio en el que decía «La carne apesta». Los granjeros de su pueblo natal en Canadá, Consort, no se lo tomaron muy bien y decidieron cambiar la señal a la entrada de la localidad que rezaba «Consort: pueblo de k d Lang» por otra en la que se podía leer «Come carne de lesbiana», en relación a las preferencias sexuales de la cantante. Un locutor de radio hizo un comentario en antena un tanto más razonable: «Si piensa que la carne apesta, eso es porque no ha tenido la oportunidad de oler una coliflor que ha estado demasiado tiempo en la nevera».

★★★ **Kiss. Todos conocemos las historias** de los periodistas que se inventan sus artículos y, antes o después, acaban siendo descubiertos. En este caso, el protagonista fue un mendigo sin hogar que tuvo la genial ocurrencia de hacerse pasar por uno de los componentes de Kiss, Peter Criss, y vender su historia a la revista "Star". Tardaron un tiempo en desenmascararlo. Conviene recordar que Kiss siempre se presentaban en escena completamente maquillados y, por lo tanto, sus rostros eran bastante anónimos, así que el mendigo contó con una pequeña ayuda para hacer su relato creíble. Además, el auténtico Peter Criss había desaparecido de la vida pública y se encontraba en una clínica tratando su adicción a las drogas y el alcohol. Al enterarse de la existencia del suplantador, acudió a un programa televisivo para enfrentarse en directo con el impostor.

Led Zeppelin compartían su gusto por destrozar televisores con los recepcionistas de hoteles.

★★★ **Kiss: Los cuatro rockeros** enmascarados son también conocidos por sus fiestas y relaciones con gran cantidad de *groupies*. Es más: al igual que Julio Iglesias en nuestro Estado, Gene Simmons presume de haberse acostado con miles de mujeres. En 1980, al ser preguntado el guitarrista de Kiss Paul Stanley por las chicas que el grupo conocía en sus giras, respondió haciendo honor a su reputación: «Las chicas son buenas... ¡pero las mujeres son mejores!»

★★★ **Led Zeppelin. Peter Grant, el mánager** de Led Zeppelin, era un tipo enorme en más de un sentido. Cuando el grupo fue recibido por Elvis Presley en su mansión de

Graceland, y mientras los cuatro componentes del grupo saludaban al rey del rock, Peter Grant decidió aparcar su corpulento cuerpo en un sofá cercano, sin darse cuenta de que ya tenía un inquilino: Vernon, el padre de Elvis, un hombre pequeño y delgado. Un leve alarido alertó a todos. Al despedirse, Peter Grant le dijo a su anfitrión: «Encantado de haberte conocido, Elvis. Siento haberme sentado encima de tu padre».

★★★ **Led Zeppelin. Sus excesos a la hora de** tirar televisiones desde las habitaciones de los hoteles era algo bien conocido por todos en el ramo de la hostelería. Así que ahí está un buen día Peter Grant, su mánager, en la recepción del hotel Hyatt de Los Ángeles pagando a la mañana siguiente, como ya iba siendo costumbre, por una docena de televisores destrozados. «¿Sabe?», le dice el recepcionista, «siempre he querido tirar una televisión por la ventana». Grant pone un fajo más de billetes encima de la mesa y le dice: «Aquí tienes, hijo, destroza uno a nuestra cuenta».

★★★ **Lee Lewis. Este armonicista sureño,** un tanto apurado de dinero, decidió atracar un día la oficina de Correos de su localidad con una pistola de juguete. A la semana siguiente, fue detenido después de pasarse por la misma oficina a comprar unos sellos -lo mismo que le sucedió a Ozzy Osbourne cuando se dedicaba a robar con guantes rotos, con lo que dejaba sus huellas dactilares por todos lados-. No le pareció suficiente: mientras estaba en libertad bajo fianza, esperando el juicio, Lewis se saltó las condiciones de su libertad al aparecer en el concierto benéfico que sus amigos le habían organizado para obtener fondos para su defensa.

★★★ **Lemmy (Motörhead). Según sus propias palabras** en su autobiografía, «me di cuenta de que tenía que hacer algo diferente con mi vida el día que me desperté en la playa y me encontré comiendo una lata de alubias frías con mi peine».

★★★ **Little Richard. Su fe le llegó en** las alturas. Durante un viaje a Australia en 1957, uno de los motores del avión en el que viajaba comenzó a arder. Little Richard se puso a rezar en voz alta, asegurándole al Señor que dejaría su vida en el rock si le permitía salvarse. Tras aterrizar, se dirigió al puente de la Bahía de Sydney y tiró todas sus joyas, convirtiéndose poco después en un predicador; además vendió todos sus derechos de autor futuros por 10.000 dólares. Cumplió, pero no por mucho tiempo: en 1962 estaba de nuevo sobre los escenarios y en 1980 presentó una demanda para recuperar sus derechos de autor. Por eso, cada vez que vuela sufre el temor de enfrentarse a la ira divina.

★★★ **Lou Reed. *Berlin* es uno de** los discos más recordados de Lou Reed, a pesar de ser su álbum más desolador, en el que el neoyorquino se explayaba documentando la ansiedad, la frustración sexual y la desesperación. Uno de sus cortes, *The Kids*, que habla de la separación de una madre de sus críos, contiene unos inquietantes gritos de unos niños que se alargan durante varios minutos. Para lograr unos chillidos auténticos, el productor Bob Ezrin encerró a sus hijos en el estudio con la cinta grabadora corriendo y les dijo que su madre había muerto.

★★★ **Lynyrd Skynyrd. La obsesión de los fans** por sus ídolos les lleva en ocasiones más allá de lo concebible. El líder de Lynyrd Skynyrd, Ronnie Van Zandt, sufrió la profanación de su tumba por unos seguidores que querían comprobar si había sido enterrado con una camiseta de Neil Young. Conviene recordar que en su tema más celebrado, *Sweet Home Alabama*, se metían con Neil Young por haber grabado antes un par de canciones que no les sentaron nada bien a los sureños: *Southern Man* y *Alabama*.

★★★ **Lynyrd Skynyrd. La portada de su disco** *Street Survivors* de 1977 ha pasado a la historia como pieza de coleccionista. En ella se podía ver a los siete componentes del grupo posando entre un fuego infernal. Pocos días después, varios de sus componentes fallecían en un accidente de aviación en el que algunos se desangraron mientras pedían ayuda en medio de las llamas. Su compañía MCA decidió retirar el disco y sustituir aquella fotografía por la de la contraportada.

Lynyrd Skynyrd entre llamas, adelantándose al futuro.

★★★ **Marilyn Manson. Según su versión,** adoptó su encarnación de anti-Cristo porque habían abusado de él cuando era pequeño. «¡Me escogían a mí porque llevaba la comida al colegio en una caja del grupo Kiss!», aseguró Marilyn Manson. «Es la clase de abuso que se queda muy dentro de ti para siempre.»

★★★ **MC5. Se ha convertido en uno de los gritos** más recordados del rock; una de sus palabras significó, también, el ostracismo para el grupo. «Ahora mismo, ahora mismo, es hora de... iechar a patadas los malos rollos, cabrones!». Así se iniciaba la segunda canción de su debut *Kick Out The Jams* para el sello Elektra. Por culpa de aquella palabra, la mayor cadena de tiendas de Detroit, Hudson, rechazó poner a la venta el disco. El grupo contestó con un anuncio en un pequeño periódico local. «iQué se joda Hudson!» Entonces, la cadena amenazó con retirar todos los discos de Elektra. Al final, la discográfica prefirió ceder al chantaje y deshacerse de la banda que había creado todo el lío. MC5 estaban despedidos y ahí comenzaba su leyenda.

Michael Jackson pensando a quién comprarle sus canciones para hacer negocio.

★★★ **Michael Jackson. El rey del pop le preguntó** a su, por aquel entonces, buen amigo Paul McCartney cuál era la mejor manera de invertir sus ganancias. McCartney le aconsejó entrar en el mundo de las editoriales de canciones, así que Michael Jackson le hizo caso y compró los derechos editoriales de las canciones de The Beatles. «Pensé que era un chiste cuando me lo dijo. Ni por un momento se me pasó por la cabeza que fuera a comprar *mis* canciones», reconoció McCartney. Hasta aquel momento, los de Liverpool habían impedido que cualquiera de sus temas sirviera como fondo musical de un anuncio televisivo. Lo primero que hizo Michael Jackson tras comprar aquellos derechos fue ceder una de las canciones a la compañía Nike a cambio de una suma más que respetable.

★★★ **Michael Jackson. Su meteórico ascenso** a la cumbre se debe, en parte, a un chantaje. Harto de lo que denominaba el 'apartheid cultural', el representante de CBS Walter Yetnikoff amenazó a la MTV con retirar a todos sus artistas, incluidos los de raza blanca, si el último vídeo de su protegido Michael Jackson era menospreciado de nuevo. *Billie Jean* era la canción y la MTV decidió que era preferible ceder a la coacción. La amenaza resultó más que rentable: en la era del vídeo-clip, el disco que contenía aquel tema, *Thriller*, se convirtió en el más vendido de la historia.

★★★ **Mick Jagger (The Rolling Stones). En la película** *Performance* de 1970, Mick Jagger interpreta a una estrella del rock bisexual retirada. Otra de las protagonistas era Anita Pallenberg, quien por aquel entonces estaba saliendo con Keith Richards. En una de las escenas románticas, Pallenberg introdujo su lengua en la boca de Jagger y trabajó hasta conseguir ponerlo en acción, como pudieron comprobar los que se encontraban en el estudio. La escena subió tanto de temperatura que fue retirada del montaje final, aunque una versión sin cortes llegó hasta un festival porno de Ámsterdam, en donde logró uno de sus galardones.

★★★ **Neil Young. Durante los años 80,** Neil Young se dedicó al interesante juego de despistar a todo el mundo y, por el camino, perder gran parte de sus seguidores. Había que tener agallas para creerse a un Neil Young techno en *Trans* (1982), -según él, intentaba comunicarse con su hijo autista a través de la música en un disco que debería ser calificado piadosamente como 'curiosidad'-, pero es que el country de *Hawks & Doves* (1980), el heavy de *Re-ac-tor* (1981) o el rockabilly de *Everybody's Rockin'* (1983) también se las traían. Así que su propia compañía, Geffen Records, decidió demandarlo por no sonar a Neil Young en sus propios discos. Éste respondió plenamente convencido de su actitud: «Que te denuncien por no ser comercial después de llevar veinte años grabando discos... Me pareció mejor que ganar un Grammy».

★★★ **New Order. Un periodista fue invitado** a entrevistar a los herederos del legado de Joy Division en la ciudad de Manchester. Una vez allí, el grupo hizo gala de su particular sentido del humor, invitándolo a acompañarles a visitar la tumba del que había sido su líder en Joy Division, Ian Curtis, quien se había suicidado. Al llegar, el periodista mostró su extrañeza porque en la lápida había otro nombre. La respuesta no se hizo esperar: «Es cierto, pero es que estábamos sin blanca entonces y no tuvimos más remedio que comprar una lápida de segunda mano».

★★★ **New Order. La mayoría creemos que** si un disco se encuentra entre los de más éxito, sus responsables tendrán sus alforjas bien repletas. Normalmente es así, a menos que el grupo sea New Order. Siempre preocupados por el diseño, y pensando que era una canción larga de difícil salida comercial, decidieron editar su *single Blue Monday* con una carpeta especial, con lo que con cada copia que vendían perdían 10 peniques. El *maxi-single* se convirtió en el más vendido de la historia y el grupo y su compañía Factory Records se arruinaron. Eso sí: pueden presumir de una de las portadas más artísticas de la historia.

La carpeta especial de *Blue Monday*: el single más vendido, el single más ruinoso.

★★★ **Ozzy Osbourne. En marzo de 1981,** aconsejado por su mujer Sharon, Ozzy Osbourne se presentó a una reunión que había concertado con su discográfica CBS para promocionar su carrera en solitario con unas palomas que pensaba soltar para impresionarlos. A última hora, borracho y aburrido, se sentó en las rodillas de una de las ejecutivas y, tras liberar a dos palomas, le arrancó la cabeza a una tercera delante de los asustados directivos de su compañía.

★★★ **Peter Gabriel. En el momento de dejar** a su grupo Genesis, Peter Gabriel quedó mejor que un abogado, avisando a sus compañeros con un año de antelación. Sin embargo, cuando la prensa le pidió una explicación, Gabriel escribió una curiosa carta para explicarse: «Como artista, necesito absorber una amplia variedad de experiencias. Es difícil responder intuitiva e impulsivamente a los planes a largo plazo que la banda necesita. Creo que debería mirar a/instruirme/desarrollar mis momentos creativos y aprender del trabajo que se hace fuera de la música. Incluso los placeres ocultos del cultivo de verduras y la vida en comunidad me están empezando a revelar sus secretos. No puedo esperar que el grupo comprometa su agenda por culpa de mis lazos con los repollos».

★★★ **Pink Floyd. Durante los 80,** Roger Waters y David Gilmour se enzarzaron en una agria batalla por retener el control del nombre Pink Floyd y operar con él. Gilmour llamó a Waters «perro sarnoso». Waters, a continuación, pagó a un artista para que imprimiera un rollo de papel higiénico con la cara de Gilmour en cada una de sus hojas. No es de extrañar que uno de sus allegados definiera la disputa como «la megalomanía de Waters contra las frustraciones de un reprimido Gilmour, llevadas al extremo en su furia por la venganza sin más».

★★★ **Queen. La fiesta por antonomasia** de los excesos la celebró Queen para el lanzamiento de su disco *Jazz* el 31 de octubre de 1978, en el Hotel Fairmont de Nueva Orleáns, tras el tercer concierto de su gira estadounidense de aquel año. 400 invitados, entre los que se encontraban 80 periodistas traídos de todas partes del mundo, fueron conducidos a la orgía de sus vidas, que no reparó en ningún tipo de gastos y que se dio en llamar Sábado Noche en Sodoma. Un grupo de enanos recibía a los asistentes con bandejas de cocaína en sus cabezas importada directamente de Bolivia. Camareros y camareras desnudos servían todo tipo de alcohol, langostas, ostras, el mejor caviar... Entre las distracciones, modelos que peleaban en baños de hígado crudo, enormes mujeres de color que fumaban por los orificios más impensables, artistas desnudos de ambos sexos colgados de grandes jaulas, guerreros zulúes, contorsionistas, bailarines transexuales, brujos, come-fuegos, encantadores de serpientes, una mujer que se ofrecía para decapitarse a sí misma con una motosierra a cambio de una suma elevada, un hombre que desnucaba gallinas vivas a mordiscos... Y en los servicios, profesionales de ambos sexos prestando 'servicios orales' a todo aquel que se lo pidiera. Como dijo Freddie Mercury -y la fiesta se encargó de certificar-, «no voy a ser una estrella, voy a ser una leyenda».

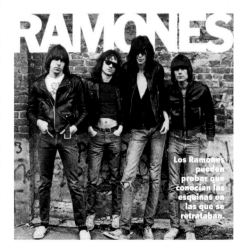

Los Ramones pueden probar que conocían las esquinas en las que se retrataban.

★★★ **Ramones. Muchos aseguran que** conocen bien de lo que hablan y reclaman una credibilidad callejera que pocos pueden sostener con hechos. Dee Dee Ramone no. Una de sus canciones del disco de debut del grupo en 1976, concretamente *53rd And 3rd*, habla de la intersección de las dos calles en Nueva York en la que Dee Dee había ejercido la prostitución para conseguir dinero con el que mantener su adicción a las drogas.

¿Se puede seguir la historia de Rod Stewart con sus mujeres a través de las notas colgadas en los armarios?

★★★ **Rod Stewart. Sus relaciones con las mujeres** han sido siempre fuente inagotable de episodios curiosos. *Maggie May*, uno de sus grandes éxitos, fue inspirada por «la primera mujer que amé», aunque, curiosamente, reconocía haberse olvidado de su nombre. En los últimos días de su matrimonio con su primera mujer, Alana, ésta colocó una nota en el armario de su casa de Malibú: '¡Atención a todas las fulanas! ¡Prohibido tocar mi ropa!'. La advertencia llevaba una curiosa firma, como previniéndoles de lo que les esperaba: 'La que pronto dejará de ser la señora de la casa'.

★★★ **Sam Cooke. Al llegar al número dos** de las listas, tras el éxito de un anuncio televisivo en 1985 con la canción *Wonderful World*, un ejecutivo londinense de su discográfica RCA telefoneó a Nueva York pidiendo que organizaran una serie de entrevistas con Sam Cooke, así como una gira británica, con la idea de lanzar un *Grandes* *éxitos* con el que rentabilizar el inesperado éxito. El ejecutivo palideció cuando le dijeron que Sam Cooke había sido asesinado 21 años atrás y que no estaría disponible para ninguna gira en un futuro próximo.

★★★ **Sonny Boy Williamson. Al** *bluesman* **de Tennessee** no le gustaba nada la comida británica, así que intentaba seguir con su dieta habitual procurándose él mismo sus alimentos. En una de sus giras británicas de finales de los 60, se llevó un conejo a su habitación e intentó cocinarlo en su tetera, quemando una buena parte del hotel en el que se encontraba alojado con el fuego que provocó.

★★★ **Sting. El bueno de Sting aparece** aquí por lo que tantos otros músicos: confiar en su contable y/o mánager. Keith Moore se llamaba su hombre y le robó seis millones de libras. Nada nuevo. Si no, que le pregunten a Peter Frampton, a quien su mánager Dee Anthony casi lleva a la quiebra justo al tiempo que publicaba uno de los mayores éxitos de ventas de todos los tiempos, el doble disco en directo *Frampton Comes Alive!* O a Billy Joel, a quien su propio cuñado y mánager le sustrajo 30 millones de dólares, de los que sólo recuperó 8 previa demanda judicial.

Incluso con esta pinta de duro, es posible engañar a Sting.

★★★ **Stiv Bators (Dead Boys). El líder de Dead Boys fue** uno de tantos amantes de Bebe Buell, *groupie* que intimó también con, entre otros, Todd Rundgren, Mick Jagger, Iggy Pop, David Bowie, Jimmy Page (Led Zeppelin), Steven Tyler (Aerosmith), Rod Stewart, Elvis Costello o John Taylor (Duran Duran, The Power Station). En su caso, Stiv Bators pareció quedar más enganchado a su amada que los demás, ya que le dejó una nota en la que le pedía que, tras morir, esnifara sus cenizas. Bebe Buell no lo cumplió, aunque conserva sus restos en una caja con forma de corazón.

★★★ **Super Furry Animals. La idea de presentarse en** un tanque en el Festival de Reading en 1997 tenía su gracia, aunque no fue tan agradable para quienes estuvieron cerca del vehículo. Más que nada porque, tan pronto como llegaron al lugar, aparcaron el tanque, pusieron un casete de hardcore techno en función de repetición con el volumen al máximo y cerraron la escotilla con llave. Seguramente nadie en sus cabales puede aguantar tres días con el mismo ritmo obsesivo sin descanso. Amenazaron con repetir la jugada en otros festivales pero, por suerte, cuando se pasearon en el tanque por el centro de su ciudad, Cardiff, la policía los paró y les obligó a entregar su 'arma de destrucción auditiva'.

★★★ **Syd Barrett (Pink Floyd). Cuando un periodista** trató de preguntarle a Syd Barrett por sus creencias religiosas, el fundador de Pink Floyd le respondió: «De acuerdo, vale. Ahora, mira ahí arriba. ¿Puedes ver la gente en el techo?» Era el Syd Barrett que uno de sus compañeros de vivienda definió como «uno de los misionarios del ácido para cambiar la cara del mundo, una de las auténticas reservas de ácido». Los visitantes que pasaban por su casa tenían tanto miedo de que les endosara una dosis de LSD que se negaban a beber nada de lo que les ofrecía y temían incluso al agua del grifo.

★★★ **Terry Kath (Chicago). Mientras jugaba con** una pistola, Terry Kath, uno de los miembros fundadores de Chicago, se pegó un tiro en la cabeza. Pensaba que estaba descargada. Johnny Ace, uno de los pioneros del rock, también se pegó un tiro en 1954, aunque él sí era consciente del peligro que corría: estaba jugando a la ruleta rusa.

★★★ **The Allman Brothers Band. Al grupo no le gustaba** nada posar para los fotógrafos. Para la portada del disco de 1971 *The Allman Brothers Band At Fillmore East*, el fotógrafo no conseguía tomarles una instantánea. Duane Allman se marchó

Super Furry Animals pasearon su 'arma de destrucción auditiva' por distintos lugares.

Pete Townshend, compositor de mini-óperas.

a ver a un amigo y regresó con una bolsita de cocaína. En ese momento, todos se echaron a reír y el fotógrafo disparó su cámara. Aquellos que lo sabían se dedicaron a revelar a los demás qué era lo que realmente escondía Duane Allman en sus manos en el centro de la fotografía y la causa de tanto jolgorio.

★★★ **The Beautiful South. A alguien en el seno** del grupo no le gustaba el título que iba a tener su siguiente disco, *Elton John Is Number One* (Elton John es número uno), por lo que, tras varias propuestas, al final optaron por titularlo *Choke* (Obturador). El destino les mostraría que no iban descaminados: cuando se editó, *Choke* entró al número dos de las listas de ventas y en el número uno se instaló cómodamente el *Greatest Hits* de Elton John.

★★★ **The Byrds. El disco de 1970** de The Byrds acabó siendo publicado como *Untitled* (Sin título), después de que el grupo comentara a su discográfica que todavía no habían encontrado título para el álbum y sus responsables lo tomaran como algo definitivo. Algo parecido le ocurrió a la Electric Light Orchestra. En el Reino Unido, su primer disco tenía un título homónimo. Sin embargo, en los Estados Unidos apareció como *No Answer* (Sin respuesta), después de que un empleado de United Artists en América telefoneara al otro lado del Atlántico a la compañía Harvest Records para conocer el título; al no recibir contestación, escribió 'sin respuesta' en una portada que fue la que al final se tomó como la definitiva para su publicación.

★★★ **The Rolling Stones. Dos** *groupies* **se acostaron** con Brian Jones, guitarrista de los Stones. «Ha estado bien, pero no es lo mismo que con Mick Jagger», fue su observación. Después, hicieron lo propio con Keith Richards. «Ha estado bien, pero no es lo mismo que con Mick Jagger.» Finalmente, pasaron la noche con Mick Jagger. ¿Su comentario? «Ha estado bien, pero no es lo mismo que con Mick Jagger.»

★★★ **The Runaways. Un grupo de rock integrado** únicamente por mujeres despierta inmediatamente la libido de todos los hombres que se acercan. Nadie más próximo que el propio mánager e ideólogo del grupo, Kim Fowley, quien dejó embarazada a la cantante del grupo, Cherie Curie, de 16 años. Ya, era una menor, pero es que, además, el mánager mantenía relaciones al mismo tiempo con las dos guitarristas del grupo, Lita Ford y Joan Jett.

★★★ **The Who. Desde entonces, nos han llovido** las óperas rock y, ahora, la moda de los musicales basados en figuras del pop y del rock. Todo se debe a que a The Who le faltaban cuatro canciones más para completar su segundo disco y Pete Townshend, su compositor, escribió apresuradamente para ocupar ese lugar una mini-ópera de nueve minutos titulada *A Quick One* (*Una rápida*). Sí, después llegarían *Tommy*, *Quadrophenia* o *The Kids Are Alright* del grupo y tantas otras de otras bandas.

★★★ **U2. A la hora de firmar un contrato,** no hay nada más ordinario que hacerlo en las oficinas de la compañía discográfica. U2 prefirieron hacerlo en uno de los cubículos de los servicios de señoras de la sala londinense Lyceum. The Sex Pistols optaron por las puertas del Palacio de Buckingham -ya se sabe que una de sus canciones era *God Save The Queen* (Dios salve a la Reina)-. Aunque, para lugares curiosos, el elegido por The Cramps: la tumba del actor de películas de terror Bela Lugosi.

★★★ **Vanilla Ice. El violento mundo del rap** tiene también sus capos. El jefe del sello Death Row, Suge Knight, impuso sobre sus pupilos y, sobre todo, sus rivales, métodos más propios de la familia Corleone que de la industria musical. Algunos no vivieron para contar su enfrentamiento con él. Otros, como Vanilla Ice, sufrieron sus amenazas muy directamente: en este caso, el rapero blanco fue agarrado por los tobillos y suspendido durante un buen rato de una ventana de un séptimo piso hasta que el 'padrino' consiguió que aceptara una de las cláusulas de su contrato.

★★★ **Van Morrison. Entre otras cosas,** Bob Dylan y Van Morrison compartieron en un momento dado el contable. Conociendo este último que ambos coincidirían un día determinado en Londres, los invitó a cenar. El día llegó, ambos se presentaron, los platos iban pasando por la mesa... y ninguno de los dos decía una palabra, ni entre ellos ni a su contable. Ambos permanecieron tan impasibles como las estatuas de la Isla de Pascua. Al acabar la comida, Bob Dylan se retiró. Van Morrison miró fijamente a su anfitrión y le dijo: «Me parece que se encontraba en muy buena forma esta noche, ¿no crees?»

PHIL SPECTOR, UN MURO DE SONIDO FRENTE AL MUNDO

Me pegó (y me pareció un beso)
(He Hit Me [It Felt Like a Kiss]; The Crystals)

★★★

Hasta hace poco pasaba por ser el productor más reconocido de la historia del *rock'n'roll*, el único que llegó a trabajar con Elvis Presley -en *Elvis Is Back*-, The Rolling Stones -en su primer disco- y con The Beatles -en su último álbum, *Let It Be*-, aunque siempre se le recordará, sobre todo, como el responsable del 'muro de sonido'.

★★★ **Ahora es también una de las innumerables** víctimas del *rock'n'roll*, después de haber sido acusado del asesinato de la actriz Lana Clarkson en su propia mansión de Los Ángeles. Tras pagar una fianza de un millón de dólares, Phil Spector ha contratado al abogado que salvó de la cárcel a O. J. Simpson, aunque probablemente no volverá a producir, quedando el segundo disco de Starsailor como el último que recibió su toque personal, y eso que habían pasado 22 años desde su anterior producción.

★★★ **Con las pistolas no se juega,** pero Phil Spector aún no había aprendido la lección y, si contamos con sus antecedentes con las estrellas del rock, el veredicto sólo puede ser uno: culpable. No sabemos si el juez lo pasará por alto. En cualquier caso, con Phil Spector el genio y las excentricidades van unidos hasta el fin.

★★★ **Harvey Phillip Spector nace** el 26 de diciembre de 1940 en el Bronx, Nueva York. Con diecisiete años entra en The Teddy Bears y graba un *single* que lleva en la cara B la canción *To Know Him Is To Love Him* (Conocerlo es amarlo), que toma como título la inscripción que su madre había escrito en la tumba de su padre.

★★★ **Un locutor de Fargo,** Dakota del Norte, comienza a programar esa canción y, a los pocos días, Phil Spector llama incrédulo a un distribuidor de Minneapolis que le pedía 18.000 copias del *single* para saber si se trata de

una broma. Es el principio de su increíble historia. La fiebre se extiende y la canción llega al millón de copias. El disco genera unos 20.000 dólares de la época, aunque alguien se escapa con la mayor parte del dinero. The Teddy Bears se convierte en el primer y último grupo del que Spector forma parte.

★★★ **Aun así, no las tenía** todas consigo. Sin dinero para entrar en la Universidad, se convierte en periodista que cubre juicios en los tribunales. Como su madre le había enseñado francés, intenta entrar en las Naciones Unidas. La noche antes de la entrevista se va con sus amigos músicos de juerga y nunca se presenta. A continuación, compone *Spanish Harlem* y a los 19 ya es ejecutivo de la discográfica Atlantic Records.

★★★ **A partir de ahí comienza su época dorada,** la que le lleva a ser el productor de referencia de los 60. Si hablamos con propiedad, Spector no es estrictamente un productor, sino un músico que quería abarcarlo todo en lo que respecta a sus canciones: escribe

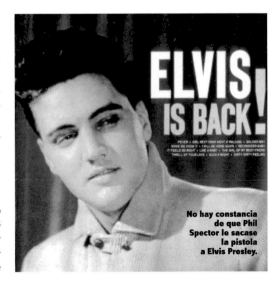

No hay constancia de que Phil Spector le sacase la pistola a Elvis Presley.

la letra y la música de las canciones, reúne a los músicos que las han de interpretar, las graba con todo lujo de medios durante sesiones maratonianas y las edita en su propio sello. Salvo la manufactura de los discos y la distribución, cubre todo el proceso.

★★★ **Su táctica es editar un único *single*** cada cierto tiempo, en el que pone todo su empeño, mientras las otras compañías editan diez o quince al mes, esperando que al menos uno tenga éxito. Su perfeccionismo está documentado. Larry Levine, su ingeniero de sonido entonces, llegó a declarar: «No quise saber nada de él después de aquello. Nos tenía trabajando en una ínfima parte de una canción día y noche durante meses». Por su parte, Jeff Barry, otro de sus colaboradores habituales, reconoció que le obligaba a tocar la pandereta semanas enteras para lograr un sonido en concreto.

★★★ **Como su método es muy especial,** funda con Lester Still el sello Philles Records, tomando para el nombre la primera parte de cada uno de los suyos. Más adelante, le compra su parte en la compañía por 65.000 dólares, cantidad que nunca le entrega a su socio alegando que aún le debe dinero de su trabajo con Paris Sisters el año antes. Still lo demanda y el juez le obliga a entregarle los derechos de autor de su siguiente *single* para resarcirle, seguro del éxito del mismo.

★★★ **Como venganza, Spector** graba la canción *(Let's Dance) The Screw* -(Bailemos) el fraude-, en la que se repite el estribillo durante doce minutos, le da el número 111 de su catálogo y la única copia de la que se desprende se la hace llegar directamente a la puerta de la casa de su antiguo socio. Hoy es una de las grabaciones más perseguidas y cotizadas entre los coleccionistas. A continuación, para dejar claro ante todo el mundo que no tenía intención de editar aquella grabación, lanza comercialmente *Today I Met The Boy I'm Gonna Marry* de Darlene Love con el mismo número, el 111.

★★★ **Aquellas legendarias grabaciones** de los 60 dan forma a lo que se llamó 'muro de sonido'. Se trata de canciones con percusiones atronadoras, eco generoso, coros prominentes y gran cantidad de cuerdas, saxofones y voces humanas. La revista "Rolling Stone" las llamó 'canciones que duran tres minutos y eternamente'; Phil Spector las consideraba, simplemente, 'pequeñas sinfonías para los chavales'.

★★★ **Tan seguro está Spector** de sus canciones que, cuando les muestra a los Righteous Brothers lo que iba a ser su nuevo *single*, *You've Lost That Lovin' Feelin'*, uno de ellos le pregunta qué puede hacer mientras el otro canta la primera estrofa. La respuesta de Spector demuestra su total convencimiento: «Puedes ir directamente al banco».

★★★ **En otra ocasión,** mientras graba *There's No Other Like My Baby* para The Crystals, Spector apaga las luces del estudio y las sienta allí en la oscuridad, con la intención de obtener una atmósfera más romántica. «Lo malo es que estuvimos así cerca de dos semanas», recordaba una de las vocalistas.

★★★ **En 1966 Spector cierra** su sello. Como razón principal, argumenta que no está contento por la recepción que ha tenido *River Deep Mountain High*, cantada por Ike y Tina Turner, que él considera su cima creativa. Lo cierto es que, al mismo tiempo, el mercado de *singles* empieza a decaer y los LPs son ya el principal formato de expresión del rock. Phil Spector nunca llega a encontrarse cómodo con los discos de larga duración y sólo graba uno digno de todas las antologías: *A Christmas Gift For You From Phil Spector* (Tu regalo navideño de Phil Spector).

★★★ **A partir de ese momento,** además de producir a otros artistas, su leyenda crece con amenazas a punta de pistola a Stevie Wonder o a su mujer, Ronnie Spector, conocida anteriormente con el nombre de Veronica Bennett, a la que, por si fuera poco, engaña con los derechos de autor de sus canciones en conjunto para llevarse él una mayor suma.

★★★ **En su reciente autobiografía,** Ronnie asegura que la retenía contra su voluntad en su mansión de 23 habitaciones en Beverly Hills, bajo vigilancia constante de guardas armados y perros de caza. Cuando se iba de gira con las Ronettes, Spector la llamaba cada noche y le pedía que dejara el teléfono descolgado en la almohada, para que pudiera oírla durante toda la noche.

★★★ **En el momento en que descubren** que no pueden tener hijos, la pareja decide adoptar uno. Durante los ocho meses anteriores a que su hija Donte se fuese a vivir con ellos, Spector obliga a Ronnie a llevar cojines

El mejor regalo musical navideño, cortesía de Phil Spector.

A CHRISTMAS GIFT FOR YOU
From Phil Spector

DIGITALLY REMASTERED BY PHIL SPECTOR

debajo de su ropa, de un tamaño y volumen mayores cada vez, para convencer a todos de que el hijo es de la pareja.

★★★ **Además, según Ronnie,** Phil Spector había ordenado que fabricasen un maniquí con su figura para colocar al lado de ella en el asiento delantero del deportivo que le había regalado. Su marido también le escondía los zapatos para que no se escapase; por eso, cuando se fugó de su mansión, tras seis años de matrimonio, la encontraron descalza. Ella lo tenía claro: «Cuando le dejé sabía que, si no me marchaba entonces, acabaría muriendo allí».

★★★ **En 1970, John Lennon** le pide que produzca el que sería último disco de The Beatles, *Let It Be.* Paul McCartney nunca estuvo contento con el resultado, ya que sonaba más a Spector que a The Beatles, con voces femeninas -por vez primera en un disco de The Beatles- y abundantes orquestaciones.

★★★ **En concreto, su queja** se centró siempre en *The Long And Winding Road*, que pensaba que había sido arruinada por Spector. A pesar de llegar al número uno de las listas, Paul siempre renegó de ella y no hace mucho publicó su propia versión titulada *Let It Be Naked*, sin la sobreproducción de Spector.

★★★ **Con John Lennon se lleva mejor** y produce buena parte de sus discos. Sin embargo, durante las sesiones de *Rock'-n'Roll*, las drogas y el alcohol causan su efecto: en una de aquellas sesiones, Spector llega a disparar todo un cargador contra el techo del estudio. Lennon, asustado, le responde: «Si quieres, mátame, pero déjame los oídos. Los necesito».

★★★ **Por aquel entonces,** un Bruce Springsteen que comenzaba a despuntar con su disco *Born To Run*, de sonido grandioso y épico, reconoce que le gustaría conocer a Spector. Se acerca por el estudio en el que el productor está trabajando en *Born To Be With You*, de Dion DiMucci, y asiste a una larga sesión sin obtener una sola palabra de Spector. Al final, éste se dirige a él: «¡Si querías mi sonido, tenías que habérmelo encargado a mí!»

★★★ **En el 78, produce** *Death Of A Ladies' Man*, uno de los grandes discos de Leonard Cohen. El resultado, comentaba Cohen, no justificaba los medios. «Tuve que tragar con toda su megalomanía y enfermedad, así como una devoción por las armas que era intolerable. En una ocasión puso su mano en mi hombro y una pistola en mi cuello y me dijo: 'Leonard, te quiero.' Todo lo que pude responder fue: 'Espero que así sea, Phil'».

★★★ **La última de sus grandes producciones** es el disco *End Of The Century* de los Ramones, tal vez el más pop de la carrera del grupo de Nueva York. Tampoco las sesiones son fáciles. Según los Ramones, Spector los encerraba en su mansión durante días y, en una ocasión, llega a invertir unas 13 horas trabajando en un único acorde de aquel álbum.

★★★ **En una de aquellas jornadas,** Spector saca su arma y apunta directamente al corazón de Dee Dee Ramone. «No vais a ningún lado, nos dijo. A continuación se sentó al piano y nos hizo escuchar su interpretación de *Baby I Love You*, que luego aparecería en nuestro disco, hasta las cuatro de la mañana. Era un anfitrión sin piedad», comentó Dee Dee. «Sólo guardaba su pistola si sabía que sus guardaespaldas controlaban la situación.»

★★★ **En los últimos tiempos había vuelto** a los estudios con Starsailor. En su agenda figuraba la posible producción de los próximos discos de The Vines y Coldplay, pero ya no podrá ser. Sus amenazas del pasado y su leyenda han podido más que el genio.

Ronnie Spector, con zapatos o sin ellos, siempre bajo el control de su marido Phil.

LET IT BE

Para Phil Spector, déjalo estar; para Paul McCartney, déjalo estar desnudo.

PAREJAS ROCK, MUNDOS IRRECONCILIABLES

Las parejas deben discutir
(Couples Must Fight; Jonathan Richman)

El culto a la celebridad domina la cultura popular. Si hace no mucho una estrella del rock nos empujaba a aspirar vagamente a un estilo determinado de vida, hoy en día conocemos perfectamente hasta el contenido de sus cubos de la basura. Últimamente, además, parecen estar de moda las relaciones entre dos músicos con la consiguiente persecución de las publicaciones periódicas de color rosa. Además, comportamientos como los de Phil Collins, quien se separó de su primera mujer por correo, de la segunda por telex y de la tercera por fax, no ayudan precisamente a pasar desapercibidos. En los primeros tiempos del *rock'n'roll*, la historia giraba alrededor de los hombres. Conocida es, por ejemplo, la historia de la noche de bodas en la que David Bowie convenció a su mujer Angie para que participara otra mujer. Entonces, las parejas rock no eran, precisamente, un modelo a seguir, a menos que se tomase a Paul y Linda McCartney como referencia.

Hoy, la situación y la posición de la mujer en este tipo de relaciones han cambiado sustancialmente, pero no dejan de producirse situaciones, cuando menos, llamativas. Repasemos su evolución a través de alguna de las historias más curiosas.

★★★ **ABBA: Anni-Frid y Benny, Björn y Agnetha. Los dos músicos,** Benny y Björn, contrataron a dos cantantes de sesión en 1972 en Estocolmo, Anni-Frid y Agnetha, para ayudarles con su primer disco, y acabaron casándose con ellas, convirtiéndose, a continuación, en el grupo pop más exitoso de la historia. En 1979, después de tres niños y múltiples desavenencias, Björn y Agnetha se divorcian. Dos años más tarde, Anni-Frid y Benny hacen lo propio, argumentando que «si el grupo ha podido sobrevivir a un primer divorcio, podrá también con el nuestro». No tardaron ni doce meses en disolver el cuarteto.

★★★ **Annie Lennox y Dave Stewart (Eurythmics). Se conocieron en 1976** en el restaurante en el que ella trabajaba como camarera. Empezaron como The Tourists. Cuando llegó el momento de formar Eurythmics, decidieron romper la relación. «Fue escoger entre nosotros o el grupo». Su debut, *Sweet Dreams*, se nutría de la ruptura. La separación de 1990 sólo tuvo en cuenta las diferencias musicales. Volvieron a juntarse en 1999, resolviendo sus desavenencias a cambio de llevarse una buena tajada económica.

★★★ **Björk y Goldie. Björk y Tricky. Por su comportamiento,** podría dar la impresión de que Tricky tenía buenas credenciales como pandillero pero, que se sepa, al menos no las ha utilizado en un par de ocasiones. En aquel momento, Goldie y Björk eran pareja. Tricky había invitado a Björk a grabar dos canciones de su disco *Pre-Millennium Tension*. Los rumores de un romance no se hicieron esperar. Goldie telefoneó a Tricky para concertar una pelea en Londres, pero éste no le hizo caso. Cuando Tricky se dejó caer por el club Roxy de Nueva York, donde Goldie estaba pinchando, un fotógrafo intentó retratarlos juntos. «¡Intentó pegarme!», recordaba después Tricky. «Le contesté que de ninguna manera iba a salir a la calle a tirarme por los suelos con él. ¡Yo llevaba puesto un vestido!»

★★★ **Bob y Rita Marley. Lo vivieron todo juntos,** desde sus comienzos en una chabola, pero, cuando a él le llegó el éxito, siguieron juntos aunque en viviendas distintas. Bob Marley se permitió vivir con otras amantes, pero no dejó que Rita hiciera lo mismo. Aun así, Rita Marley fue la que le educó a alguno de sus hijos extramatrimoniales. En su autobiografía, Rita habla también de agresiones sexuales cuando ya estaban separados.

ABBA sobrevivió al primer divorcio y aseguraron que el grupo sobreviviría al segundo. ¿Seguro?

★★★ **Boy George y Jon Moss (Culture Club). Se conocieron** en los primeros 80 y decidieron formar un grupo juntos, Culture Club. Boy George ponía la imagen y cantaba, mientras que Jon Moss era el batería. Permanecieron juntos seis años. Rompieron por las presiones de las giras, las drogas y el resentimiento de Jon por el éxito de su compañero. «Era imposible seguir y ser como Abba», comentó Boy George. «Él solía decirme: 'Eras un don nadie cuando te conocí, así que no me traigas nada de esa mierda de Boy George'».

★★★ **Cher y Sonny. Cher y Gregg Allman (Allman Brothers). Sonny y Cher** se conocieron en un café cercano al lugar en el que Cher, con 16 años y sin trabajo, acababa de grabar su primera canción. Sonny Bono era ya una institución y se convirtió en su mentor. Durante los primeros meses compartieron casa, pero no la cama. Cuando la madre de Cher descubrió la situación, ella le declaró su amor a Sonny. Años más tarde, se separaron entre revelaciones en público de infidelidades. Cher se casó con Gregg Allman sólo tres días después de su divorcio, y con él vivió intensamente la adicción de éste al alcohol y las drogas. Dos años duró su matrimonio, no sin antes dejar grabado un álbum a dúo del que hoy no quiere oír hablar ninguno de los dos: *Allman And Woman* (Allman y señora). Tras pasar por una etapa como corista de Meat Loaf, Cher recuperó en los 80 su independencia y el éxito comercial en su carrera.

★★★ **Chrissie Hynde (The Pretenders) y Ray Davies (The Kinks). Chrissie Hynde y Jim Kerr (Simple Minds). Jim Kerr y Patsy Kensit (Eight Wonder). Patsy Kensit y Liam Gallagher (Oasis). Liam Gallagher y Nicole Appleton (All Saints). Liam Howlett (The Prodigy) y Natalie Appleton (All Saints).** Chrissie Hynde convivió en los primeros tiempos de The Pretenders con su guitarrista, James Honeyman-Scott. En la gira norteamericana de 1980, Chrissie conoció a su ídolo, Ray Davies, líder de The Kinks, del que ya había grabado un par de versiones: *I Go To Sleep* y *Stop Your Sobbing*. Su idilio no gustó nada a su antiguo amante, quien un buen día la emprendió a golpes con Ray Davies. Aun así, siguieron adelante y se casaron; en un primer intento, el juez rehusó celebrar la ceremonia porque Chrissie y Ray no dejaban de discutir. Tras la anunciada separación, Chrissie se unió a Jim Kerr, entonces líder de unos Simple Minds en su momento de más gloria. Al romper, a causa de la nueva relación de Chrissie Hynde con Ali Campbell de UB40, Jim Kerr se unió a Patsy Kensit, la rubia cantante de Eight Wonder y actriz de, por ejemplo, *Beltenebros*, de Pilar Miró. Tras esta ruptura, Patsy Kensit se casó con Liam Gallagher, cantante de unos recién llegados Oasis. Después de repetidas broncas aireadas por los medios y la consiguiente separación, Liam se unió a Nicole Appleton, de All Saints. Su hermana Natalie está casada con Liam Howlett, de Prodigy. Éste es, hasta ahora, el último capítulo de esta curiosa cadena.

★★★ **Elvis Costello y Cait O'Riordan (The Pogues). En 1985, Costello** produce el segundo álbum de The Pogues y se enamora de su bajista, Cait O'Riordan, divorciándose de su primera mujer, Mary Costello. «Somos los Sonny y Cher de los 80», aseguró, «y yo soy Cher». *Blood And Chocolate*, su disco de 1986, hablaba de su experiencia con canciones como *I Hope You're Happy Now* (Espero que seas feliz ahora) e *I Want You* (Te quiero). Mientras duraba su matrimonio con Mary, Costello ya había tenido una relación con la famosa *groupie* Bebe Buell, pareja en su día de Steven Tyler y madre de la actriz Liv Tyler. Recientemente, Costello se ha divorciado de Cait O'Riordan para casarse con la diva canadiense del jazz Diana Krall. Su disco *North*, tres lustros después, vuelve a reflejar una situación similar, aunque esta vez cambiando el *rock'n'roll* de entonces por el jazz.

★★★ **Gwen Stefani (No Doubt) y Gavin Rossdale (Bush). Seguro que** la vida de Gwen Stefani cambió completamente el día que descubrió que su pareja durante 10 años, Gavin Rossdale, tenía una hija de 15 años con Pearl Lowe, anteriormente cantante del grupo británico Powder. Pero no acabó todo ahí: Pearl Lowe, casada con el bajista de Supergrass Danny Goffey, admitió haber practicado el intercambio de parejas con el actor Jude Law y su esposa Sadie Frost durante unas vacaciones en Grecia. Los lazos imprevistos -o, mejor dicho, el intercambio de fluidos- acabaron por unir a la aspirante a actriz Gwen Stefani con la estrella Jude Law. Sorpresas te da la vida.

★★★ **Ike y Tina Turner. Cualquiera que haya visto** la película sobre la historia de Tina Turner tendrá una idea suficientemente aproximada de qué sucedió. Por supuesto que es sólo una de las dos versiones de lo ocurrido, pero probablemente no difiera mucho de la cruda realidad. Se conocieron en 1958 y ella pasó a formar parte de su banda. Aunque no le gustaba especialmente -«era como dormir con mi hermano», aseguró-, iniciaron una relación. Poco después empezaron los abusos. «Era su única herramienta. Mi ojo izquierdo estaba negro todo el tiempo y mi nariz rota». Tras abandonarlo, Tina tuvo una segunda juventud como estrella de grandes estadios.

★★★ **Jennifer López y Puff Daddy. O cuando es más importante** lo que digan de ti en las revistas que tu carrera musical. El día en que Jennifer tuvo que escoger entre su amor y su trabajo, entre su pareja y su reputación, justo cuando Puff Daddy estaba siendo procesado por haber disparado un arma, Jennifer lo tuvo claro: los negocios van primero, así que no le costó mucho decirle adiós. Rompió la relación un 14 de febrero, día de San Valentín.

Ike y Tina Turner, ¿durmiendo con su hermano o con su enemigo?

★★★ **Joan Baez y Bob Dylan. Fue Joan Baez,** la heroína de la escena folk en aquel momento, la que invitó a un entonces desconocido Bob Dylan a participar en el Festival Folk de Newport en 1963. Además, convirtió las canciones del que ya se había transformado en su nuevo novio en el pilar de sus recitales en directo. Al poco tiempo, los papeles cambiaron: Dylan se convirtió en una estrella por derecho propio, dejando atrás la escena folk por una vida en el más revuelto mar del *rock'n'roll*. Quien debería estar agra-

decido, no lo demostró en público, y el documental *Don't Look Back* muestra sin rodeos el desprecio con el que Dylan trató posteriormente a Joan Baez.

★★★ **John Lennon y Yoko Ono. Su relación, que estalló** bajo el escrutinio público, estaba por encima de todo. Por desgracia para ella, Yoko Ono siempre será recordada por la parte negativa. Después de ser la causa del primer divorcio de John Lennon y, para algunos, de la separación de The Beatles, en los 70 Yoko se hizo con el control de la relación. Mientras se relacionaba con otros hombres en Nueva York, Yoko proveía a John de las amantes que ella creía que no se iban a interponer en su relación, controlaba sus llamadas, escogía sus amistades y le programaba sus actividades. Además, tuvieron que pasar por varios abortos, el rapto de la hija de Yoko y el intento de deportación del gobierno Nixon -en el mismo momento en que a Yoko Ono se le otorgó el permiso de residencia definitivo en los EEUU, a John Lennon le dieron 60 días para abandonar el país-. Y, a pesar de todo, siguieron juntos hasta el final.

★★★ Johnny Cash y June Carter Cash. En 1966, cuando se conocieron, la carrera de Johnny Cash, cantante country que tenía una vida más rockera que la mayoría de artistas de este estilo, estaba hecha trizas, en especial debido a su adicción al alcohol y las anfetaminas. Ella lo sacó del pozo y compuso con él dos de sus grandes himnos: *I Walk The Line* y *Ring Of Fire*. Agradecido, Johnny Cash se le declaró en 1968 en el escenario, delante de una sorprendida audiencia.

★★★ Justine Frischmann (Elastica) y Brett Anderson (Suede). Justine Frischmann y Damon Albarn (Blur). La futura arquitecta Justine Frischmann se encontró con el estudiante de arte Brett Anderson en la universidad a principios de los 90. Ella deja de estudiar, se mete en Suede y, poco después, abandona a Brett por Damon Albarn, de Blur. La mitad de las canciones en el disco homónimo de debut de Suede hablaban de aquella ruptura, especialmente *Animal Nitrate*, que Brett escribió, según los rumores, cuando ella regresó a casa con marcas por toda la espalda después de dormir con Damon. Justine le contestó con *Never Here* en el debut homónimo de Elastica. Más tarde, Damon Albarn aireó la ruptura de su relación en *13*. En esta ocasión, ella comentó que no le había gustado nada, pero no tuvo ocasión de responder porque Elastica ya no existía como grupo.

★★★ Kurt Cobain y Courtney Love. Según Courtney Love, «congeniamos hablando de productos farmacéuticos». Podría parecer la pareja perfecta, por cuanto sus gustos coincidían en lo musical y en sus vicios secretos. Sin embargo, cuando Kurt Cobain se suicidó, llevaba varias semanas sin ver a su mujer. Estaba claro que la fama era lo que ella buscaba y lo que, al mismo tiempo, él aborrecía, por lo que entre ellos el abismo fue creciendo. Días después del suicidio de Kurt, y entre rumores de relaciones de Courtney Love con Evan Dando y Trent Reznor, Hole editó un disco de nombre más que aclaratorio: *Live Through This* (Vivir con todo esto).

★★★ Marianne Faithfull y Mick Jagger. Al principio, todo marchaba bien entre ellos, tanto que Jagger y Richards le compusieron a Marianne Faithfull varias canciones, incluyendo la más recordada de todas las que grabó, *As Tears Go By*. En 1967, Jagger y Richards fueron detenidos en una redada en la casa de campo del segundo, impulsada por periodistas que trabajaban para el periódico "News Of The World", propiedad de Robert Murdoch. Según se dijo, cuando abrió la puerta, Faithfull estaba desnuda, con sólo una colcha persa alrededor. Jagger y Faithfull siguieron como pareja hasta finales de 1969, cuando viajaron a Australia para el rodaje de *Ned Kelly*. Allí, Faithfull sufrió una sobredosis de pastillas para dormir. La relación se terminó cuando fue enviada a casa en Inglaterra para recuperarse, mientras Jagger iniciaba una relación con la novia de Keith Richards, Anita Pallenberg.

John Lennon y Yoko Ono, nada ni nadie los separará.

Kurt Cobain y Courtney Love no supieron vivir con todo aquello.

★★★ **Michael Jackson y Lisa-Marie Presley. Nadie se creyó** su boda. La hija de Elvis buscaba iniciar su carrera con el apoyo de Michael y él buscaba distanciarse de las acusaciones de abusos a menores. En público siempre intentaban demostrar, sobreactuando, que su matrimonio era de verdad, aunque cada uno vivía en su mansión. El día que Lisa fue con sus hijos de visita a Neverland, la mansión de Jackson, y se vio rodeada de monos y otras excentricidades, puso fin a la relación. No habían pasado ni doce meses.

★★★ **Nick Cave y P J Harvey. Ninguno de los dos** confirmó nunca su relación, pero tampoco hubo la menor duda, sobre todo cuando Nick Cave acabó reconociendo que las canciones de las que más se arrepentía eran aquellas de *The Boatman's Call* en las que hablaba en primera persona. La destinataria, la chica del 'pelo negro', era PJ Harvey. Ella conoció a Cave a través de Mick Harvey, el guitarrista de los Bad Seeds, quien había participado en el disco de PJ Harvey *To Bring You My Love*. Después de reconocer que admiraba su trabajo y que sería interesante conocer a alguien del «mismo planeta musical», PJ Harvey cantó con Nick Cave en el disco de éste *Murder Ballads*. Su dueto *Henry Lee* era una de las pocas historias en las que el personaje de Nick Cave era asesinado por una mujer. El vídeo los mostraba abrazándose y besándose. Su tormentosa relación se podría resumir en el par de líneas de *People Ain't No Good* (La gente no es buena), una de las canciones de *The Boatman's Call*: «Envía una docena de lirios para nuestro amor, envía un ataúd de madera para nuestro amor».

★★★ **Ozzy y Sharon Osbourne. La primera relación de Ozzy** Osbourne había acabado súbitamente después de que éste disparase contra las gallinas de su mujer en una tarde de borrachera. A continuación se casó con Sharon, hija de su mánager Don Arden. Ésta le compró el contrato a su padre para sacárselo de en medio y convertirse ella en la responsable de la carrera de su marido. Más difícil fue acabar con sus vicios. En 1982, Sharon puso toda la ropa de Ozzy bajo llave, para impedirle marcharse de borrachera. Ozzy salió vestido con la ropa de su mujer y acabó en prisión por aliviarse contra un monumento de Texas, bajo la atónita mirada de dos agentes de la policía que lo detuvieron diciéndole: «Cuando meas en El Álamo, estás meando contra todo el Estado de Texas». Al preguntarle qué pensaría si ellos fuesen a orinar en el Palacio de Buckingham, Ozzy les respondió: «Buscaros la vida. ¡Me importa un bledo!». En otra ocasión, pasó tres días «hablándole a un caballo» y le envió a su mujer todo su pelo rapado por correo, tras varias jornadas 'de viaje' con diferentes drogas. Más tarde, al ingresar en la clínica Betty Ford para desintoxicarse, lo primero que hizo fue preguntar dónde estaba el bar. Tras intentar estrangular a su mujer en una nueva borrachera y ser detenido, Ozzy dejó la bebida. Hoy es más famoso por el programa *Los Osbourne*, en el que ambos y dos de sus hijos se dejan seguir por las cámaras de televisión las 24 horas al día.

★★★ **Patti Smith y Fred "Sonic" Smith. No es que ella** cambiase su apellido al contraer matrimonio, porque ya lo compartían antes. Sin embargo, cuando se casaron en 1980, ella dejó su meteórica carrera en el rock para vivir con el que había sido guitarrista de los legendarios MC5 y, sobre todo -quién lo diría de ella-, cuidar a sus hijos y su huerta. En 1988, Patti Smith reapareció fugazmente con el disco *Dream Of Life*, pero no fue hasta la muerte de Fred que Patti Smith volvió al mundo de la música a tiempo completo.

★★★ **Paul y Linda McCartney. Modelo de estabilidad** en el cambiante mundo del rock, no merecen demasiada atención como pareja sentimental. Sin embargo, como pareja musical sí tienen algo que los convierte en interesantes, gracias, sobre todo, a los técnicos de sonido de sus actuaciones en directo, quienes ocultaban veladamente las aportaciones de Linda en Wings para que la mujer de Paul no enrojeciera de vergüenza. Aun así, en una ocasión decidieron aislar su voz en la interpretación de *Hey Jude*, y subirle el volumen, quedando para siempre en entredicho su papel en la banda.

Tras morir Fred 'Sonic' Smith, Patti Smith dejó sus hijos y su huerta por el rock.

★★★ **Rickie Lee Jones y Tom Waits. Ya llevaban unos meses juntos,** pero todo se oficializó al aparecer Rickie Lee Jones en la contraportada del disco *Blue Valentine* junto a su autor, Tom Waits, en 1978. Se habían conocido en el Club Tropicana de Los Ángeles, incluso antes de que Rickie Lee Jones hubiese cantado nunca allí, en la época en la que ella dormía bajo la conocida señal de las montañas de Hollywood y trabajaba como camarera. Durante una temporada vivieron y lo bebieron todo juntos, pero su separación llegó tras el éxito del primer disco homónimo de Rickie Lee Jones. Tom Waits llevaba ya seis discos editados, giras por medio mundo y aún no había conseguido el menor éxito. En 1979, Waits se mudó a Nueva York y, poco después, en 1980, ya se había casado con Kathleen Breenan, coautora de muchas de sus canciones. A Rickie Lee Jones le costó más superar su ruptura, y su siguiente disco, *Pirates*, estaba basado en la experiencia.

★★★ **Tammy Wynette y George Jones. Fueron la primera pareja** oficial del country y grabaron a dúo canciones como *Loving You Could Never Be Better* -Nunca podrá haber nada mejor que amarte-. El título poco tenía que ver con la realidad, ya que Tammy tuvo que aguantar seis años de matrimonio con un George Jones dedicado enteramente a su adicción al alcohol. Harta, un día tiró todas las botellas que quedaban en su casa y se llevó las llaves del coche. Él, ni corto ni perezoso, agarró su cortacésped, justo como el protagonista de *Una historia verdadera* de David Lynch, y a una velocidad de ocho kilómetros por hora se marchó a la licorería más cercana a darse un homenaje.

★★★ **Traci Lords y Marilyn Manson. Evidentemente,** Traci Lords será siempre recordada en primer lugar por su papel de reina del porno, con sus más de cien películas rodadas en un par de años, antes de cumplir los 18, gracias a haber falsificado su documentación. Pero también grabó un aceptable disco electrónico, *1000 Fires*, y colaboró con Manic Street Preachers cantando *Little Baby Nothing* en su primer disco. Aquí aparece por su relación con Marilyn Manson, algo que éste reconoce en su autobiografía. No fue la última actriz porno con la que se relacionó Marilyn Manson, ya que después tuvo como pareja a Dita Von Tese, protagonista, entre otras, de *Pin-Ups 2*, del esteta Andrew Blake. Ginger Lynn, la otra gran estrella del porno de los 80, aguantó tres años al lado de Billy Idol, proporcionándole, al menos, el título de su disco *Charmed Life* (Vida encantadora).

★★★ **Whitney Houston y Bobby Brown. Cuando se casaron,** el 18 de julio de 1992, muchos predijeron que su matrimonio no duraría mucho, a pesar de que a los invitados a su boda les regalaron una bolsa con un trozo de su tarta y una nota que decía: 'Pon esta tarta debajo de tu almohada y sueña con nuestro amor verdadero'. El caso es que siguen juntos pero... ia qué precio! Desde entonces, Whitney Houston no ha vuelto a tener carrera comercial destacable y todo parece que se debe a su desmedida afición por las drogas, que comparten desde que se conocieron. Son también célebres sus peleas en su casa de Atlanta, con Brown detenido en más de una ocasión, o la que protagonizaron en un aparcamiento público de Hawai en 1997, así como sus reiterados ingresos en la clínica Betty Ford para desintoxicarse o la expulsión de la cantante de la ceremonia de los Oscar en el 2000. Un año antes, Whitney Houston había comparecido junto a su marido en televisión para reconocer su adicción a las drogas. En la extraña entrevista, negó que consumiera crack. «El crack es barato. Gano demasiado como para fumar crack», aseguró. Cuando le preguntaron si era anoréxica o bulímica, dijo: «Whitney no va a ser gorda. iNunca!» Tras quejarse de que la prensa se metía en sus asuntos privados, no tuvo reparos en comentar sus implantes en los pechos.

KURT COBAIN, REBELDE CON CAUSA

Ven como eres
(Come As You Are; Nirvana)

Conviene desmitificar el mito. Kurt Cobain era un ser atormentado, y su muerte a los 27 años lo elevó al olimpo del rock. Pero en su vida -como en todas, por otra parte- hubo un buen montón de hechos que han quedado como curiosidades y que nos ayudan a dar una visión menos trascendente de Kurt Cobain.

★★★ **Nirvana pudieron ser excepcionales** para muchos, pero ya su mismo nombre no lo era tanto. Al menos existieron otros dos grupos con la misma denominación. El primero, un grupo folk psicodélico británico compuesto por el irlandés Patrick Cambell Lyons y el griego Alex Spyropoulos, tuvo cierta repercusión en los 60, aunque siguieron editando discos incluso en los 90. Amenazaron con litigar con el grupo de Kurt Cobain por el nombre, pero al final llegaron a un acuerdo amigable, tanto que en su disco de 1996, *Orange And Blue*, incluyeron una versión de una canción de Kurt Cobain, *Lithium*.

★★★ **El segundo fue un grupo de rock cristiano** de principios de los 80 que también intentó presentar una demanda contra el grupo de Kurt Cobain por uso indebido del nombre. Ambos vieron cómo sus ventas se incrementaban con el gran éxito de los últimos y más conocidos Nirvana en 1991, debido tanto al error de confundir a unos con otros como a la curiosidad de los seguidores del grupo de Kurt Cobain.

★★★ **Además, Nirvana no había sido** la primera opción para sus componentes. Un buen día, Cobain y el bajista Krist Novoselic decidieron cambiar el nombre de su grupo por el de Nirvana, palabra del sánscrito que significa, según el Diccionario de la Real Academia Española, 'bienaventuranza obtenida por la absorción e incorporación del individuo en la esencia divina'. ¿Y cuál era el nombre que dejaron atrás? Ed Ted And Fred And Fecal Matter (Ed Ted y Fred y la Materia Fecal). No es que hubiera muchas similitudes entre uno y otro, desde luego.

★★★ **Como en tantas ocasiones,** la ayuda para iniciarse en el rock le llegó a Kurt Cobain de su familia. Su primera guitarra, que era de segunda mano, fue un regalo de su tío a los 14 años. Sin embargo, para conseguir su primer amplificador, Cobain vendió una pistola que había recuperado del río al que su madre la había arrojado tras amenazar con ella a su nuevo marido. El nombre del río serviría para dar título al

Este grupo se llamaba en un principio Ed Ted y Fred y la Materia Fecal.

disco en directo póstumo de 1996, *From The Muddy Banks Of The Wishkah* (Desde las orillas fangosas del Wishkah), mientras que de la pistola nunca más se supo, aunque cualquier día seguro que aparece en una subasta de Internet.

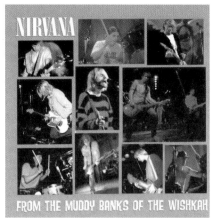

★★★ **En sus primeros tiempos como músico,** a su madre no le gustaba la compañía de su hijo, por lo que no le permitía alojarse en casa. A veces dormía en casa de un amigo y, en otras ocasiones, según su propia versión, debajo de un puente de aquella población, Aberdeen, en el Estado de Washington –aunque Krist Novoselic siempre negó este extremo–. De ahí surgió *Something In The Way*, que habla, precisamente, de lo que se siente al dormir en un lugar así. Hoy en día, se pueden encontrar en la red las instrucciones detalladas de la localización exacta de ese puente.

★★★ **Eran años de escasez y cierto caos,** situación en la que Cobain no se encontraba del todo incómodo. Cuentan sus compañeros que, en 1986, Cobain compró media docena de tortugas y las puso en una bañera en su salón. Cuando aquello empezó a oler mal, Cobain optó por una solución drástica: hizo un agujero en el medio del salón. Años después, al intentar contratar a alguien para la limpieza de su casa en Seattle, la señora que se presentó, tras echar un vistazo al interior, salió gritando: «¡Satán vive aquí!»

★★★ **El caos en escena,** convertido en una marca de identidad del grupo, también tenía su explicación. Tras una actuación bastante desastrosa en 1988, Cobain y Krist Novoselic estaban tan enfadados con su primer batería, Chad Channing, que decidieron romperle la batería en el escenario. Lo que hicieron pronto se convirtió en una rutina si los conciertos iban mal. ¿Y si salían bien? Entonces rompían sus instrumentos porque estaban contentos.

★★★ **Por aquel entonces,** el grupo estaba buscando su lugar y las influencias marcaban su sonido. En cierta ocasión, a la pregunta de un periodista sobre cómo definiría su sonido, Kurt Cobain respondió: «Creo que sonamos como The Knack y The Bay City Rollers molestados por Black Flag y Black Sabbath».

★★★ **Cuando llega su primer disco,** *Bleach*, alguna que otra canción con una filiación más pop dejaba claro que Kurt Cobain, que seguía sobre todo el rock producido en el ámbito independiente, también había prestado su atención en algún momento a bandas como The Beatles, auténticos héroes de su adolescencia. *About A Girl* era uno de esos grandes momentos y la canción había sido compuesta para su novia de entonces, Tracy, después de que ésta lo amenazara con echarlo de casa si no conseguía un trabajo.

★★★ **El gran éxito llegaría en 1991,** con *Nevermind*. El disco, situado ya entre los álbumes clásicos de la historia del rock, tenía una impactante portada que debería constar en cualquier antología del arte visual. El bebé que aparece sumergido en la piscina, de nombre Specen Elden, tenía 10 meses entonces. Su objetivo parece ser un billete de un dólar colgado de un anzuelo, imagen que fue añadida posteriormente a la ya eterna instantánea de Krik Weddle. En 2001, la imagen fue recreada para una edición de la revista "Rolling Stone" con el mismo protagonista diez años después.

Un enfado con el primer batería de Nirvana hizo que se incrementasen los gastos de sus directos.

★★★ **Dentro de aquel disco,** *Smells Like Teen Spirit*, tema grabado en sólo tres tomas con todo el grupo tocando a la vez, espoleados por la inmediatez del punk, se convirtió en la canción que logró que rompieran todas las barreras comerciales para el llamado 'rock alternativo'.

★★★ **El *single* le debe su título** a una amiga de Cobain, Kathleen Hanna, entonces componente de Bikini Kill y ahora en Le Tigre. Una noche, algo bebidos ambos, se pusieron a discutir sobre la revolución juvenil, y su amiga acabó escribiendo en una pared 'Kurt huele a espíritu adolescente'. Cobain se inspiró en aquella pintada tras llegar a la conclusión de que podría ser alguien capaz de inspirar una rebelión juvenil.

★★★ **Lo que su amiga** Kathleen Hanna pensaba realmente es que Cobain olía a un desodorante llamado Teen Spirit, del que nuestro protagonista ni había oído hablar. Aquel desodorante era el utilizado por la entonces novia de Cobain, Tobi Vail, bajista de Bikini Kill, con lo que también se refería sutilmente a que estaba enganchado a ella.

★★★ **Había más canciones** con detalles curiosos en *Nevermind*. *Stay Away* se iba a titular, en un principio, *Pay To Play* (Pagar por tocar). Se trataba de un tema antiguo que habla de lo que, habitualmente, le sucede a muchos grupos en sus comienzos: son ellos los que tienen que pagar por poder subirse al escenario y darse a conocer. Sin embargo, alguien de su entorno debió pensar que no era una buena idea y el título fue cambiado a última hora.

★★★ ***Polly*, título de otra de las canciones** de *Nevermind*, es el nombre comúnmente utilizado para llamar a

Aunque no lo parezca, el chaval de la portada no perseguía ningún billete. Diez años después, sí.

un loro, aunque, de lo que verdaderamente habla la canción es de algo bien distinto: del rapto y tortura de una niña de 14 años. La versión que se escucha en el disco es en realidad una maqueta del año 90 registrada con una guitarra acústica de sólo 5 cuerdas que Cobain nunca afinaba del todo. Se intentó grabar con todo el grupo, pero no funcionaba. En una de las sesiones, Cobain salió del estudio y se puso a tocarla en un sillón. Butch Vig, el avispado productor, cerró con llave el control y aprovechó dos micrófonos para grabarla. Había solucionado uno de los principales problemas de aquellas sesiones.

★★★ **Al final de *Nevermind*,** diez minutos después de que acaba el último corte, aparece una canción no mencionada en los créditos. *Endless, Nameless*, que así se titula, es una de las canciones más largas -seis minutos- y más punk de Nirvana. En gran parte de la tirada original en Estados Unidos, así como en otros países, se omitió en la edición final por un error de la fábrica en la que se prensaron los discos: a nadie se le pasó por la cabeza que, tras diez minutos en blanco, podía haber otro corte. Hoy en día es, probablemente, la canción no acreditada más famosa del rock.

★★★ **Aquel disco ha vendido** más de 15 millones de copias, desbancando en su día del número 1 a *Dangerous* de Michael Jackson. Con respecto a la imagen que tenía la gente del álbum, Cobain se sentía ciertamente culpable, llegando a confesar: «Todos piensan que nos hemos gastado algo así como varios millones de dólares en el disco y que nos llevó un montón de meses, cuando lo cierto es que sólo fueron tres semanas». A pesar de que no resultó un disco caro, estuvo lejos de los -únicamente- 600 dólares que había costado su debut, *Bleach*.

★★★ **De la época de presentación** de aquel disco, son legendarias algunas actuaciones, como su aparición en la entrega de premios de la MTV en 1992 o su concierto en un festival británico en 1992, en el que Cobain apareció vestido con un pijama de hospital y en una silla de ruedas, gritando: «No tengo el más mínimo respeto por los ingleses. Me ponen enfermo». Menos mal que el escenario estaba lo suficientemente lejos del público.

★★★ **El último disco en estudio del grupo,** *In Utero*, ya grabado desde su recién adquirida condición de estrellas, se iba a titular *I Hate Myself And I Wanna Die* (Me odio a mí mismo y quiero morir) y, más tarde, *Verse Chorus Verse* (Estrofa Estribillo Estrofa). De nuevo, parece que a alguien no le pareció la mejor de las ideas y ambos títulos fueron descartados en el último momento.

★★★ **Curiosamente, existe una canción** de Nirvana titulada *Verse Chorus Verse*, conocida igualmente como "Sappy", y que se encuentra al final del disco *No Alternative* -editado para recaudar fondos en la lucha contra el SIDA-, aunque no está acreditada en el listado de canciones del álbum. Para hacer la vida algo más complicada a los se-

¿Le gustaba *Nevermind* a Michael Jackson?

guidores acérrimos del grupo, hubo, en su momento, otra canción llamada *In My Hands* que también tuvo provisionalmente el título de *Verse Chorus Verse*.

★★★ ***In Utero*, al igual que su predecesor,** tenía su canción escondida al final del álbum. El tema, titulado *Gallons Of Rubbing Alcohol Flow Through The Strip*, aparece 20 minutos después del final de *All Apologies*. Como sólo se incluyó en las versiones europeas y australiana del disco, la canción era conocida también como *Devalued American Dollar Purchase Incentive Track* (Canción» para incentivar la compra por el devaluado dólar americano), una broma del grupo sobre el hecho de situar cortes extras en otras ediciones y hacer gastar más dinero a los estadounidenses.

★★★ **En la gira por Brasil que le siguió,** Cobain, interesado siempre por músicas bien distintas a las que copaban las listas, dejó una suma de dinero a un amigo brasileño para que le enviara toda la discografía del grupo de los 60 Os Mutantes. Antes de morir, Cobain envió una carta a Arnaldo Baptista, líder de aquel grupo brasileño, en la que le confesaba su admiración por la banda. Arnaldo no tenía la más mínima idea de quiénes eran aquellos Nirvana y llegó a confesar que creía que el tal Cobain vivía en África.

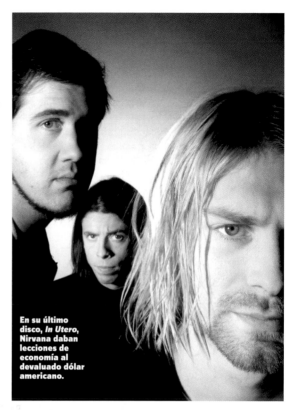

En su último disco, *In Utero*, Nirvana daban lecciones de economía al devaluado dólar americano.

★★★ ***Unplugged In New York*, su primer disco** en directo, se editaría póstumamente. Cuando Nirvana apareció para grabar aquel concierto acústico para la MTV, que se convertiría más tarde en disco, Kurt Cobain le pidió al realizador que llenase el escenario de velas y flores. Ante la indicación de que aquello parecería un funeral, Cobain contestó que eso era justo lo que pretendía.

★★★ **No es que fuera premonitorio,** pero el 5 de abril de 1994 Kurt Cobain se suicidaba, o al menos así lo recogen los informes policiales. Sin embargo, su madre afirma haber recibido una llamada de su hijo en la noche del 6 de abril. Conviene recordar que su cuerpo fue encontrado el día 8 en su propia casa. Para más misterio, un detective asegura que Cobain se habría inyectado tres dosis de heroína antes de morir y que, en tal caso, no hubiera podido levantarse ni, mucho menos, apretar el gatillo.

★★★ **Eso sin hablar de la película** *¿Quién mató a Kurt Cobain?*, dirigida por Nick Broomfield en 1998, que parecía sostener la teoría de que Courtney Love habría urdido un plan para asesinarle, cinta que la mujer de Kurt Cobain persiguió por todos los medios para evitar su difusión.

Como siempre en estos casos -no hay más que recordar lo de Marilyn Monroe-, ya tenemos suficiente munición como para llenar páginas y más páginas durante muchos años con las teorías más dispares.

★★★ **Si nos atenemos a la versión oficial,** Kurt Cobain no pudo soportar las presiones de la fama y la tensión de perder su creatividad. En sus diarios, publicados en 2002, aparece la frase «*Hope I die before I turn into Pete Townshend*» («Espero morir antes de convertirme en Pete Townshend»). Conviene recordar que el verso más famoso del himno *My Generation* de The Who, compuesta por Townshend años atrás, decía: «*Hope I die before I get old*» («Espero morir antes de llegar a viejo»). Son dos sentencias definitorias de sus creadores, aunque hay una sutil diferencia: Pete Townshend está vivo y Kurt Cobain no.

★★★ **Desde su desaparición,** Kurt Cobain no ha dejado de ser noticia o motivo de declaraciones y reconocimiento por parte de otros artistas, muchas veces en forma de canción. No hay más que pensar en alguno de los discos que han sido editados en los últimos años con palabras en los textos como depresión, arma de fuego, chico, heroína, ángel, estómago, dolor, triste... Si se encuentran varias, lo más probable es que se trate de alguno de los tributos a Kurt Cobain.

★★★ **En la década que ha pasado** desde su suicidio, compositores desde Seattle hasta Dublín han escrito varias canciones sobre el último mártir de la causa del *Rock'n'Roll*. Éstas son algunas de las más destacadas:

Uno de sus amigos era un chaval de once años, al que llevaban de gira con ellos.

★★★ *About A Boy* de Patti Smith (*Gone Again,* **1996):** Su título es una referencia directa a *About A Girl*, de los propios Nirvana. Patti Smith, quien entonces sufría también en sus carnes la muerte de muchos de sus allegados, se lamenta en *About A Boy*: «*From a chaos, rich and sweet, from the deep and dismal streets, tore another kind of peace, tore the great emptiness*» («Desde el caos, rico y dulce, desde las calles profundas y sombrías, he roto otra clase de paz, he roto el gran vacío»).

★★★ *Decadencia* de Héroes del Silencio (*Parasiempre,* **1995):** En el álbum en directo de Héroes del Silencio, *Parasiempre*, Enrique Bunbury comenta, al final de la canción *Decadencia*, algo que no estaba en el texto original de la canción: «Quiero morir como Kurt Cobain». Se supone que hablaba en sentido figurado.

★★★ *I Love You Anyway* de The Stinky Puffs (*A Tiny Smelly Bit Of,* **1994):** Tal vez, la canción más emotiva la compuso un chaval de once años, Simon Fair Timony, con el que colaboran habitualmente Cody Linn Ranaldo (hijo de Lee Ranaldo, de Sonic Youth), Don Fleming, Sun Ra, The Residents, Dave Edmunds, Eric Drew Feldman, la propia madre del chico y su padrastro (componentes ambos de Half Japanese). Simon se había hecho amigo de Cobain desde que le hiciera llegar sus canciones y éste lo mencionara en *Incesticide* y lo llevara con el grupo en la gira de *In Utero*, en la que, a veces, le hacía salir al escenario a tocar la guitarra.

Él sí sintió su muerte como la de un padre y lo dejó claro en una canción todo candor y emoción: «*You said you wanted to record with us, I was gonna go to Seattle so we could do some drawings. I'm happy I smashed you guitar with you and I'm happy we shared some love*». («Dijiste que querías grabar con nosotros; yo iba a ir a Seattle y podríamos pintar algo. Soy feliz por haber destrozado tu guitarra contigo y por haber compartido algo de amor»).

★★★ *Into Yer Shtik* de Mudhoney (*My Brother The Cow,* **1995):** Sólo por esta canción se podría pensar que Nirvana sí fueron los amos y señores del *grunge* y que Mudhoney querían a alguien en primera fila con quien identificarse. En lugar de intentar entender a Courtney Love, como hizo Julian Cope en otra de las canciones aquí comentadas, Mudhoney optaron por la vía de culparla directamente de su suicidio, como aquella película que Love intentó prohibir. «*Why don't you blow your brains out, too?*» («¿Por qué no te vuelas los sesos también?»). Se olvidaron de un único detalle, muy importante en este caso: antes de amenazar, hay que saber con quién se la juega uno.

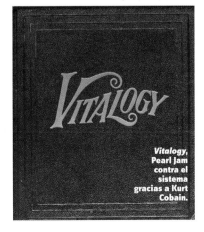

Vitalogy, Pearl Jam contra el sistema gracias a Kurt Cobain.

★★★ *Last Exit* de Pearl Jam (*Vitalogy,* **1994):** Inevitablemente, la muerte de Kurt Cobain, espíritu afín y enemigo declarado de Eddie Vedder -con el que sólo se reconcilió en los últimos meses, aun declarando que no le gustaba nada la música de Pearl Jam-, tuvo una influencia decisiva en el disco de Pearl Jam de aquel año. Canciones como *Spin The Black Circle* tenían una carga antisistema mucho más acentuada que el resto de su repertorio.

Pero es en *Last Exit* en la que se puede apreciar más claramente el sentimiento de pérdida y frustración: «*If one cannot control his life, will he be driven to control his death?*» («Si uno no controla su propia vida, ¿se le permitirá controlar su muerte?»), se pregunta Vedder mientras la banda se arranca con furia nihilística. Hay más: en *Inmortality* queda claro cuál fue el destino del mito: «*Some die just to live*» («Algunos mueren sólo para vivir»), aunque, al final, Eddie Vedder también toma partido, distinto al de Cobain, en *Tremor Christ*: «*I'll decide take the dive, take my time and not my life*» («Decidiré pegar el salto: toma mi tiempo, pero no mi vida»).

Kurt Cobain murió antes de convertirse en Pete Townshend.

★★★ *Let Me In* de REM (*Monster*, 1994): Michael Stipe había estado grabando maquetas con Cobain, en su sótano, en los meses anteriores a su suicidio. En aquel tiempo, el vocalista de REM aún sentía la reciente desaparición de otro buen amigo, el actor River Phoenix. Durante la grabación de *Monster*, un disco con el que quería evitar repetir los pensamientos sobre la muerte de *Automatic For The People*, supo del suicidio de Cobain, y escribió *Let Me In*, según palabras textuales, «a Kurt, para Kurt y sobre Kurt». La canción fue compuesta con una guitarra de Cobain que Courtney Love le había regalado a Michael Stipe y que, después, Mike Mills utilizó para interpretarla en el disco.

En *Let Me In* se encuentran referencias a la voracidad del sistema -«*We eat them up, drink them up*» («Nos los comemos y nos los bebemos enteros»)-, y, sobre todo, un evidente sentimiento de culpa e impotencia: «*I had a mind to try and stop you, let me in*» («Tenía en mente intentar detenerte, déjame entrar»).

★★★ *My Hero* de Foo Fighters (*The Colour And The Shape*, 1997). Según Dave Grohl, componente de Nirvana, la canción habla del «poder de la gente común». En su juventud, comentaba, sus héroes no habían sido gente del mundo del deporte, sino guitarristas. Ésa parecía la interpretación más exacta de la canción, aunque los seguidores de Nirvana querían ver más allá. Así que a una pregunta directa planteada en 1997 por la revista "Guitar World" -«Esa canción es la que la gente creerá que trata de Kurt Cobain»-, Dave Grohl contestó: «Estoy seguro. La gente ya me ha dicho que *My Hero* trata, obviamente, de Cobain. Y, de alguna manera, es cierto. No hay nada equivocado en ello».

★★★ *Queen Mother* de Julian Cope (*20 Mothers*, 1995): En este caso, el druida galés escribió desde el punto de vista exclusivo de Courtney Love, a quien había conocido unos quince años antes en Liverpool. Todo el mundo pensaba que Courtney debía sentirse justo como Julian Cope lo describió: «*I hate myself and want you back*» («Me odio a mí misma y te quiero de vuelta»). Más directo, imposible.

★★★ *Sleeps With Angels* de Neil Young (*Sleeps With Angels*, 1994):* Poco puede haber peor que alguien utilice tus textos como base para su suicidio. Kurt Cobain escogió un verso de *My My Hey Hey (Out Of The Blue, Into The Black)* del canadiense, concretamente «*It's better to burn out than to fade away*» («Es mejor apagarse que desvanecerse lentamente»), como parte central de la nota que dejó para sus fans y su familia. Neil Young, que había prometido no volver a tocarla en directo, la interpretó después en dos conciertos seguidos en San Francisco, cambiando la letra por «*Once you've gone, you can't come back*» («Una vez que te has ido, no puedes regresar»).

Neil Young lo tenía claro: Una vez que te has ido, no puedes regresar.

sleeps with angels

neil young and crazy horse

En *Sleeps With Angels*, el corte que daba título a su disco del 94, Neil Young relata la historia de dos amantes que se pelean y se separan, con el resultado de la muerte del más joven. Es, también, lo más próximo que haya compuesto acerca de esa muerte en la que tuvo una papel un tanto extraño, poniéndole, a pesar de todo, la nota dulce: «*He sleeps with angels, he's always on someone's mind*» («Duerme con los ángeles, está siempre en el recuerdo de alguien»).

★★★ ***Sundown* de Veruca Salt (cara B del *single Victrola*, 1995):** Louise Post, al frente de su grupo Veruca Salt, coetáneo en el tiempo, imagina un mundo más perfecto en el que Kurt Cobain aún está presente. «*You're the dream, I'm the dreamer, In the dream you're still around*» («Eres el sueño y yo la soñadora, y en el sueño todavía estás vivo»). Su versión de la historia es la que cuenta con más adeptos.

★★★ ***You're One* de Imperial Teen (*Seasick*, 1996):** Roddy Bottum, teclista de Faith No More, se convierte en su proyecto paralelo en un aliado perfecto para Kurt Cobain, aunque comete un sólo error: no haber hecho durante su vida lo que propone después de muerto: «*I'd pump your stomach if I thought it'd stop the pain*» («Te golpearía en el estómago si supiera que pararía el dolor»), en alusión a los dolores que Cobain sufría crónicamente y que aliviaba con heroína, según argumentaba para justificar su adicción.

★★★ **Otros tributos a Kurt Cobain:** *Don't Wake Daddy* de The Tragically Hip (*Trouble At The Henhouse*, 1996), *Eight Fragments For Kurt Cobain* de Jim Carroll (*Pools Of Mercury*, 1998), *Fallen Angel* de Traci Lords (*1000 Fires*, 1995), *For Free* de Meat Puppets (*No Joke*, 1995), *God Said No* de Dan Bern (*New American Language*, 2001), *Hole* de Catherine Wheel (*Happy Days*, 1995), *I'm Still Remembering* de The Cranberries (*From The Faithfully Departed*, 1996*), Mighty K.C.* de For Squirrels (*Example*, 1995), *Perfectly Good Guitar* de John Hiatt (*John Hiatt*, 1993), *R.I.P.* de Bikini Kill (*Reject All American*, 1996), *Saint Cobain* de Vernon Reid (*Mistake Identity*, 1996), *So Sorry, Mr. Cobain* de Lena Fiagbe (*Visions*, 1995), *Tearjerker* de Red Hot Chili Peppers (*One Hot Minute*, 1995), *The Day Seattle Died* de Cold (*Year Of The Spider*, 2003), *(The Fall) Kurt's Blues* de Cher (*Not.Com.mercial*, 2000), *Untitled* (conocida como *Song For Krist And Dave*) de Kyuss (*single*, 1994) y *Weight Of The World* de The Samples (*Autopilot*, 1994).

LAS ESTRELLAS Y EL DÍA EN EL QUE TODO CAMBIÓ

Cita con el destino
(A Date With Destiny; Nightmares on Wax)

Conviene pensarlo por un minuto. Antes de tomar una decisión improvisada, se debería estar en antecedentes, conocer el pasado y aprender de los errores y de los aciertos, tanto propios como ajenos. En un sólo segundo, inesperadamente, sin previo aviso, la suerte puede cambiar para siempre, para bien o para mal. Cuántos damnificados a causa de un segundo apresurado, cuántos favorecidos por decisiones improvisadas, todo debido a ese momento en el que se pasó a otro capítulo sin recapitular. Es en ese instante cuando comienza una existencia bien distinta a la conocida hasta entonces, el primer día del resto de una nueva vida. Aunque, bien pensado, ¿quién nos dice que de haberle dado más vueltas se hubiera optado por otra conclusión?

★★★ **Bob Dylan. Aunque le costó forjarse** una personalidad, lo cierto es que algo le debe a Harry Weber, un estudiante de la Universidad de Minnesota. Sin él, el mundo de la música probablemente sería muy distinto. Cuando conoció a un tal Robert Zimmerman, éste acababa de dejar los estudios para conseguir su sueño de convertirse en un intérprete de *rock'n'roll* tocando el piano como Little Richard. En la vivienda de Harry Weber, Dylan encontró una amplia colección de libros sobre el folk y decidió llevarse dos: uno sobre las canciones folclóricas de Arkansas y otro escrito por el músico folk Woody Guthrie, "Bound For Glory". Cuando Weber lo volvió a ver seis semanas más tarde, el tal Robert Zimmerman se hacía llamar Bob Dylan y se había convertido en un trovador folk que, por supuesto, nunca le devolvería aquellos libros.

★★★ **Bobby Fuller. Alguien le debería haber enseñado** que no se debe menospreciar a los novios de tus ligues. Bobby Fuller -quien había matado a su hermano disparándole accidentalmente mientras estaban de caza-

tuvo un gran éxito con *I Fought The Law* (Luché contra la ley), canción que versionarían, entre otros, The Clash. Cuando se enteró del éxito de aquel *single*, Bobby Fuller decidió celebrarlo por todo lo alto en una discoteca de Nueva York. Se encontraba bailando en una actitud bastante cariñosa con una joven cuando el novio de ésta se le acercó. Bobby Fuller lo echó de malas maneras, sin saber que se trataba de un conocido mafioso local. Minutos después, éste regresó con sus secuaces para sacarlo del club y matarlo ahogándolo en gasolina.

★★★ **Bruce Springsteen. El 'jefe' tuvo su primera oportunidad** a los 15 años, gracias a un trabajador de una fábrica llamado Tex Vineyard que supo ver algo en él, incluso equivocándose en parte. En febrero de 1965, Tex Vineyard se encontraba en su casa de Nueva Jersey cuando decidió ponerle fin al ruido que armaban unos músicos que

Bob Dylan encontró inspiración en la biblioteca de Harry Weber.

ensayaban en la casa de al lado. Entró con ganas de decirles unas cuantas cosas; por el contrario, salió por la misma puerta convertido en mánager de lo que describió como «unos encantadores chavales de instituto». Lo primero que hizo fue darles una nueva identidad, The Castiles, y proponerles que buscasen un nuevo guitarrista. Se presentaron una docena de candidatos. Nadie estaba muy seguro de a quién elegir hasta que el señor Vineyard tomó una decisión: «Dadle el puesto a ese tal Springsteen, pero no dejéis que se acerque al micrófono. ¡Su voz es una basura!»

★★★ **Buddy Holly. 'El día en el que la música murió'** debe ser considerado el 3 de febrero de 1959, día en que desapareció Buddy Holly. Al menos así lo cantaba Don McLean en *American Pie*, quien había vivido aquella fecha como repartidor de periódicos y aquel titular con la noticia se le había quedado grabado para siempre. El accidente tuvo mucho que ver con la escasa pericia de un piloto de 21 años llamado Roger Petersen. Buddy Holly, Richie Valens y Big Bopper, ante las condiciones climáticas adversas, optaron, en lugar

Hay quien aseguró que la voz de este tipo es una basura.

de hacer el viaje por carretera, por alquilar una avioneta para desplazarse la noche del 3 de febrero de 1959 desde el lugar en el que acababan de tocar, Clear Lake en Iowa, hasta Morread en Minnesota, donde iban a dar su próximo concierto. El piloto tenía cuatro años de experiencia, pero sólo contaba con licencia para volar en condiciones de visibilidad clara. Aun así, se aventuró en la tormenta. Al poco de despegar, la avioneta se estrelló matando a todos instantáneamente.

★★★ **Debbie Harry (Blondie). La cantante de Blondie** se libró por los pelos de la muerte. Según su versión, que algunos ponen en duda, a principios de los 70, antes de formar Blondie, se cruzó con el asesino en serie Ted Bundy, quien se ofreció a llevarla mientras esperaba un taxi en Nueva York. Montó en el coche y su sexto sentido le hizo escapar corriendo cuando descubrió que algo no iba bien. Años después, al conocer la historia de aquel asesino, se dio cuenta de quién había sido su extraño acompañante y la suerte que había tenido. El autor de la portada de *Appetite For Destruction*, Robert Williams, recreó aquel instante en un lienzo que tituló "Los temores de Debbie Harry". Ella y su entonces marido Chris Stein le compraron la obra y la tuvieron siempre en un lugar prominente de su apartamento de Nueva York.

★★★ **Gene Vincent. La casualidad ayudó a cimentar** alguna de las imágenes más clásicas del rock, aunque con la inestimable ayuda de algún que otro visionario. A finales de los 50, Gene Vincent tenía concertada su aparición en un programa de televisión en el Reino Unido llamado *Boy Meets Girls*. Canciones como *Be-Bop-A-Lula* o *Race With The Devil* (Carrera con el diablo) le habían ganado una reputación de chico malo. El productor que lo fue a esperar al aeropuerto, Jack Good, se encontró con un joven trajeado, con una pinta más propia de un profesor de Matemáticas que de un rockero. Antes de llevarlo al estudio, se acercaron a una tienda de ropa y cambiaron aquel atuendo por uno que al productor le pareció más apropiado: cuero negro de los pies a la cabeza. Aquella imagen de motero fuera de la ley, de bárbaro moderno y grasiento, sería asociada para siempre al rock e imitada hasta la saciedad.

★★★ **Lemmy (Motörhead). El adiós a su primer grupo se** debió a cinco días en prisión que pasó tras ser retenido en la frontera canadiense en 1975, tras encontrársele en su equipaje una sustancia que parecía cocaína. El resto de la banda en la que entonces militaba, Hawkwind, decidió expulsarle y buscarle un sustituto para el resto de la gira norteamericana. Paul Rudolf, de The Pink Fairies, voló desde Londres y se unió al grupo. Cuando Lemmy fue liberado, al descubrirse que la sustancia motivo de la detención era una anfetamina legal en Canadá, corrió a reunirse con sus compañeros en la habitación de un hotel. Allí le comunicaron su despido, aunque tuvieron mucho cuidado de no decirle nada de su suplente. Éste se pasó el tiempo que duró aquella reunión realmente atemorizado, escondido en el cuarto de baño de aquella habitación de hotel. Lemmy se fue sin saberlo. Poco después, fundaba Motörhead.

★★★ **Roky Erickson. Años antes, al conocer el LSD,** Roky Erickson había cambiado el nombre de su grupo, The Spades, por el más psicodélico de The 13th Floor Elevators, toda una premonición de cuál sería su sino. En

1968, fue arrestado en Texas por posesión de una pequeña cantidad de hachís, tras haber sido seguido durante un mes por la policía. Como conocía la severidad de las condenas por motivos de drogas, aseguró ser un 'marciano' para hacerse el loco, así que el juez le dio a escoger entre ir a prisión o ingresar en un hospital psiquiátrico. Eligió la segunda de las posibilidades. Allí, durante tres años, fue sometido a un severo tratamiento de electroshock. Nunca volvió a ser la misma persona, convirtiéndose en un recluso en su propio hogar del que sólo salía para grabar discos bastante menos asimilables.

★★★ **Sam Cooke. El gran cantante soul** Sam Cooke creía que había conseguido ligar tras una fiesta celebrada el 10 de diciembre de 1962, cuando una joven de 22 años llamada Elisa Boyer aceptó que la llevase a casa. Lo que no sabía es que su prometedora trayectoria llegaba a su fin aquella misma noche. La pareja se salió de la ruta prevista y se registró en un hotel. Cuando Cooke comenzó a sacarle la ropa, la joven salió corriendo de la habitación. La recepcionista Bertha Franklin, de 55 años, intentó protegerla de su perseguidor y acabó sacando un revólver y asesinándolo. Fue absuelta al entender el juez que lo había hecho en defensa propia.

Sam Cooke, o cómo aprender a tener cuidado con los recepcionistas de hotel.

★★★ **Sex Pistols. Probablemente ni con** Glen Matlock en el grupo hubiesen seguido adelante. Aunque lo que sí es cierto es que con su sustituto, Sid Vicious, la vida de la banda aún fue más breve. Glen Matlock, el primer bajista que tuvieron, fue despedido por el horrendo crimen de que le gustaban... ¡The Beatles! Ésa, al menos, fue la excusa que su mánager, Malcom McLaren, utilizó en un comunicado emitido a los pocos días. Lo cierto es que no compartía el especial humor del resto del cuarteto y, como recordaba John Lydon, «se negaba a tocar *God Save The Queen* (Dios salve a la reina) con la excusa de que no le gustaba a su madre. Era un niño de mamá». A pesar de todo, y dado que Sid Vicious estaba muerto, no tuvieron ningún reparo en llamarlo para la gira de reunión de 1997, *The Filthy Lucre Tour* (La gira del lucro indecente). Recientemente, Glen Matlock ha hecho honor a aquella reputación del chico bueno de los Sex Pistols reconociendo que «los tacos son la desgracia de las sociedades modernas. Es patético cuando la gente habla mal sólo por hablar». Se refería, claro está, a aquel incidente en directo en televisión en el que blasfemaron todo lo que quisieron y que convirtió a los Sex Pistols en estrellas de la noche a la mañana.

★★★ **Terry Bickers (The House Of Love). El guitarrista de** The House Of Love fue expulsado de malas maneras en noviembre de 1989, en medio de peleas por el dinero, continuos problemas con las drogas y un grupo completamente exhausto debido a la agitada vida en la carretera. El último episodio tuvo lugar en una estación de servicio cerca de Bristol. Allí, el batería Pete Evans golpeó repetidamente al guitarrista en la cara para, a continuación, abandonar el grupo, aunque al día siguiente le pidieron que volviera. Al guitarrista herido simplemente lo abandonaron en una estación de tren de Bristol y no se preocuparon más por él.

★★★ **The Beatles. ¿Qué hubiera sido de The Beatles sin Raymond Jones?** Tenía 18 años y acababa de escuchar al locutor DJ Bob Wooler la noche anterior programar una canción titulada *My Bonnie*, interpretada por Tony Sheridan y un grupo de acompañamiento llamado The Beat Brothers. El 28 de octubre de 1961 se dirigió a la tienda North End Music Store de Liverpool y le preguntó a uno de sus responsables, Brian Epstein, por aquel grupo. Éste le prometió conseguir algo. Hizo numerosas llamadas sin que nadie supiera orientarle. A última hora se acordó de Hill Harry, editor de la revista "Merseybeat". «Claro que los conozco», fue la respuesta. «En realidad se llaman The Beatles y tocan en The Cavern a diario. Deberías ir a verlos. Te van a gustar». El resto es de sobra conocido.

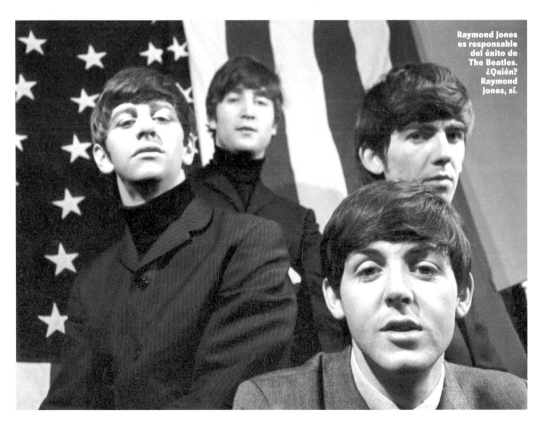

Raymond Jones es responsable del éxito de The Beatles. ¿Quién? Raymond Jones, sí.

★★★ **The Beatles. Tan pronto como The Beatles firmaron** su primer contrato, despidieron a su batería Pete Best. John Lennon y Paul McCartney sentían que no tenía mucho que ver con el resto del grupo -como dice McCartney en *The Beatles' Anthology*, «era una cuestión de personalidad»- y tenían envidia de su popularidad, así que prefirieron reemplazarle por el menos atractivo Ringo Starr. Su mánager, Brian Epstein, fue el encargado de cumplir con la desagradable tarea de comunicarle la decisión, asegurándole que el grupo creía que no era «lo suficientemente bueno». A continuación, los seguidores de Pete Best atacaron a Lennon y McCartney en Liverpool y montaron piquetes en el club en el que solían actuar, The Cavern, y en la tienda de discos de Brian Epstein. No sirvió de nada. Incapaz de convivir con el éxito de sus antiguos compañeros, Pete Best intentó suicidarse con gas y, tras sobrevivir, acabó trabajando como taxista.

★★★ **The Byrds. En abril de 1965,** tras finalizar uno de sus conciertos, los componentes del cuarteto se retiraron a los camerinos. Su *single Mr Tambourine Man* estaba empezando a sonar con una amplia repercusión, después de haber sido retenido durante tres meses por su compañía CBS. El grupo tenía que aparecer en televisión al día siguiente en el programa *Hullabaloo*. Roger McGuinn comentó en voz alta que no sabía muy bien qué ponerse para la ocasión. Una joven seguidora que se encontraba allí, Michelle Kerr, sacó unas gafas de sol rectangulares de su bolsillo. «¿Qué te parece esto?» Roger McGuinn se las probó y pensó que no le quedaban mal. Acababa de nacer una de las imágenes más perdurables de los años 60.

★★★ **The Byrds. Roger McGuinn alumbró,** con una negativa en 1967, el nacimiento de un género que tantos buenos álbumes ha generado desde entonces. David Crosby se presentó con una canción sobre un *menage a trois*, *Triad*, para ser incluida en el repertorio de The Byrds, -canción que, por cierto, a una de las dos amigas de Crosby aludidas en el tema no le parecía tan interesante: «Básicamente, el trío se reducía a '¿De quién es el turno ahora?'»-. McGuinn no la aceptó, grabando en su lugar la mucho más inofensiva *Goin' Back*, una composición de Gerry Goffin y Carole King. Acto seguido, David Crosby dejó el grupo para formar Crosby, Stills & Nash, y Gram Parsons entró en The Byrds. Con él, el *country-rock* se convertiría en algo nuevo y único.

★★★ **The Lords Of The New Church. No se debe subestimar el ansia** de tus compañeros de estar al tanto de las últimas noticias musicales. Stiv Bators, vocalista de The Lords Of The New Church, se encontró un buen día con un anuncio en la prensa musical puesto por el resto de la banda en el que se pedía un cantante para el grupo. Se tomó su venganza en serio. A los pocos días, el grupo tenía un concierto en la Sala Astoria de Londres. Para los bises, Bators regresó con una camiseta en la que había copiado el texto del anuncio. Mientras interpretaban la última canción, él hacía lo posible para que todo el mundo lo viera bien, incluidos sus compañeros. Cuando le pareció que todos lo habían entendido, Stiv Bators anunció el final del grupo y abandonó el escenario para no volver a verlos más.

★★★ **The Rolling Stones. El dependiente Charles Keely** de la estación de servicio Francis, en Stratford, Londres, debía de ser de aquellos que piensan que la imagen cuenta, y mucho. El 18 de marzo de 1965, le negó las llaves del servicio de la gasolinera al grupo, de vuelta de uno de sus conciertos, dadas sus pintas. De poco sirvió que le revelaran que eran los mismísimos The Rolling Stones. «¿Y qué?» Bill Wyman, Mick Jagger y Brian Jones mearon contra uno de los muros de la gasolinera y el dependiente llamó a la policía. Al día siguiente estaban en las portadas de todos los periódicos y el juez condenó a cada uno de ellos a pagar tres libras de entonces, iniciándose una serie de percances con la justicia en la que siempre salen a relucir sus antecedentes.

★★★ **The Rolling Stones. A mediados de los 60** ya se empezaban a atisbar ciertas diferencias entre Brian Jones y el resto del grupo, pero fue una neumonía la que lo agudizó todo. Brian Jones se perdió unas pequeñas vacaciones en Tánger en 1967 por culpa de aquella gripe y Keith Richards le birló entonces la novia, Anita Pallenberg. Poco después, Jagger y Richards decidieron expulsarlo del grupo porque era incapaz de tocar nada en el estudio, debido a sus problemas de salud y su adicción a las drogas. Se lo comunicaron en su casa de campo de Essex el 8 de junio. «Más o menos se lo esperaba», dijo Richards, «pero no creo que lo comprendiera totalmente. Estaba por allá arriba, en la estratosfera». El 3 de julio, cuando aún no había pasado ni un mes, Brian Jones apareció ahogado en la piscina de aquella misma casa.

★★★ **The Rolling Stones. Alguno de sus primeros allegados** supo sacar una buena tajada. Los contratos se deben mirar y, además, con lupa; si no se hace, uno se puede quedar sin casi nada. The Rolling Stones no reciben los derechos de los temas compuestos en los 60, como *(I Can't Get No) Satisfaction* y tantos otros. El día que firmaron un contrato con un nuevo mánager, Keith Allen, para librarse de su contrato con el sello Decca, Keith Richards, a quien no le preocupaba demasiado ese tema, les dijo a sus compañeros: «No seáis mercenarios. Hay que confiar en alguien». Keith Allen, tras llevarse a la banda a una reunión de negocios vestidos de negro, con gafas de sol oscuras y con la instrucción de que no abrieran la boca en ningún momento, consiguió el mejor trato para un grupo de rock obtenido hasta entonces. Al mismo tiempo, les evitó los más gravosos impuestos británicos

Ni formando parte de The Rolling Stones tienes derecho a las llaves de los servicios de la gasolinera de Francis, en Stratford.

a través de una compañía americana. Él era el propietario de aquella empresa y, por eso, cuando se dieron cuenta y quisieron recobrar el control sobre sus negocios, The Rolling Stones tuvieron que pagarle varios millones de dólares y los cederle los derechos de todos los temas compuestos por Mick Jagger y Keith Richards en la década de los sesenta.

★★★ **The Rolling Stones. La muerte de un tal Meredith Hunter** significó el fin de una época, o cómo el sueño *hippie* de paz y amor pasó a convertirse, de repente, en una pesadilla. El concierto de Altamont debería haber sido el clímax de la primera gira estadounidense del grupo tras tres años sin actuar en aquel país, y allí estaban las cámaras para filmarlo. Aquel 6 de diciembre de 1969, The Rolling Stones contrataron a los Ángeles del Infierno para velar por la seguridad de su actuación. Cuando un chaval de color de 18 años llamado Meredith Hunter se acercó hacia el escenario, cuatro de los Ángeles del Infierno la emprendieron a golpes con él con cadenas de moto y los barrotes de las vallas que separaban al público del escenario, todo bajo la aterrorizada mirada de Mick Jagger y el resto del grupo.

★★★ **The Velvet Underground. Un tal Tony Conrad** sirvió de lazo de unión de Lou Reed y John Cale. Este último, estudiante de viola y músico en el grupo de música clásica experimental The Dream Syndicate, compartía vivienda con Tony Conrad en Manhattan. Éste lo invitó a una fiesta en la que se encontraba el productor Terry Phillips, que estaba buscando 'melenudos' para completar un grupo de estilo inglés para el que ya contaba con un compositor llamado Lou Reed. Aunque dejaría el grupo, cediendo su puesto en el bajo a Sterling Morrison, Tony Conrad fue también quien, en el verano del 65, encontró aquel libro barato de Mike Leigh centrado en el estudio del masoquismo llamado The Velvet Underground y que daría nombre a una de las bandas más influyentes del rock.

★★★ **The Velvet Underground. Las relaciones entre Lou Reed y John Cale** nunca fueron demasiado cordiales. Según Cale, «lo único que teníamos en común eran las drogas y una obsesión por correr riesgos». Dos veces se dijeron adiós. En la primera, justo antes de una gira, Lou Reed le dijo al resto del grupo: «Sí John Cale va a Cleveland, yo no voy». Por consenso se decidió que Lou Reed sí debía ir, así que John Cale abandonó el grupo. En la segunda, tras reunirse para una gira en 1992 en la que la relación no mejoró lo más mínimo, Lou Reed se despidió enviándole un 'cordial' fax que únicamente decía: «Buena suerte en tu futura carrera».

★★★ **U2. Un desconocido Steve Averill** es el responsable del nombre de la banda irlandesa más famosa de la historia. Este joven, que había decidido dejar de intentar ser una estrella del rock y volver a su trabajo en una agencia publicitaria, recibió un buen día una llamada de su amigo y bajista Adam Clayton pidiéndole consejo sobre su grupo The Hype. «Para empezar, cambia el nombre», le dijo. Y al preguntarle cuál le sugería, Steve Averill le propuso el de U2. Nadie estaba muy convencido, así que lo adoptaron como algo temporal. Dos semanas más tarde, aquellos cuatro chavales habían ganado un concurso en Limerick, convocado por la cervecera Harp y la discográfica CBS, así que ya no había vuelta atrás: les gustase o no, ése sería su nombre.

★★★ **Wilco. Jeff Tweedy expresó crudamente,** como pocos, cómo cambian las cosas para los despedidos. Como se puede comprobar en el documental *I Am Trying To Break Your Heart* (Estoy intentando romperte el corazón), las relaciones entre él y el guitarrista Jay Bennett se iban enquistando día a día por disquisiciones aparentemente estúpidas. En agosto de 2001, Bennett fue expulsado porque, según le expuso Tweedy, «un círculo sólo puede tener un centro». A pesar de todo, a finales del 2003, cuando Joe Stummer murió, y sabiendo lo que significaba para ambos, Jay Bennett intentó un acercamiento llamando por teléfono a su antiguo compañero. La respuesta de Tweedy fue contundente: «Sí, es una pena que se haya muerto. Pero no creo que quiera volver a hablar contigo jamás. Adiós».

★★★ **Youth (Killing Joke). En un psiquiátrico acabó Youth,** bajista de Killing Joke, debido a que las relaciones en el seno de la banda no eran todo lo modélicas que deberían ser. La gota que colmó el vaso se produjo cuando uno de los componentes del grupo, todavía no identificado hoy, echó unas gotas de ácido en la bebida de Youth. Éste, a continuación, entró en una sucursal de su banco vestido sólo con sus calzoncillos para retirar todo el dinero que tenía y liquidar su cuenta. Fue detenido por la policía cuando empezó a quemar los billetes en la calle principal de Chelsea y, días después, ingresaba en un psiquiátrico.

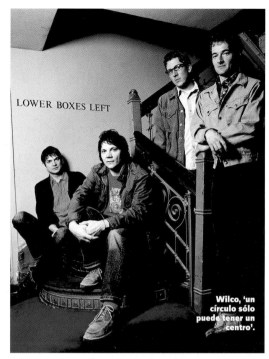

LOWER BOXES LEFT

Wilco, 'un círculo sólo puede tener un centro'.

FELA KUTI, EL ORGULLO DEL RITMO AFRICANO

Ataúd para el Jefe de Estado
(Coffin For Head of State; Fela Kuti)

En 1972, Paul McCartney se acerca a Lagos. A pesar de que le han ofrecido estudios de grabación en Río de Janeiro o Pekín para las sesiones de su siguiente disco en solitario, *Band On The Run*, McCartney tiene, desde hace un tiempo, la intención de hacerlo en la capital de Nigeria por dos motivos: cree que podrá descansar durante el día y grabar por la noche, y sabe que así podrá estar cerca de un músico por el que siente una especial devoción: Fela Kuti.

★★★ **Las cosas no salen como las ha planeado.** McCartney es asaltado a punta de navaja y no se encuentra cómodo entre los mendigos y vagabundos de la calle, la omnipresente policía, la corrupción y la falta de seguridad. Aun así, McCartney todavía tiene pendiente aquello por lo que se ha desplazado hasta África central, la música de Fela Kuti.

★★★ **Tras asistir a uno de sus conciertos** en el club Shrine, McCartney lo tiene claro: «Ha sido la mejor banda que he visto en mi vida. Cuando Fela y su grupo empezaron a tocar, tras una larga y delirante espera, no pude dejar de llorar de felicidad. Ha sido una experiencia muy emotiva».

★★★ **Tras la actuación, McCartney se propone** grabar con aquellos músicos. No obstante, cuando Fela Kuti descubre sus intenciones, los planes sufren un giro inesperado: denuncia al antiguo componente de The Beatles desde el escenario en uno de sus conciertos y, a continuación, se marcha directamente al estudio en el que McCartney se encuentra para echarle en cara que está robando 'la música del hombre negro'.

★★★ **Ése era Fela Kuti. La estrella del rock** más indomable que jamás ha existido. El cantante que grabó 77 discos en vida, con canciones de unos quince minutos de media, por lo que nunca sonaban en la radio. El artista que señalaba como influencia principal a Handel -«la música occidental es Bach, Handel y Schubert; la música clásica golpea a los músicos, pero la música africana golpea a todo el mundo»-. El artista que siempre se negó a tocar sus canciones una vez grabadas, para que el público no pudiese escuchar sus éxitos. El empresario que se iba de gira con 80 músicos. El hombre que compareció en 356 ocasiones ante los tribunales de justicia, siendo encarcelado en tres de ellas.

Fela Kuti grabó más discos que Prince, Andrés Calamaro y Ani diFranco juntos.

★★★ **Nada en Fela Kuti responde a lo común.** Su actitud frente a la vida fue siempre distinta a lo que un occidental podría esperar de sus artistas, convirtiéndose en una figura legendaria. El más grande de los músicos africanos del siglo XX fue forjando su mito a base de sus proclamas contra el poder corrupto, de acciones fuera de lo común y, sobre todo, de una música tan vital como única.

★★★ **«Será obstinado, impetuoso, incontrolable.** Su voz será semilla de problemas, turbulencias y violencias. Sus mujeres serán numerosas. Vivirá en la pobreza, al lado de los mendigos. Dormirá con los ladrones. Sus amigos serán multitud. Romperá las prohibiciones de los hombres y de los dioses de los Oyumbos, y perecerá por su propia mano». Ésa fue la profecía hecha a su madre por un sacerdote adivino a sus siete años, augurio que Fela Kuti cumplió al pie de la letra.

★★★ **Nacido el 15 de octubre de 1938 en Abeokuta, Nigeria,** al Norte de Lagos, con el nombre de Olufela Olusegun Oludotun Ransome-Kuti, Fela Kuti fue el cuarto de cinco hermanos de una familia de clase media nigeriana. Su abuelo, un pastor anglicano, se había convertido en el primer músico del Oeste de África en grabar sus canciones, registradas por la discográfica EMI Zonophone durante un viaje a Londres en 1925.

Fela Kuti llevaba de gira más músicos que el Orfeón Donostiarra.

★★★ **Su padre, el Reverendo Israel Ransome-Kuti,** profesor de la escuela primaria de Abeoluta, había sido el primer Presidente del Sindicato Nigeriano de Profesores. Su madre, Funmilayo, activista política y feminista que había conseguido el voto para las mujeres de su país, se había convertido en la primera mujer nigeriana en conducir un coche y había viajado, además, a Rusia, donde Lenin le concedió un Premio de la Paz, y a China, donde conoció a Mao-Tse Tung.

★★★ **En 1958, Fela Kuti es enviado** a Londres para estudiar Medicina, aunque el joven de 20 años lo aprovecha para inscribirse en el Conservatorio Trinity, donde estudia piano, composición y teoría. En los primeros tiempos del rock, Fela Kuti se hace un nombre en la escena nocturna londinense tocando con su orquesta de jazz Koola Lobitos.

★★★ **Con Remi, su primera mujer,** se casa en 1961, naciendo poco después su primer hijo, Femi, combinación de los dos nombres de sus padres y quien hoy enarbola la bandera de la herencia de su padre, tanto a nivel musical como político, manteniéndose también al frente del mítico club Shrine fundado por su padre en Lagos.

★★★ **A su vuelta a Lagos en 1963,** tres años después de la independencia de su país, Fela trabaja como productor de radio, reformando allí su banda Koola Lobitos. Sin embargo, no es hasta su primera gira estadounidense en 1969 cuando su sonido y su ideario cambian radicalmente.

★★★ **Arruinado, deprimido y trabajando como** un inmigrante ilegal después de que su visado hubiera caducado, Fela se empapa de la música de James Brown y entabla contacto con activistas radicales como Angela Davis, Stokeley Carmichael, The Last Poets o Sandra Isidore.

★★★ **A esta última, militante del Partido de los Panteras Negras,** la conoce en un concierto en el Hotel Ambassador de Nueva York. Se convierten en amantes y ella lo introduce en las enseñanzas de Malcom X, con lo que Fela convierte su música en algo más agresivo y empieza a escribir textos concienciados.

★★★ **En Lagos, su grupo pasa a** llamarse Nigeria 70 (más tarde, Africa 70 y, después, Egipto 80) y, con el cambio, llegan los éxitos. Abre su club Afro-Spot en el Hotel Empire, rebautizado más adelante como Shrine (Templo), y acuña, para definir su música, el término *afro-beat*, una combinación explosiva de textos de agitación social y ritmos de baile, convertidos en el medio de protesta de los jóvenes urbanos y pobres desde finales de los 60.

Puerta de acceso al Templo.

★★★ **Al igual que Bob Marley** por aquel entonces, su decisión de cantar en la lengua franca (o 'inglés roto') que emplean los jóvenes de su país, y no en cualquiera de los idiomas tribales de su país, logra que sus canciones se entiendan en todas las naciones anglófilas. Además, en lugar de promocionar a los líderes locales y sus políticas, opta por articular la rabia y las aspiraciones de los jóvenes, con lo que se convierte en una figura destacada y un héroe para la gente de la calle.

★★★ **Cuando James Brown realiza una gira** por Nigeria en 1970, Fela invita al legendario cantante de soul y su grupo a su club y los trata como reyes. James Brown le pide a su arreglista David Mathews que, antes de irse, tome nota de todos los movimientos en escena de su anfitrión y de cada uno de los sonidos de su banda Africa 70. La influencia se convierte, por lo tanto, en algo recíproco.

★★★ **En uno de sus primeros éxitos** en 1973, *Gentlemen*, Fela critica a la elite de su país que lleva ropa occidental en una nación de clima tropical: «Se pone calcetines, se pone zapatos, se pone pantalón, se pone camiseta, se pone camisa, se pone corbata, se pone abrigo, se cubre con un sombrero. Se llama caballero. Suda enormemente. Se desmaya. Huele fatal».

★★★ **Fela Kuti se ha convertido ya** en una amenaza para la junta militar de su país, así que en 1974 el Ejército casi destruye su casa de Alagbon Close tratando de detenerle. Fela responde con el disco *Alagbon Close*, en el que cuestiona el derecho de los agentes del gobierno uniformados a atacar a la gente y sus propiedades.

República Canalla, Estado independiente de Nigeria.

★★★ **Este ataque le sirve para cimentar sus creencias.** Al año siguiente cambia su apellido Ransome, que relaciona con la esclavitud, por el de Anikulapo. Así, su nombre pasa a ser Fela Anikulapo Kuti, que viene a significar «El Que Emana Grandeza (Fela), Que Tiene Control Sobre La Muerte (Anikulapo), Y Su Muerte No Puede Ser Provocada Por Una Entidad Humana (Kuti)». También se hace llamar a sí mismo el 'Presidente Negro' o el 'Jefe del Templo', en referencia a su club Shrine.

★★★ **En la capital nigeriana,** Lagos, Fela establece una especie de comuna *hippie* con estudio de grabación en la que se alojan todos sus músicos y allegados, en una enorme casa vallada cercana al Shrine. Su comuna, conocida como Kalakuta Republic (República Canalla), es declarada Estado independiente de Nigeria.

★★★ **De nuevo, el gobierno intenta** hacerse con el lugar: el 18 de febrero de 1977, más de 1000 soldados armados acordonan el recinto, le prenden fuego, impiden que se acerque ningún bombero o periodista y toman al asalto el lugar, violando a las mujeres, pegando y deteniendo a todo el que encuentran, y destruyendo el estudio de grabación, todas sus cintas e instrumentos.

★★★ **Fela escapa de la muerte** gracias a un oficial que le ordena a uno de sus soldados que lo deje con vida. Sin embargo, su madre Funmilayo, quien contaba entonces 78 años, no tiene la misma suerte: es arrojada desde una ventana y fallece poco después a causa de las heridas causadas durante el ataque.

★★★ **En el asalto, la policía intenta** colocarle a Fela un cigarrillo de hachís en su ropa para imputarle tráfico de drogas. Fela se da cuenta de lo que pretenden y se lo traga. Cuando se lo llevan a las dependencias policiales, intentan examinar sus heces. Compinchado con otros presos, Fela les entrega las de otra persona y acaba siendo liberado. A continuación, edita el disco *Expensive Shit* (Mierda cara) contando su experiencia.

★★★ **A pesar de todo, Fela no se arredra,** sino que el incidente da pie a dos de sus obras maestras. Compone *Coffin For Head Of State* (Ataúd para el Jefe del Estado) y la hace sonar en la procesión que organiza para conducir el féretro con el cuerpo de su madre hasta el destacamento de los militares que lo habían atacado; en *Unknown Soldier* (Soldado desconocido) ridiculiza el informe oficial que decía que la comuna había sido atacada por 'un soldado encolerizado y desconocido'.

★★★ **En octubre de 1977, Fela reniega** de su gobierno y emigra a la vecina Ghana. Tampoco allí discos como *Zombie*, una virulenta sátira de la mentalidad militar que los jóvenes de aquel país corean en los conciertos causando diversos disturbios, consiguen que Fela sea precisamente apreciado por las autoridades de aquel país, así que, al año siguiente, es deportado de vuelta a Nigeria.

★★★ **Una vez en Lagos,** y para conmemorar la fecha del ataque a su República, Fela Kuti se casa simultáneamente en una ceremonia vudú con 27 de sus bailarinas y, por segunda vez, con su primera mujer, alegando que se trata de un rito tradicional yoruba. La ceremonia es criticada por algunos de sus compatriotas por cuanto no se ha pagado nada por las novias. Según se descubre, la boda tiene más que ver con algún tipo de treta para sortear problemas de inmigración y para darles a las bailarinas cierta respetabilidad, ya que no se las tenía en muy buena estima por su profesión.

Los espíritus le prohibieron aceptar un millón de dólares de Motown.

★★★ **Un año después,** Fela funda el partido Movimiento para la Gente, con la intención de presentarse a las elecciones. Entre las medidas que su programa incluye, y que pretende hacer efectivas tan pronto como sea elegido, está convertir a todo ciudadano en policía, con el objeto de que nadie tenga en sus manos el poder legítimo de la violencia. No puede cumplir sus promesas porque el propio gobierno se encarga de impedirle concurrir a las elecciones con distintas estratagemas legales.

★★★ **Cuando el legendario sello estadounidense Motown** se decide a crear una discográfica africana a principios de los 80, le ofrecen a Fela Kuti un millón de dólares. Por aquel entonces, Fela, que sentía a medio mundo en contra suyo, se encuentra con un mago de Ghana llamado Kwaku Addaie, más conocido como Professor Hindu, con el que ve de nuevo la luz. Sin ir más lejos, su 'hermano espiritual y brujo' le ayuda todas las noches a conversar con su madre muerta.

★★★ **A través del mago contacta con los espíritus** para preguntarles por el contrato que le han ofrecido. Los espíritus le prohíben hacer ningún trato en los próximos dos años, así que Fela sólo les ofrece reeditar sus discos antiguos. Motown decide esperar y sigue insistiendo. Cuando por fin Fela Kuti se decide a firmar, el ejecutivo que había perseguido el acuerdo es despedido y todo se va al traste.

★★★ **En 1984, Fela Kuti se presenta en Londres** para una actuación llevando con él al Professor Hindu. Durante el concierto, el Profesor le corta la garganta a uno de los espectadores y, acto seguido, lo entierra en un descampado al lado del club en una zanja que había cavado previamente, bajo la atenta mirada de una estupefacta audiencia. Fela Kuti invita a los presentes a regresar al lugar dos días después.

★★★ **En la fecha señalada,** 200 personas se congregan para asistir a la resurrección por parte del Professor Hindu de un hombre pálido con los ojos rojos y una gran raja en su garganta. El brujo explica que el enterramiento consigue que la persona se convierta en alguien más 'caliente'. Por si fuera poco, el brujo, emocionado con el éxito de su truco, se corta su lengua e, inmediatamente, la vuelve a unir.

★★★ **En el plano musical,** Fela sigue editando discos como *International Thief Thief* (Ladrón ladrón internacional), *VIP Vagabonds In Power* (Vagabundos VIP en el poder), *Authority Stealing* (Robo de la autoridad) o *Army Arrangement* (El apaño del Ejército), que no hacen nada para reparar sus enconadas relaciones con las autoridades.

★★★ **Ese mismo año,** es detenido por contrabando de divisas. Condenado a cinco años en prisión, es liberado después de 20 meses tras un cambio de gobierno y la intermediación de Amnistía Internacional. El juez reconoce que le impuso una condena injusta por mandato del anterior régimen militar. Al salir, se divorcia simultáneamente de todas sus mujeres. «El matrimonio trae consigo los celos y el egoísmo», declara, para añadir a continuación: «Ningún hombre tiene derecho a poseer la vagina de una mujer».

Fela Kuti, 356 veces ante sus señorías.

★★★ **Conocido por fumar marihuana abiertamente,** por vestirse sólo con pantalones cortos y por satisfacer a sus mujeres en turnos rotatorios, a mediados de los 90 contrae el SIDA, aunque se niega hasta el último momento a hacerse pruebas para determinar la causa de su enfermedad y a aceptar cualquier tipo de tratamiento o medicina, tanto occidental como tradicional.

★★★ **Hasta el final permanece inalterable** su creencia de que el SIDA no existe, asegurando que se trata de una 'enfermedad del hombre blanco'. Su última canción *C.S.A.S.* (*Condom Scallywag And Scatter*) (Condón travieso y disperso) reincide en su idea de los preservativos como un objeto «que va en contra de los africanos».

★★★ **Una vez muerto, su familia decide** desvelar la verdadera razón de su muerte para dar ejemplo a la población africana, aunque afirman también que el cuerpo de Fela no había respondido todo lo bien que se hubiera podido esperar a causa de las continuas palizas y torturas que había sufrido a manos de las autoridades.

★★★ **La junta militar contra la que tanto luchó** reconoce en un comunicado oficial que se ha perdido a «una de las figuras más valiosas de la historia del país» y decreta cuatro días de luto oficial, aunque, al mismo tiempo, mantiene a su hermano Beko Ransome-Kuti, Presidente del Instituto Nigeriano de los Derechos Humanos, en prisión.

★★★ **Más de un millón de nigerianos** asisten al funeral por su muerte el 14 de agosto de 1997, once días después de su fallecimiento. Según se cuenta, ése fue el único día en la historia de la capital en la que no hubo una sola denuncia a la policía y durante un par de días nadie acudió a su puesto de trabajo.

★★★ **Desde entonces,** los músicos que reconocen su influencia no han parado de crecer. Gilberto Gil aseguró que su encuentro con Fela cambió su vida: «Me sentí como un árbol replantado y capaz de florecer nuevamente». Damon Albarn, de Blur, señaló *Zombie* como la canción más sexy jamás escrita. Brian Eno, que en todo momento admitió tener más discos de Fela que de cualquier otro artista, siempre se arrepintió de no haberle producido ningún álbum, despertándose en muchas ocasiones con el sueño recurrente de cómo hubiera sido su trabajo con él.

★★★ **Femi Kuti, uno de sus hijos,** continúa manteniendo viva la llama del *afro-beat*, aunque renunciando a alguno de los rígidos principios de su padre. Curiosamente, otro de sus hijos, Seun Kuti, también quiso recibir formación musical y para ello se marchó al Instituto de Liverpool para las Artes Escénicas, fundado por... ¡Paul McCartney! El círculo se cierra.

EN VIVO Y EN DIRECTO: EL GRAN CIRCO DEL ROCK'N'ROLL

Si quieres sangre, ahí la tienes
(If You Want Blood [You've Got It]; AC/DC)

★★★

Se levanta el telón y la adrenalina se desata. Los que están a pie de escenario se dejan llevar y participan del ritual del directo, identificándose con el artista, pidiéndole entrega y que interprete aquella canción favorita que han venido a escuchar. Quieren que todo salga como lo tienen previsto desde que compraron la entrada que, entienden, les da derecho a esperar lo mejor.

En principio, no cuentan con lo imprevisto. Aunque, en ocasiones, y después de lo vivido, aquello que no esperaban se convierte en lo mejor de la noche. No habían sopesado que en el guión hubiese sitio para la improvisación, el insospechado montaje, las circunstancias inesperadas, que quien está allá arriba tuviese ganas de epatar, de hacerse sentir distinto, de sacarse de encima los nervios con los que se ha subido a las tablas.

Por eso, el directo se vive más intensamente. Todos lo saben y, aunque casi nunca sucede, a todos nos gustaría decir algún día que estuvimos allí, en el último concierto de tal banda, en un debut, cuando los espectadores se contaban con los dedos de la mano, pero, sobre todo, en aquella actuación que todos recuerdan por aquello excepcional que ocurrió. Como, por ejemplo...

★★★ **AC/DC. Los australianos nunca** se anduvieron con rodeos. Para presentar su disco *Hell's Bells* (Campanas del infierno) hicieron construir unas campanas gigantescas que llevaron de paseo. Y para la gira de *For Those About To Rock* cargaron con cañones reales. Cada vez que repetían el título de la canción *For Those About To Rock (We Salute You)* -Para los que vais a disfrutar del rock (os saludamos)- disparaban un cañonazo. ¡Fuego! Otro. ¡Fuego! Así hasta 21 veces. Y el público jaleaba todos y cada uno de los disparos. Faltaría más.

★★★ **Aerosmith. Según las propias palabras** de Joe Perry, «en los 70 Steven Tyler y yo nos esnifamos una mansión, unos cuantos Rolls Royce y muchos yates». Tal vez esté ahí la razón por la cual en una actuación en Canadá fueron arrastrados por los promotores hasta el escenario para, por un error, interpretar primero la canción que solían dejar para finalizar sus conciertos. A continuación, Steven Tyler se largó diciendo «¡Buenas noches, Toronto!», con tan mala suerte que se cayó y se rompió un brazo. Desde entonces, en sus conciertos siempre hay colocado estratégicamente un juego extra de luces que le ayude a encontrar la entrada y la salida.

★★★ **Alice Cooper. Pocos como él** tan interesados en asombrar al personal de sus conciertos. Alice Cooper se presentaba a veces con una guillotina con la que simulaba decapitarse o bien se colgaba de una cuerda. También le daba por 'sacrificar' a una gallina en directo

AC/DC: ¡Fuego! ¡Fuego! ¡Fuego! (repetir 21 veces).

Steven Tyler y Joe Perry, de Aerosmith, se metieron por su nariz una mansión, unos cuantos Rolls Royce y muchos yates.

entre chillidos, muñecas mutiladas y parafernalia sadomasoquista. En otras ocasiones, agarraba un enorme cepillo de dientes y perseguía a una joven disfrazada de gran tubo de pasta de dientes. Tal cual.

★★★ **Arthur Brown. El incombustible intérprete** de *Fire* solía acabar sus conciertos crucificado en el escenario para, acto seguido, ser cómodamente instalado por su personal en un robusto ataúd de pino en el que abandonaba la actuación y, se supone, iniciaba su viaje al más allá. Al día siguiente, claro está, regresaba de allí para ser crucificado de nuevo en otro escenario.

★★★ **Aviador Dro. En el pop-rock estatal** de finales de los 70 y principios de los 80 estaba todo por hacer. Cuando Alaska y los Pegamoides y Aviador Dro llegaron al teatro de su primera actuación en Valladolid, se encontraron el escenario vacío. Al preguntar por el equipo de sonido, les dijeron que ya lo estaban terminando. Era cierto: en el patio de butacas había varias personas con toda clase de componentes electrónicos fabricando una mesa de mezclas.

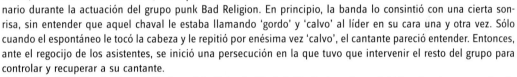

El incombustible Arthur Brown, regresando cada noche del más allá.

★★★ **Bad Religion. En la primera edición** del Festival Doctor Music, celebrado en los Pirineos, un espontáneo subió al escenario durante la actuación del grupo punk Bad Religion. En principio, la banda lo consintió con una cierta sonrisa, sin entender que aquel chaval le estaba llamando 'gordo' y 'calvo' al líder en su cara una y otra vez. Sólo cuando el espontáneo le tocó la cabeza y le repitió por enésima vez 'calvo', el cantante pareció entender. Entonces, ante el regocijo de los asistentes, se inició una persecución en la que tuvo que intervenir el resto del grupo para controlar y recuperar a su cantante.

★★★ **Black Sabbath. Geezer Butler, el bajista** de Black Sabbath, tuvo la genial idea de adornar su gira de 1983 con una reproducción a tamaño real del monumento megalítico de Stonehenge. Al llegar a sus conciertos en Canadá, se dieron cuenta de que tamaña reproducción no entraba por las puertas, así que comenzaron a recortar las piedras. Al final, sólo la reproducción de dos de las losas pudieron ser incorporadas al escenario, una en cada lado. La audiencia se preguntaba, extrañada, qué narices significaría todo aquello.

★★★ **Bobby Brown. A algunos, como U2, Bruce Springsteen o Iggy Pop,** les gusta subir a alguna seguidora a compartir un rato con ellos sobre el escenario. De todas formas, conviene saber a quién se sube, qué se hace y dónde. Bobby Brown, el ahora marido de Whitney Houston, fue multado con 652 dólares por simular una relación física con una fan a la que invitó a subir a escena y que acabó demandándolo por infringir las leyes del Estado de Georgia.

★★★ **Bob Marley. Su actuación más legendaria** en España fue aquella que no se produjo. En 1980, una prohibición gubernamental de última hora impidió que se celebrara su concierto en Madrid. Antes, en el hotel en el que se alojaban, y ante las peticiones del cantante y su banda, el mánager consiguió que todas sus comidas fueran aderezadas con generosas dosis de marihuana.

★★★ **David Bowie. Que a un artista le caiga algo** en una actuación en directo no es ninguna novedad. Aunque sí lo puede ser la reacción de éste. En junio de 2004, durante una actuación en el Festival Norwegian Wood de Oslo, a David Bowie le cayó una piruleta con forma de corazón entre el párpado y su ojo izquierdo mientras inter-

David Bowie no quiere saber nada de piruletas.

pretaba la tercera canción. David Bowie, quejándose del dolor, agarró el micrófono y dijo: «¿Dónde estas? Es fácil desaparecer en la multitud, maldito idiota. Te encontraré, jodido cabrón». También ironizó sobre su visión en el ojo izquierdo, muy disminuida desde una pelea con un compañero de colegio cuando tenía trece años. «Sólo tengo un ojo sano, imbécil. Afortunadamente, diste en el adecuado. Sólo lo has hecho más decorativo de lo que era.» Tras una última advertencia, Bowie continuó con uno de sus más atípicos conciertos. «Guárdate tu excitación para ti. Esto sólo significa una cosa, pequeño cerdo: que alargaré el concierto y, ahora, tocaré una canción de los Pixies en vez de la prevista. Es tu castigo. Te lo has merecido, cabrón».

Elvis Presley y Tom Jones no coincidían sobre determinados agentes de narcóticos.

★★★ **Einsturzende Neubaten. Los germanos sorprendieron en el 83** en una actuación en Londres interpretando su *Concerto For Voice And Machinery* (Concierto para voz y maquinaria) con motosierras amplificadas y martillos taladradores. Su intención era cavar un agujero en el suelo del club para llegar hasta el cercano Palacio de Buckingham. Consiguieron iniciar su peculiar túnel hasta que dieron con hormigón armado y alguien les desconectó la electricidad. Por aquel entonces, sólo 30 espectadores permanecían al pie de los taladros aguantando el ruido. Demasiado trajín aunque el botín fuese más que apetitoso.

★★★ **Elvis Presley. Al acabar una de aquellas actuaciones** en Las Vegas a principios de los 70, Tom Jones se pasó por los camerinos a felicitarle. Elvis Presley no perdió la ocasión de enseñarle al galés la distinción recién concedida por el Presidente Richard Nixon, que lo acreditaba como agente de narcóticos a sueldo del Gobierno. Tom Jones quiso hacerse el simpático: «Va a ser un problema, Elvis. ¡Tendrás que arrestarte a ti mismo!» Elvis se enfadó, lo echó de allí y nunca más se volvieron a dirigir la palabra.

★★★ **Elvis Presley. En la gira de 1975,** a Elvis Presley lo acompañaba la corista Kathy Westmoreland, con quien había mantenido una relación. Tras negarse a continuar unida a él sentimentalmente, Elvis solía presentarla diciendo que «se presta a relacionarse con cualquiera, en cualquier lugar, a cualquier hora. De hecho, lo hace con toda la banda». Con este ambiente, el grupo de acompañamiento no estaba especialmente contento. En un concierto en Norfolk, en junio, Presley comentó que «huelo pimientos y cebollas, así que seguro que éstos han estado comiendo pescado». Una de las coristas, Estelle, bajó su cabeza y se negó a cantar. Elvis le respondió: «Estelle, todos vosotros: si no levantáis la cabeza, os voy a dar una patada en el culo». Estelle y Kathy fueron las primeras en abandonar el escenario y, tras un nuevo comentario de Presley -«siento la vergüenza que os haya podido causar, pero, si no lo aguantáis, ya podéis largaros»-, toda la banda se marchó.

★★★ **Emerson, Lake & Palmer. En la época dorada del rock sinfónico,** los escenarios se montaban a lo grande. Por si no fuera poco los solos instrumentales, las explosiones pirotécnicas y los saltos mortales del trío Emerson, Lake & Palmer, el vocalista y bajista Greg Lake hizo toda la gira de mediados de los 70 tocando en zapatillas y sobre una carísima alfombra persa que tenían que llevar de un lado para otro con cara de póquer los encargados de transportar el equipo.

★★★ **Fatima Mansions. Grupos minoritarios como** Fatima Mansions pueden creer que su suerte ha cambiado cuando alguien como U2 los llama para ser sus teloneros en una de sus giras, tal y como les sucedió a principios de los 90. Son ocasiones que no se deben desaprovechar. Su cantante, Cathal Coughlan, dilapidó su oportunidad al simular una sodomía con una Virgen de plástico delante de 50.000 espectadores. Por si fuera poco, se encontraba en Italia, país de mayoría católica y sede del Vaticano.

★★★ **Frank Zappa & The Mothers Of Invention. Su espectáculo** *Pigs And Repugnants* (Cerdos y repugnantes), que se representó durante seis meses en Nueva York, contó con la participación de marines uniformados que mostraban en escena lo que les habían enseñado a hacer en Vietnam, repitiéndolo con una muñeca de tamaño real. En otras ocasiones, una jirafa se paseaba por el escenario soltando nata montada desde su cola a las primeras filas. Frank Zappa lo explicaba así: «A veces no puedes escribir un acorde lo suficientemente desagradable como para decir lo que quieres decir, así que tienes que confiar en una jirafa embutida en nata montada».

★★★ **Frank Zappa. En un concierto en el Rainbow londinense,** un tal Trevor Howell se subió al escenario durante los bises y tiró a Frank Zappa al foso. Según él, el concierto no había valido en absoluto lo que le había costado y, además, Frank Zappa no le había soltado ojo a su novia. El agresor fue condenado a un año en prisión y Frank Zappa pasó aquel año en silla de ruedas; además, debido al golpe, el tono de su voz cambió para siempre y una pierna quedó más corta que la otra. Frank Zappa siempre se quejó de la seguridad de aquella actuación: en el momento del incidente, los guardas de seguridad habían salido del local para fumar un pitillo. Desde entonces, se decidió a llevar guardaespaldas pagados por él cada vez que subía a un escenario.

★★★ **George Clinton con Parliament / Funkadelic. Para la gira del disco** *Mothership Connection* (La conexión de la nave nodriza), George Clinton hizo construir una gigantesca nave que aterrizaba en medio del escenario y que le costó 275.000 dólares de entonces. La idea la retomaron, poco después, Earth, Wind & Fire y, también, la Electric Light Orchestra con su nave espacial equipada con láser. Faltaría más.

★★★ **Guitar Slim. Desde que se inventó** el radio transmisor, el espectáculo de ver a un guitarrista dejar el escenario tocando su guitarra no es ya lo que era. Al menos no como en los 50, cuando el intérprete de blues Guitar Slim despedía sus funciones bajando del escenario, paseándose entre el público, abandonando la sala y tomando un bus, todo sin dejar de tocar la guitarra. Por supuesto, en aquella época, tenía que ser seguido cautelosamente por un técnico celoso de que a su jefe le llegase el cable para tanto paseo.

★★★ **Happy Mondays. En Hamburgo, una de sus actuaciones** coincidió con una manifestación estudiantil, hecho que el grupo de Manchester desconocía. Al encontrarse con un gran despliegue policial, pensaron que iban a por ellos, así que decidieron tomarse de golpe todas las drogas que llevaban. Ya en el escenario, tocaron fuera de sí; como no se retiraban, tuvieron que ser sacados del escenario uno por uno en volandas por el más que enfadado personal del local.

★★★ **Happy Mondays. En otra ocasión, el grupo** tenía un concierto en la Universidad de Manchester. Bastante tiempo después de la hora prevista para iniciar su actuación, y con el resto de la banda ya desesperada y una audiencia exaltada, Shaun Ryder y Bez se presentaron histéricos y muertos de risa. Resulta que, como el tren en el que ambos habían viajado llevaba un cierto retraso, tomaron un taxi y se fueron hacia la sala. Al llegar, les impidieron el paso, pero forzaron su entrada al escuchar la música con un expresivo: «¡Somos el maldito grupo! ¡Dejadnos entrar!» Sin parar ni un momento, se lanzaron al escenario donde el concierto acababa de comenzar... ¡para descubrir que se trataba en realidad del grupo Simply Red! Ambos se habían dirigido por equivocación al auditorio local, un escenario de más categoría que la sala en la que tenían que tocar realmente. Bez confesó después a sus compañeros: «Pensaba que no reconocía a nadie y que nos había venido a ver mucha gente».

★★★ **Héroes del silencio. En una de sus actuaciones** en Guadalajara, México, Enrique Bunbury golpeó con el micro a un espectador y le rompió un diente. Nada especial, a no ser por que se trataba del hijo del gobernador. No fue el único incidente que la banda vivió en directo: en Lugo, cansados de ser insultados por el público, se enzarzaron en una pelea con sus detractores. Años antes, en la misma ciudad, Tequila salieron corriendo del escenario persiguiendo a quienes, entre otras cosas, les habían arrojado tomates y huevos.

★★★ **Iggy Pop. The Rolling Stones tienen su reputación** ganada a pulso. Sin embargo, en la gira norteamericana de 1981, al telonero Iggy Pop se le prohibió acercarse a los camerinos de los Stones por miedo a que pudiera ejercer una «influencia enfermiza y peligrosa» para Keith Richards y Ron Wood. La conclusión evidente es que el resto del quinteto no es tan fácilmente influenciable.

★★★ **James Brown. Sí, Bruce Springsteen le copió la idea,** pero fue el padrino del soul, James Brown, quien la utilizó por primera vez en los 60. Sus extenuantes actuaciones terminaban con James Brown por los suelos en lo que parecía ser un ataque por agotamiento físico, hasta que era revivido por los urgentes servicios de sus compañeros en el escenario.

★★★ **Jerry Lee Lewis. En 1958, el famoso pinchadiscos** Alan Freed organizó un concierto con Buddy Holly, Frankie Lymon, The Chantels, Chuck Berry y Jerry Lee Lewis. El problema se planteó en el momento de decidir el cabeza de cartel entre los dos últimos. A última hora se decidió que Chuck Berry, por edad, cerrase la noche. Jerry Lee Lewis, más que enfadado, tenía claro que no iba a quedar así. Al final de su actuación, mientras interpretaba *Great Balls Of Fire* (Grandes bolas de fuego), tiró su banqueta, sacó una botella de líquido inflamable, le prendió fuego al

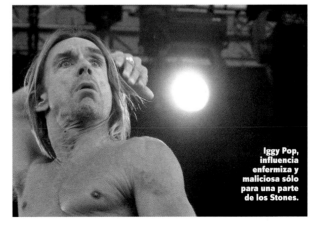

Iggy Pop,
influencia
enfermiza y
maliciosa sólo
para una parte
de los Stones.

Jerry Lee Lewis
poseído con sus
"Grandes bolas de fuego".

piano y siguió aporreando las teclas como un poseso. Cuando se retiró, se encontró con un Chuck Berry boquia-
bierto. «A ver cómo sigues eso, negro», le soltó. A pesar de todo, se hicieron buenos amigos.

★★★ **Jimi Hendrix. The Who acababan de dejar boquiabiertos** a la audiencia del Festival de Monterrey, en
California, al destrozar sus instrumentos. Pero Jimi Hendrix no iba a permitir que nadie le robara el espectáculo
en su propia casa. Por eso, tras acabar su versión de *Wild Thing* de The Troggs, le prendió fuego a su guitarra. Así,
aquel 18 de junio de 1967, acariciando las llamas para que se propagasen, sonriendo mientras el rock se convertía
en algo incendiario, comenzó a cimentarse su leyenda.

★★★ **Kiss. No fue el primero en incorporar** un come-fuegos a sus actuaciones. Lo que pasa es que al líder
de Kiss, Gene Simmons, que no era precisamente un profesional del tema, no le salió como pretendía y tuvo que
ser trasladado urgentemente a un hospital al comenzarle a arder el pelo tras intentar escupir fuego por su boca
en su primera actuación grande junto a Iggy Pop y Blue Oyster Cult en 1974.

★★★ **Kraftwerk. El truco ya está algo visto,** pero en su momento fue de lo más innovador. Kraftwerk, los amos germanos de la música electrónica, decidieron, a partir de 1981, dejar la interpretación de su canción *The Robots* (Los robots) a unos maniquíes. La consecuencia más directa era ver a los mánagers de sus giras recorriendo el mundo con los maniquíes, reservando asientos extra para ellos en los aviones. A partir de 1990, los maniquíes se convirtieron en robots controlados a distancia.

★★★ **L7. La rebelión femenina** en manos del grupo L7, paladines de un rock de guitarras duro hecho por un cuarteto de mujeres, tuvo su momento más recordado con su aparición en el Festival de Reading en agosto de 1992. Donita Sparks, su líder, enfadada con el barro que el público asistente estaba arrojando al escenario, les tiró su tampón usado. En otra actuación, sortearon una noche de amor desenfrenado con la componente del grupo que el ganador tuviera a bien elegir.

★★★ **Lou Reed. En los días en los que se paseaba por el lado salvaje,** Lou Reed cantaba *Heroine* (Heroína) inyectándose una dosis en directo. Eso sí, mejor no preguntarle ahora por aquello. No llegó a verse en España. Cuando a finales de los 70 se pasó por aquí para dar un recital en el campo de fútbol del Moscardó, las cosas no salieron precisamente bien. Tras recibir el impacto de una moneda, Lou Reed se retiró y no hubo forma de convencerlo para

Lou Reed se paseó por el lado salvaje en el campo de fútbol del Moscardó.

que saliera de nuevo. El público invadió el escenario, lo destrozó completamente y robó el equipo de sonido. Lou Reed, que tuvo que huir del tumulto protegido por su mánager, prometió que nunca volvería a tocar en España. Afortunadamente, se retractó unos cuantos años después.

★★★ **Love. De la banda original sólo quedaba** Arthur Lee cuando comparecieron en el segundo escenario del Festival Internacional de Benicassim en su décima edición. Aquella actuación se convirtió en la mayor tomadura de pelo de la historia del FIB. Dicen que llevaba tres noches sin dormir y, cuando acertaba a decir algo, sólo

conseguía dejar entrever que se encontraba muy afectado por la reciente muerte de su colega y amigo Rick James, algo que balbuceaba una y otra vez entre canción y canción. El caso es que la borrachera que llevaba era de tal calibre que lo tuvieron que empujar al escenario, donde amagó con caerse varias veces. Casi no cantó, no tocó nada -su grupo hacía todo el trabajo- y su leyenda en España quedó bastante tocada.

★★★ **Lush. Ya se sabe que es mejor** confeccionar carteles con una cierta unidad. En un festival británico, a alguien se le ocurrió crear un escenario giratorio de forma que, al acabar un grupo, se girase la plataforma y apareciese inmediatamente la siguiente banda. The Fugees estaba en medio de la interpretación de su gran éxito *Killing Me Softly* cuando, misteriosamente, la plataforma giró y allí estaba un tanto despistado el grupo de rock alternativo Lush, bastante diferentes a sus predecesores. Comenzaron a tocar, pero el abucheo fue tan generalizado que no pudieron continuar.

★★★ **Manic Street Preachers. En una de sus primeras actuaciones** en un festival, concretamente en Reading en 1992, los galeses trataron de provocar al personal

Arthur Lee, de Love, ni se enteró de su paso por Benicassim.

diciéndoles que apestaban, agitando una boa de plumas rosa. Para rematarlo, el bajista Nicky Wire lanzó su instrumento hacia el público, con tanta mala suerte que le cayó encima a un guardia de seguridad y le rompió un brazo. Tuvieron que salir corriendo, perseguidos por unos cuantos colegas del guardia detrás de ellos con ánimo de devolverles el golpe. No se les volvió a ver por allí.

★★★ **Meat Loaf. En 1988, el Festival de Reading** celebró una de sus ediciones con un cartel más ecléctico, sin personalidad. Bonnie Tyler sufrió un 'eclipse total de su arte' cuando le cayeron encima todo tipo de objetos. Meat Loaf fue recibido de la misma manera, pero decidió enfrentarse al público. «¿Queréis escuchar algo de rock'n'roll o tirar mierda al escenario?», les gritó. «¡Tirar mierda!», fue la respuesta unánime a pleno pulmón.

★★★ **Morrissey. En un concierto en Dallas,** en 1991, Morrissey, que habitualmente establece una relación bastante directa con sus seguidores, se cansó de que su público saltase continuamente al escenario y se marchó. Nada nuevo si no fuera porque sus músicos, que creían que volvería, quedaron tocando los acordes de la canción con la que estaban durante un minuto, dos, tres y así durante mucho tiempo, mirando la puerta por la que había desaparecido su jefe y con cara de circunstancias. En otra ocasión, en Sacramento, alguien del público subió al escenario, le apuntó con una pistola y, tal y como había llegado, se marchó. Tuvo suerte.

★★★ **Motörhead. En la gira de 1980** de presentación del disco *Bomber*, Motörhead colocaron en el escenario una gigantesca línea de focos de luz con la forma de un avión de combate británico. En medio del concierto de Berlín, Lemmy, el líder del grupo, señalando a la réplica del bombardero, le dijo a su audiencia alemana: «Seguro que no habéis visto uno de estos por aquí en unos cuantos años, ¿eh?»

★★★ **Noel Gallagher (Oasis). La primera aparición en uno de los grandes festivales** del compositor principal de Oasis no fue con su grupo, sino disfrazado como una vaca. Ocurrió en 1990, en el Festival de Reading, cuando trabajaba como *roadie* -técnico encargado del montaje del escenario- del grupo Inspiral Carpets. Esta banda tenía como logo en sus camisetas a una vaca y decidieron sacar a escena a Noel Gallagher disfrazado como su mascota. Por cierto: el ahora líder de Oasis también se había ofrecido como cantante para el grupo cuando necesitaban uno, aunque fue rechazado por no ser lo que andaban buscando.

★★★ **Ozzy Osbourne. Los grandes del heavy siempre han utilizado** los métodos más llamativos para sorprender. Ozzy Osbourne se superó a sí mismo cuando, en un concierto en Des Moines el 20 de enero de 1982, dentro de la gira *Night Of The Living Dead* (La noche de los muertos vivientes) de presentación de su segundo disco *Diary Of A Madman* (Diario de un loco), le pegó un mordisco a un murciélago que alguien del público acababa de arrojar al escenario. Según la versión de Osbourne, creyó que se trataba de un muñeco. Después tuvo que pasar por la dolorosa experiencia de las vacunas antirrábicas.

★★★ **Pink Floyd. En 1994, para su cita de quince noches** seguidas en el escenario británico de Earl's Court, tras siete años de ausencia, nadie esperaba ya nada espectacular de Pink Floyd. En la primera de las fechas, un estruendo despertó a los espectadores de su letargo pensando que se trataba de algún truco de sonido nuevo y aparatoso, hasta que descubrieron que una grada con 1.000 personas se había caído. Milagrosamente, sólo ocho espectadores resultaron heridos.

★★★ **Prince. Antes de ser la estrella en la que después se convertiría,** Prince tenía que aceptar todas las propuestas que recibía para actuar en directo y darse a conocer. En 1981, fue el encargado de abrir la gira de The Rolling Stones. En el primer concierto la emprendieron a botellazos con él y tuvo que dejar el escenario. El promotor de la gira, ante la insistencia de Prince por abandonar la gira, lo convenció asegurándole que había sido un hecho aislado. La noche siguiente, Prince volvió a salir y, a las primeras notas, alguien del público le arrojó una bolsa llena de despojos de pollo. Se marchó del escenario llorando.

★★★ **Ravi Shankar. En el famoso Concierto por Bangladesh** de 1972 intervino el mago del sitar y amigo de George Harrison Ravi Shankar. Cuando su grupo subió al escenario, el ambiente se llenó de sonidos misteriosos y exóticos. Tras diez minutos, la entregada audiencia estalló en aplausos. «¡Gracias. Si os ha gustado

¿Será Prince vegetariano?

tanto la afinación, espero que os guste más el concierto!», dijo el sorprendido músico indio antes de empezar con la actuación propiamente dicha.

★★★ **Red Hot Chili Peppers. No fue sólo una idea para** una única ocasión: en 1983 decidieron dar un concierto de la misma guisa con la que aparecían en la portada de su EP *Abbey Road* cruzando la calle que The Beatles convirtieron en mítica: con sólo unos calcetines por toda vestimenta. Conviene señalar que los calcetines no estaban precisamente en los pies.

★★★ **Red Hot Chili Peppers. Se suponía que la tercera edición** del Festival Woodstock en 1999, celebrada en una base militar, iba a ser una nueva celebración de la consigna 'paz, amor y música'. Cuando Limp Bizkit interpretaron *Break Stuff* (Romper cosas), pidieron al público que se lo tomaran literalmente y, por supuesto, así lo hicieron, arrasando todo lo que encontraban a su paso. Poco después, mientras Red Hot Chili Peppers interpretaban *Fire* (Fuego) de Jimi Hendrix, los miles de personas allí concentradas prendieron una hoguera que alcanzó proporciones desorbitadas. Se produjeron 44 arrestos, 10.000 personas fueron atendidas por los servicios médicos y se presentaron ocho denuncias por violación. Más de un mes se tardó en limpiar todos los escombros. No hubo más ediciones del festival.

★★★ **Rick Wakeman. Seguramente partió de un sueño** megalomaníaco. El caso es que al teclista de rock sinfónico Rick Wakeman se le ocurrió interpretar su disco conceptual dedicado al Rey Arturo sobre un escenario de hielo. Por suerte, no exigió lo mismo de su entregada audiencia.

★★★ **Ryan Adams. Una única letra en el nombre** puede significarlo todo. En una actuación de su gira norteamericana, Ryan Adams, quien estaba hasta el gorro de que le preguntasen por Bryan Adams, expulsó a un fan de un concierto en Nueva York cuando le pidió repetidas veces que interpretara *Summer Of 69*, una de las canciones del, por aquel entonces, más conocido cantante canadiense.

★★★ **Screamin' Jay Hawkins. A Screamin' Jay Hawkins siempre le gustó** aparecer en escena dentro de un ataúd reluciente, con un enorme hueso blanco saliéndole de ambos orificios nasales y con una capa negra satinada estilo Drácula, blandiendo una serpiente de goma y con un bastón coronado por una calavera a la que llamaba Henry. El final de sus actuaciones siempre era el mismo: se abría una caja de humo creada por un electricista de la sala Harlem Apollo –y que Hawkins había patentado– y escenificaba una espectral desaparición.

★★★ **Siniestro Total. Casi un lustro después,** Siniestro Total seguían los pasos de los Sex Pistols en más de un sentido. En uno de sus primeros conciertos, en concreto en la Sala Zeleste de Barcelona, a su cantante Germán Coppini le rompieron la rodilla de un botellazo. Se retiró a los camerinos y volvió con la rodilla vendada para no dejar a medias lo que había empezado. Harto, no pasó de aquella gira con el grupo: cambió aquellos arrebatos punk por los sonidos más comedidos de Golpes Bajos.

★★★ **Sly Stone. Johnny Cash se le declaró** a la que se convertiría en su mujer, June Carter Cash, en el escenario, delante de una sorprendida audiencia. Sly Stone fue un paso más allá y contrajo matrimonio con Kathy Silva en una ceremonia 'íntima' delante de 20.000 personas en el Madison Square Garden de Nueva York. Difícil de superar.

★★★ **Ted Nugent. Esta bestia del heavy,** cuando supo que los Sex Pistols pasarían por su ciudad, Detroit, en su gira norteamericana, se propuso subir al escenario e improvisar algo

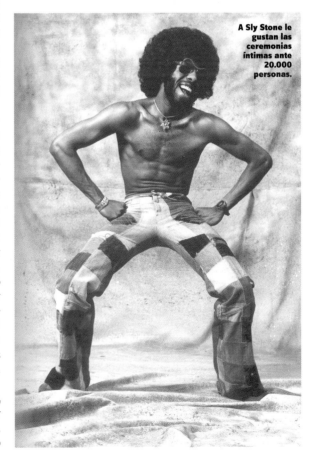

A Sly Stone le gustan las ceremonias íntimas ante 20.000 personas.

con ellos. Los ingleses, que no tenían la más mínima intención de tocar con quien consideraban un viejo desfasado, enviaron un emisario con unas tijeras para cortarle la melena antes de que pudiera acercárseles. Tan pronto como vio a aquel tipo, Ted Nugent sacó su revólver. Y, por supuesto, consiguió lo que pretendía: subió al escenario a tocar con ellos.

★★★ **The Allman Brothers. Un paracaidista seguidor** del grupo decidió sorprender a los 600.000 espectadores que se habían reunido para presenciar el concierto de The Allman Brothers en Watkins Glenn, Nueva York, en 1973. Aquel fan encendió un cartucho de dinamita, saltó del avión y soltó la dinamita. Se le olvidó un pequeño detalle: la dinamita y el paracaídas caen a la misma velocidad, así que, cuando lo abrió, la dinamita se lo llevó por delante.

★★★ **The Beatles. Su mítica actuación en** el Shea Stadium pasó a la historia, aunque no precisamente por ser memorable, sino por convencer al grupo de que la música en sus conciertos era lo de menos, así que poco importaban las giras. Los organizadores de aquel concierto pensaron que con la amplificación que se usaba en aquel campo de béisbol era más que suficiente para el grupo. Cuando The Beatles salieron a escena, los gritos de sus fans no les permitieron escuchar lo más mínimo. Así que John Lennon simuló un ataque de nervios y dijo todo lo que le vino en gana en un castellano burlesco. No era de extrañar, por lo tanto, que The Beatles dejasen los escenarios sin importarles mucho.

★★★ **The Cure. Eran los primeros tiempos** del grupo de Robert Smith. Generation X, la banda de Billy Idol, les había ofrecido tocar en su gira como teloneros, abriendo los conciertos. Todo fue bien hasta que el batería de The Cure, Lol Tolhurst, sorprendió a Billy Idol aprovechándose de una fan en los servicios de caballeros de uno de los auditorios en los que tenían que tocar. The Cure fueron invitados a abandonar la gira esa misma noche.

★★★ **The Cure. Robert Smith nunca pasó tanto** miedo como en un concierto a mediados de los 80 en Argentina. En su primera actuación en aquel país, los disturbios y los destrozos marcaron el concierto. Los hinchas de un equipo de fútbol local cargaron contra los perros de la policía y los tiraban fiambres a las tribunas. A un anciano le prendieron fuego a su puesto de bebidas, falleciendo a continuación del ataque que le provocó el incidente. Robert Smith juró que nunca volvería a tocar allí.

★★★ **The Doors. Cada una de sus actuaciones** estaba bajo un estricto control policial, después de que Jim Morrison hubiera sido detenido por agredir a un policía que estaba pegando a un seguidor del grupo. Así que el 2 de marzo de 1969, en una actuación en Miami, y tras pedir a su público a que se uniera a él en la revolución y el amor libre e introducir sus manos en su pantalón para mostrar su miembro, ni un segundo tardaron en subir los agentes y detenerlo por exhibicionismo. Jim Morrison consiguió notoriedad tras una intensa campaña en contra de la prensa, pero no tanta para que se vieran consumados sus románticos ideales de revolución y amor libre. Fue multado con 500 dólares de la época, por 'comportarse obscenamente en público, mostrar sus partes privadas y fingir masturbación y copulación oral', y condenado, también, a seis meses en prisión, aunque no viviría para cumplir la sentencia.

★★★ **The Jacksons. En su momento,** los cinco hermanos Jackson contrataron al mago Doug Henning para que hiciera esfumarse a Michael rodeado de humo tras el final apoteósico de sus actuaciones con *Don't Stop Till You Get Enough* (No pares hasta que tengas suficiente). En su gira en solitario del disco *Bad*, Michael Jackson desaparecía en una cabina que se elevaba a lo alto del escenario envuelto en una cortina que, al destaparse, descubría que Michael ya no estaba. En ese mismo instante, aparecía en el otro extremo del escenario con otra vestimenta cantando *Beat It*. Visto y no visto.

★★★ **The Jesus & Mary Chain. En sus inicios tenían fama de grupo problemático** en directo por sus breves y salvajes actuaciones. En marzo de 1985, en Londres, y con más público en la sala de lo permitido, el grupo se presentó en escena dos horas y media tarde. La revuelta se palpaba en el ambiente. No ayudó para nada que el concierto durase sólo 20 minutos y que el ruido provocado por el grupo hiciese de aquella experiencia algo inaudible. Los destrozos causados fueron valorados en 7.000 libras. El comunicado del grupo fue todavía mejor: «El viernes por la noche la gente demostró que quieren la clase de excitación de primera que The Jesus & Mary Chain pueden proporcionar. La audiencia no estaba destrozando la sala, estaba destrozando la música pop».

★★★ **The Move. Como precursores de una moda** que no tendría fin, en 1967 a estos bromistas del *pop-art* les dio por emprenderla a hachazos en escena contra muñecos de cera, televisiones y otros símbolos de nuestra era materialista.

★★★ **The Nice. En aquel grupo militaba** un joven Keith Emerson, que tenía por costumbre romper las teclas de su órgano con cuchillos de cocina. En 1968, en un concierto en el Royal Albert Hall, se les ocurrió quemar una bandera estadounidense. La sala nunca les volvió a permitir tocar por allí y la Embajada de aquel país se lo pensaba mucho cada vez que tenían que concederles un visado. Cómo han cambiado las cosas: hoy en día no es raro ver a Marilyn Manson en sus conciertos simulando utilizar la bandera americana como papel higiénico.

★★★ **The Plasmatics. En 1980, en la cima de su fama,** el grupo de la explosiva Wendy O' Williams -quien solía aparecer en escena con trozos de cinta plástica o espuma cubriendo sus pezones y que había posado para "Playboy" en un par de ocasiones, la segunda tirándose en paracaídas sin ropa- destrozaba cada noche montañas de televisiones en directo y utilizaba una motosierra para hacer añicos guitarras eléctricas conectadas a la electricidad e, incluso, coches que desguazaba en el escenario.

Wendy O' Williams, de The Plasmatics, posaba en paracaídas de una forma muy especial.

★★★ **The Rolling Stones. Para su concierto de 1969** de Hyde Park, en Londres, en homenaje a su recientemente fallecido guitarrista Brian Jones, los Stones decidieron soltar 10.000 mariposas que habían traído del extranjero. Bonito detalle aunque, debido al riguroso clima británico, la gran mayoría cayeron muertas tras unos pocos segundos.

★★★ **The Sex Pistols. En uno de los conciertos** de su desquiciada gira estadounidense, concretamente en Texas, y mientras Johnny Rotten se dedicaba a provocar al público y los espectadores les tiraban todo tipo de objetos, un tipo se situó en primera fila y amenazó al bajista Sid Vicious con una navaja. Éste, sin pensárselo lo más mínimo, le arreó con su instrumento en la cabeza. En el documental que se rodó durante aquella gira puede verse al protagonista declarando al final de la actuación: «Yo al menos lo advertí al sacar la navaja, pero él me golpeó en la cabeza sin previo aviso».

★★★ **The Stooges. Era 1973 y The Stooges estaban en un mal momento,** sin un duro, sin mánager y con serios problemas de adicción a las drogas duras. Aun así, se lanzaron a la carretera por todos los clubes de los Estados Unidos con la intención de recuperarse, pero no pudo ser. En Filadelfia, Iggy Pop estaba tan 'colocado' que los encargados del equipo tuvieron que forzarlo a subir al escenario. Se cayó entre el público y la salsa de un bocadillo se le extendió por la ropa. Al subir de nuevo al escenario, parecía que lo habían apuñalado. Sólo tocaron tres canciones. En Nueva York, Iggy Pop se hizo un corte en el cuello con uno de los amplificadores y se abrió el pecho, siendo trasladado a urgencias. Peor fue en Michigan, donde Iggy Pop retó por la radio a una pandilla de moteros a acudir al concierto y comportarse lo peor que pudieran. Así lo hicieron, y The Stooges fueron recibidos con cristales rotos y todo tipo de objetos susceptibles de ser arrojados a escena. Poco después, el grupo se separaba y, un año más tarde, Iggy Pop ingresaba en un centro psiquiátrico.

★★★ **The Who. Era 1964 y The Who,** entonces aún conocidos como The High Numbers, tocaban en la sala de conciertos de un hotel. Pete Townshend, enfadado con su sonido, golpeó el amplificador con su guitarra. Rompió el techo y una parte del mástil de su guitarra se quedó dentro. Arrancó el resto y lo hizo añicos. Lo que después se convertiría en un ritual de destrucción de todo tipo de instrumentos cada noche había nacido del arrebato espontáneo de un momento. Los imitadores, desde entonces, se cuentan por miles y las entradas de los conciertos siguen encareciéndose para pagar tanto desperfecto.

★★★ **The Who. En 1973, cuando The Who llenaban** los estadios noche tras noche, su batería, Keith Moon, se encontraba también en su etapa más desquiciada. En uno de sus conciertos, Moon cambiaba de ritmo continuamente y, de vez en cuando, su cabeza caía encima de la batería. Se requirieron los servicios de un doctor que intentó reanimarlo con una inyección; al minuto, estaba en las mismas. Tras suspenderse el concierto, un seguidor de 19 años le reemplazó, aunque sólo aguantó tres canciones antes de caer exhausto. En cuanto a Keith Moon, más tarde se descubrió que había estado tomando tranquilizantes para caballo antes del concierto.

★★★ **U2. En su gira de 1977 *Pop Mart*,** una enorme figura con forma de limón aparecía en el escenario para los bises, descubriendo dentro de él a los componentes del grupo. En Noruega, el limón se atascó y el cuarteto quedó atrapado dentro delante de miles de espectadores que no sabían si aplaudir o silbar.

★★★ **Yes. Para la gira de** *Tales From Topographic Oceans* (Cuentos de los océanos topográficos), Yes construyeron un escenario dominado por una cabeza de pez gigante por donde los componentes del grupo hacían su entrada triunfal. En su actuación en Manchester, las bisagras de aquel pez se estropearon y el grupo tuvo que salir como pudo por una pequeña abertura, entre el recochineo generalizado de su sorprendida audiencia.

SINEAD O'CONNOR, MADRE SUPERIORA

La nueva ropa del emperador
(*The Emperor's New Clothe*; Sinead O'Connor)

★★

No hay nada como un artista que crece en público. Sus contradicciones se convierten en las nuestras y, casi con total seguridad, sus discos serán siempre interesantes, por los indicios que puedan proporcionar o porque habrán sido compuestos en tiempos turbulentos.

★★★ **Nadie mejor que Sinead O'Connor ha representado** el papel del artista contradictorio y atormentado en las últimas dos décadas. Sus discutibles decisiones, su imagen, la polémica derivada de sus acciones, siempre sin premeditación, sin calcular las consecuencias, la han tenido en una primera plana permanente, incluso cuando no había discos de los que hablar o, si los había, oscureciendo sus canciones.

★★★ **Esa forma de madurar sin tapujos,** de dejarse llevar por el primer impulso, de no callarse, esa mezcla de coraje y vulnerabilidad, es la que hace parecer que su trayectoria personal está compuesta de anécdotas, de curiosidades. Sí, no ha sido una carrera convencional, pero más que anécdotas lo que hay es una forma de vivir pasional, llevada al límite, y que se aparta totalmente de lo convencional.

★★★ **Hoy, Sinead O'Connor es una figura mediática,** muy a su pesar, para quien lo que hace o dice tiene más relevancia que su carrera musical. Ya casi no aparece en las páginas musicales de las publicaciones periódicas. En su caso, las formas se han sobrepuesto al contenido. Todos saben que, un buen día, le dio por romper la foto del Papa en una emisión televisiva en directo, pero, ¿cuántos conocen su razón para hacerlo?

★★★ **Por todo ello está aquí.** Aunque conviene recordar, antes de sumergirse en su historia, que se trata de la vida real, de una vida muy real, vivida a golpe de hechos que a los demás podrían parecernos excentricidades, pero que no dejan de congelar la sonrisa de nadie con un mínimo de sensibilidad. Al menos a ella le cabe el consuelo de haber vivido intensamente su existencia. Incluso con sus errores, ¿cuántos han tenido una vida parecida? Casi nadie. Repasemos su apasionada vida, al tiempo que aprovechamos para escuchar de nuevo sus discos.

★★★ **Sinead O'Connor nace en Dublín el 8 de diciembre de 1966.** Su infancia está marcada por el divorcio de sus padres, una férrea educación católica y, sobre todo, los abusos que sufre de pequeña por parte de su madre. Tras ser expulsada de un colegio católico, pasa parte de su adolescencia en un reformatorio, después de ser descubierta robando unos zapatos para una amiga. Robar en las tiendas no es algo nuevo, y culpa a su madre de haberle enseñado. En aquel tiempo vive con su padre, y éste decide internarla.

Sinead O'Connor también pudo convertirse en el azote de los grandes almacenes.

★★★ **En 1985, su madre fallece en un accidente de tráfico** mientras se dirige a la iglesia. Llevan dos años sin verse y no ha habido reconciliación. Según O'Connor, las lágrimas que se pueden ver al final del estremecedor vídeo de *Nothing Compares 2 U* tienen mucho que ver con este hecho: el día que se filmaron aquellos penetrantes primeros planos, su pensamiento estaba con ella.

★★★ **En el reformatorio empieza a tocar la guitarra.** El batería de In Tua Nua, Paul Byrne, la descubre cantando en la boda de su hermana. Le ofrece unirse a la banda y compone un primer *single*, *Take My Hand*, aunque no sigue con ellos. Meses más tarde se convierte en la cantante de otro grupo de nombre curioso, Ton Ton Macoute, que se disuelve rápidamente pero que graba unas maquetas para el responsable de Ensign Records, Nigel Grainge.

★★★ **A éste, quien más le impresiona de aquel** grupo es aquella cantante de aspecto frágil, voz poderosa e interpretación profunda, así que le envía un billete de avión para que vaya a verlo a Londres. No obtiene respuesta, por lo que se olvida de ella. Sin embargo, unos meses más tarde, Sinead O'Connor se presenta en las oficinas, y el sorprendido Nigel Grainge le ofrece grabar unas maquetas con Karl Wallinger, componente de The Waterboys y, posteriormente, de World Party.

★★★ **Días después, comienza la grabación** de su primer disco, *The Lion & The Cobra*. En los dos años que dura el largo y laborioso proceso, durante el cual se descartan todas las grabaciones de un disco entero que nunca ve la luz como tal, se dedica a contestar el teléfono de la compañía discográfica para ganarse la vida porque, según ella, «no tenía nada mejor que hacer».

★★★ **Antes de editar su primer disco,** pone la voz a la canción *Heroine*, compuesta por The Edge de U2 para la banda sonora de *Rapto de Rowena* (Captive). Su relación con la banda irlandesa más famosa de todos los tiempos no acaba ahí. Poco más tarde critica a U2 por su sonido 'bombástico' y por ejercer una influencia mafiosa sobre la escena rock de Dublín.

★★★ **Conviene recordar que,** en aquel momento, su mánager, mentor y amante es Fatchna O'Ceallaigh, quien había sido despedido por U2 de la sucursal irlandesa de su propia compañía, Mother Records. A finales de los 90 se produce el reencuentro entre Sinead O'Connor y U2 y, tras aclarar las cosas, graba con Bono *I Am Not Your Baby* para la banda sonora de *El fin de la violencia*.

★★★ **Su primer disco,** *The Lion & The Cobra*, producido por ella misma a la edad de 20 años y grabado por segunda vez enteramente mientras está en los dos últimos meses de su primer embarazo, no vende más de 25.000 copias en los meses inmediatos que siguieron a su edición, a pesar de algunas canciones destacables como *Troy, Mandinka, I Want Your (Hands On Me)* o *Jerusalem*, aunque poco a poco obtiene una mayor repercusión.

★★★ **Poco antes de empezar la promoción,** la compañía le sugiere que adopte una imagen 'más de chica'. La respuesta de O'Connor es inmediata: se rapa el pelo al cero, después de intentarlo con un corte al estilo mohicano. Más adelante aclararía que «el corte de pelo es toda una declaración de intenciones, y yo no quería tener ninguna». A pesar de ello, se convierte en su seña de identidad.

★★★ **En una de sus primeras declaraciones,** habla también abiertamente de su simpatía por el IRA, algo de lo que después renegaría. Parece ser que su postura estaba nuevamente influida por el mismo mánager, convencido activista pro-IRA. Con todo esto, los medios comprenden rápidamente que se enfrentan a una voz rebelde y distinta que puede dar mucho juego.

★★★ **Todo estalla con su segundo disco,** *I Do Not Want What I Haven't Got* (No quiero lo que no tengo), su gran éxito. Para empezar, renuncia al premio Grammy que le conceden por razones que, aunque de sobra conocidas, no dejan de ser menos ciertas: «No acepto premios que se me hayan concedido por mi éxito material. Los Grammy se dan al disco que más ha vendido, pero no al mejor artísticamente hablando. No me interesan. No quiero tomar parte en nada que anime a la gente a creer que el éxito material es importante, especialmente si eso representa que te has de sacrificar personalmente para obtenerlo».

Sinead O'Connor y su peinado para una imagen 'más femenina'.

Hay muchas Sinead O'Connor, aunque todas están en una: rastafari, lesbiana, Virgen María, estudiante de ópera, sacerdotisa, defensora de los derechos de los niños...

Según Frank Sinatra,
Sinead O'Connor debería
pegarle a sus hijos.

★★★ **Semanas más tarde,** se niega a actuar en el Garden State Arts Center de New Jersey al sonar el himno americano antes de su concierto, algo que allí es obligatorio, aunque después intentaría justificarse: «Tengo un gran respeto por la gente de todos los países, incluyendo a los americanos. Con mi actitud sobre el himno nacional intentaba llamar la atención sobre la censura. Cuando se trata de racismo vestido de censura, es incluso peor, y eso es lo que trataba de decir».

★★★ **Muchos la emprenden con ella,** y Frank Sinatra deja bien clara su postura al día siguiente al aparecer en el mismo escenario. «Esta Sinead O'Connor debe ser una estúpida liberal. Creo que ha dicho ciertas cosas. No las voy a repetir. Le daría una buena patada en el culo si fuera un hombre. Debería pegar a sus niños para que no pierdan las formas». MC Hammer también se siente en la obligación de opinar y le ofrece pagarle el billete de vuelta a su país.

★★★ **Al mismo tiempo,** un senador de nombre Nicholas Spano, tras llamar al boicot contra todo aquello que tenga que ver con la irlandesa, organiza un acto de protesta en Saratoga. O'Connor se presenta de incógnito escondida tras una peluca y una gorra de béisbol. Además, como reacción, a partir de ese momento incorpora el himno de Bob Marley *Get Up, Stand Up* (Levántate, resiste) a sus conciertos.

★★★ **Pero lo que acaba de dar un giro a su trayectoria,** tanto musical como personalmente, es su aparición en el programa de televisión *Saturday Night Live* en octubre de 1992, tras la edición de su tercer disco, *Am I Not Your Girl?* La primera oferta para aparecer en ese programa la había rechazado porque había otro invitado, Andrew 'Dice' Clay, que, en su opinión, hacía chistes obscenos y denigratorios.

★★★ **Aceptó la segunda invitación.** Delante de las cámaras, al acabar su versión de *War* (Guerra), otra canción compuesta por Bob Marley, rompe una foto del Papa y grita: «¡Lucha contra el auténtico enemigo!» Según denuncia a continuación, «las religiones no hacen lo suficiente para luchar contra los abusos a menores».

★★★ **Dos semanas más tarde,** el público la abuchea cuando aparece en el Madison Square Garden de Nueva York en el homenaje a Bob Dylan con motivo de sus treinta años en el mundo de la música. Ella, enfurecida, los desafía e increpa con una nueva interpretación *a capella* del tema *War*, aunque no llega a acabarla. Le puede la presión y rompe a llorar. Tan sólo Kris Kristofferson se atreve a salir y arroparla para retirarla dignamente del escenario.

★★★ **Su acto no es ninguna sorpresa** para quienes la conocen. En su tercer disco, que tenía como motivo central los abusos a menores, al final de todo, después de su versión de *Don't Cry For Me Argentina*, había un encendido y revelador discurso sin acompañamiento musical:

★★★ **«No soy una mentirosa y no estoy llena de odio.** Pero odio las mentiras y por eso los mentirosos me odian. Los mismos que no pueden soportar la visión de un niño muriendo de hambre, ¿pueden decir que no sienten el dolor como yo? ¿Hay alguien que no viva con dolor? Sus mentiras nos han infundido dolor. Pero la guerra ha comenzado y la verdad vencerá. Muchos de nosotros nos dejaremos la vida y no nos importa, porque para vivir tenemos que morir. Los enemigos de Dios dirán que es el caos. Recordad lo que Jesús hizo en el templo y tened paciencia. Exactamente, ¿por qué creéis que fue asesinado? ¿Quién hizo el trato sucio? ¿A quiénes no les gustaban las respuestas que recibían? ¡Mirad al que lleva el collar de la orden! Entonces y ahora, sólo ha habido un único mentiroso, el Imperio Romano Sagrado, y lo que hicieron fue contarnos mentiras para alejarnos de Dios. Así que estoy enfadada, pero no llena de odio. Estoy llena de amor. Dios dijo: 'No traigo la paz, traigo una espada'».

★★★ **A partir de ahí, desaparece de la vida pública,** donando su casa californiana, valorada en un millón de dólares de entonces, a la Cruz Roja. Abandona el pop durante un tiempo para estudiar ópera. También interpreta a Ofelia en un montaje de "Hamlet". Y acepta hacer el papel de una Virgen María irlandesa en la película de Neil Jordan *The Butcher Boy*.

★★★ **Curiosamente, su única aparición anterior** en la pantalla había sido interpretando a una adolescente católica de 15 años en la película *Hush-A-Bye Baby*, un proyecto de la Escuela de Cine de Derry basado en la historia real de una colegiala que apareció muerta en una cueva con la imagen de una Virgen y agarrada a su bebé también muerto.

★★★ **Tampoco sus relaciones personales mejoran.** En 1986, después de firmar contrato para editar su primer disco, había quedado embarazada inesperadamente de su batería John Reynolds. A pesar de la oposición de su discográfica, siguió adelante y tuvo el hijo. Poco después, se separaron. Años más tarde, y después de tener varias parejas cada uno de ellos, se reconcilian y se casan. Vuelven a separarse, pero él sigue siendo su batería y el productor de sus discos más recientes.

★★★ **Al periodista John Waters lo conoce después** de ponerse en contacto con él tras leer una crítica suya en 1990. Pero la relación no es tan idílica como se podía prever: tras varios abortos, de los que habla en canciones como *Three Babies* o *My Special Child*, accede a tener un hijo con él por inseminación artificial. Cuando la custodia de la niña pasa a ser cuestión de litigios, O'Connor se refiere a él como «un simple donador de semen». Pierde la custodia. Meses más tarde, rapta a su hija en Dublín y se escapa a Londres con ella. Cuando se la quitan, intenta suicidarse tras tomar 20 pastillas de valium. Permanece en coma 36 horas.

★★★ **En abril del 99, ya recuperada,** es ordenada sacerdotisa de la orden católica disidente Tridentina Latina, para la que pronuncia cuatro misas, dos de ellas en latín. La ceremonia se celebra en Lourdes, y su nombre pasa a ser Madre Bernardette María, en honor a Santa Bernardette, por la que su madre y hermanastra siempre habían sentido una especial devoción.

★★★ **Aquel mismo mes hace una generosa** donación de 150.000 libras a Michael Cox, el máximo representante de esa orden. Cuando los medios lo descubren, acusándola de comprar su ministerio, anula la donación. Al mismo tiempo, declara que se siente, por encima de todo, *rastafari*, y que de ahí le viene su interés por las religiones.

★★★ **Poco después reconoce que ha hecho** voto de castidad. No tarda ni dos semanas en manifestar públicamente que se retracta, que no puede respetarlo. Unos meses más tarde va más allá al declarar su condición de lesbiana, aunque posteriormente aclararía que quería expresar que se siente abierta a enamorarse de cualquier persona.

★★★ **Ya en el 2003 emite un comunicado público** en el que anuncia su retirada del mundo de la música, para llevar una vida normal y comenzar una nueva carrera profesional. Dos años dura esa retirada. Recientemente acaba de anunciar un nuevo contrato discográfico y que se encuentra grabando tres discos a la vez, uno de *reggae* y otros en los que se adentrará en la música con raíces gospel y los cánticos espirituales.

LOS GRANDES MOMENTOS DEL ROCK EN LA PANTALLA

Televisión, la droga de la nación
(Television, The Drug Of The Nation; Disposable Heroes Of Hiphoprisy)

Así están las cosas: un pecho descubierto de Janet Jackson en la mitad de la Superbowl, el programa con más audiencia del año en la televisión estadounidense, consigue que ya no haya retransmisiones de espectáculos en directo y que todo se emita con unos segundos de retardo para evitar que los espectadores sientan herida su sensibilidad. ¿De verdad les -nos- conviene?

La revolución no será televisada, cantaba Gil-Scott Heron. Claro que no, pero algunos intentan aportar su grano de arena. No hay nada como ir contra las normas. Es lo más rentable en el mundo del rock. Haz lo más insospechado, rodéate de polémica y verás cómo tus discos, por poco o mucho que lo merezcan, venden más de lo que lo harían sin esa promoción. Algunos conocen esta máxima perfectamente y saben utilizarla como nadie en su provecho.

En televisión llama mucho más la atención. ¿Qué hay más anodino que un artista que comparece para presentar su último lanzamiento y que se dedica a intentar, sobre una base pregrabada, sincronizar con sus labios lo que anteriormente ha registrado en un estudio? Rompe, blasfema, déjate llevar por el momento y tendrás tu instante para la posteridad, tus quince minutos de fama a mayores de los que te tocaban por dedicarte al rock.

Los programadores lo saben y, aunque parezca que intentan eliminar todo resquicio que vaya contra las normas no escritas de la televisión, les encantan esas salidas del tiesto. Suponen más audiencia, que la gente hable de sus programas, que se les recuerde y, cómo no, una mayor tajada en el pastel publicitario. Pasen y vean algunos de esos grandes momentos del rock en televisión.

★★★ **All About Eve. ¿Qué hacer cuándo no sabes qué hacer?** Durante una emisión del programa británico *Top Of The Pops*, aquel que se dedica a repasar la lista semanal de éxitos, la cantante del grupo All About Eve, Julianne Regan, que no podía escuchar nada de lo que salía por los monitores colocados al pie del escenario, se quedó en blanco y acabó sentándose en una esquina sin cantar absolutamente nada de su tema *Martha's Harbour*, tapando su enrojecida cara. Era su debut en televisión, así que no empezaron precisamente con buen pie.

★★★ **Bananarama. Los que saben del tema dicen que,** para hacer un buen *playback* y que no se note mucho, hay que cantar y no simplemente sincronizar los labios con la canción. A menos que, como les pasó a Bananarama cuando un técnico abrió los micrófonos sin querer, todo el mundo descubra que cantas horrorosamente. Como se supone que nadie escuchaba... Según uno de los responsables de aquel programa, la actuación fue «estupendamente mala». En otra ocasión, una de sus componentes, pensando que aún estaban ensayando, se le ocurrió preguntar en directo «¿Estamos en antena?» Comprendiendo la realidad de la situación por la cara de sus dos compañeras, decidió volver a cantar como si no hubiera pasado absolutamente nada. Borrón y cuenta nueva.

★★★ **Blur. La guerra del *brit-pop*.** Cuando Oasis y Blur lanzaron *singles* el mismo día, *Roll With It* y *Country House* respectivamente, a alguien se le ocurrió plantear una batalla entre ambos grupos. O sea, un montaje como cualquier otro para vender más semanarios musicales. Sin embargo, algunos se lo tomaron al pie de la letra. Al alcanzar el número uno Blur y quedar Oasis relegado a la segunda posición en las listas, a Alex James, bajista de Blur, no se le ocurrió mejor tributo, reivindicación o venganza -según se mire- que aparecer en televisión interpretando su single con una camiseta de Oasis. Si ya antes las relaciones entre ellos eran inexistentes, a partir de ahí las declaraciones se recrudecieron hasta el punto de que el líder de Oasis declaró: «Ojalá se mueran de SIDA».

★★★ **Bob Dylan. En la ceremonia de entrega de los Premios Grammy de 1988,** mientras Dylan interpretaba *Love Sick*, un espontáneo saltó al escenario con las palabras «Soy Bomb» escritas en su torso, y allí estuvo un buen rato hasta que los guardias de seguridad lo expulsaron. Dylan ni se inmutó. Una vez identificado, el tal Michael Pornoy, de 26 años, que había pagado unos 200 dólares para poder asistir al acto, se describió como un «artista genial multigénero», añadiendo a continuación «soy casi vegetariano». Luego reconoció que su acción había sido un «acto de pura revolución», enredando más el galimatías cuando declaró que el mensaje se refería «a un tipo de vida, muerte y explosión». Lo último que se le sacó es que «Bob Dylan es el pasado de la música y yo soy el futuro».

Janet Jackson sabe cómo condicionar la programación televisiva.

★★★ **Bob Dylan. Tras 20 años sin aparecer delante de las cámaras,** a finales del 2004 Bob Dylan consintió en ser entrevistado en directo. En los quince minutos que duró la entrevista, Dylan apareció taciturno, evasivo y aburrido. ¿Para qué se molestó entonces? Cuando le preguntaron por qué había cambiado su nombre por el de Bob Dylan, contestó como quien no quiere la cosa: «Alguna gente nace con el nombre equivocado, con los padres equivocados. Quiero decir, eso ocurre. Y tú te puedes llamar lo que te dé la gana. Ésta es la tierra de la libertad». Lo mejor de todo es que, a la misma hora, otro canal televisivo emitía un episodio de los Simpson en el que se entrevistaba a un Dylan convertido en un dibujo animado que no hacía más que murmurar. A algunos les pareció más auténtico que el verdadero Dylan.

★★★ **Boomtown Rats. Eran los tiempos de *Grease*** y más de uno estaba hasta el gorro de ver aquella banda sonora en lo más alto de las listas. Así que cuando Boomtown Rats consiguieron el número uno con *Rat Trap*, tras arrebatárselo a la canción principal de *Grease*, Bob Geldof, mientras interpretaba su *single* en televisión, rompió una fotografía de sus protagonistas John Travolta y Olivia Newton-John delante de las cámaras. Hoy puede parecer hasta infantil, pero entonces estaba más cerca de convertirse en un sacrilegio.

★★★ **David Bowie y Bing Crosby. En su aparición en el programa navideño** de Bing Crosby para cantar *Peace On Earth / Little Drummer Boy* (Noche de paz / El tamborilero), no sucedió nada fuera de lo normal, aunque sólo el hecho de que ambos comparecieran juntos ya era lo suficientemente extraño como para merecer una mención aquí. David Bowie aprovechó su oportunidad para salir con la leyenda del espectáculo justo a tiempo, ya que al mes siguiente, el 14 de octubre de 1977, Bing Crosby fallecía de un infarto a los 85 años mientras jugaba al golf en el club de La Moraleja de Madrid, después de completar los 18 hoyos y dejar para la posteridad sus últimas palabras: «Ha sido un buen partido de golf, amigos».

★★★ **David Bowie y Marc Bolan. A veces la combinación de drogas** y emisiones en directo no causan el efecto deseado. En el *show* de Marc Bolan en 1977, éste y su colega David Bowie iban a dar a conocer la primera canción que habían escrito juntos. No duró

A Blur les gusta lucir camisetas de Oasis.

más que 30 segundos, el tiempo justo para que Bolan tropezase con el micro, se cayera del escenario y ambos acabasen tirados por el suelo. El realizador, avispado él, decidió urgentemente adelantar un bloque de publicidad que tenía que entrar más tarde.

★★★ **Dexy's Midnight Runners.** *Jackie Wilson Said (I'm In Heaven When You Smile)* -Jackie Wilson dijo (estoy en el cielo cuando sonríes)- era una canción de Van Morrison, y Jackie Wilson había sido uno de los grandes intérpretes del soul. Cuando Dexy's Midnight Runners aparecieron en *Top Of The Pops* para interpretarla, alguien del programa, se supone que con otros gustos bien distintos y nula idea de quién era Jackie Wilson, colocó detrás una gran foto de Jocky Wilson, un conocido jugador escocés de dardos. Menos mal que al grupo le dio por tomárselo a broma, pero queda la gran duda: ¿Qué hubiera hecho el más arisco Van Morrison en su lugar?

★★★ **Dinosaur Jr. En 1992, Dinosaur Jr. habían sido invitados** a presentar una de sus canciones en el programa *The Word*, y ellos no tenían intención de cortar su actuación rápidamente. Iban pasando los minutos y los cámaras, sorprendidos, optaron por enfocar al presentador, que no sabía muy bien qué hacer; a continuación, enfocaron de nuevo al grupo, que seguía tocando. Se decidió que lo mejor era dar paso a una pausa publicitaria. Cuando se acabó el intermedio, Dinosaur Jr. todavía seguían tocando. Así que los productores decidieron cortarles la electricidad. Habían estado más de 15 minutos sin parar y hubieran seguido con toda probabilidad de no haber sido desconectados.

★★★ **Elvis Presley. En su aparición en el programa** *The Steve Allen Show* le hicieron vestir un esmoquin y cantar *Hound Dog* (Perro de caza) -que, por supuesto, no tenía un contenido literal- dirigiéndose a... ¡un perro de caza! Por raro que parezca, Elvis salió bastante airoso del envite. Aun así, más tarde comentaría que aquello había sido el momento más denigrante de su carrera en el negocio de la música.

★★★ **Elvis Presley. Aunque ahora no lo parezca,** el legendario Ed Sullivan, que había nacido en 1902, no comulgaba con eso del *rock'n'roll*. La aparición de Elvis en el programa rival de Steve Allen con gran éxito fue lo que le decidió a invitarlo. Su aparición, moviendo sus caderas, desató la pasión de sus seguidoras y la fiebre integrista de los más reaccionarios. Para un semanario, aquello había sido poco menos que un 'desnudo con las ropas puestas', mientras otros sugirieron que aquel comportamiento 'animal y vulgar' debía ser relegado 'a las tascas y los burdeles'. Así que en su siguiente actuación en el programa de Ed Sullivan, y con el consentimiento de su mánager el Coronel Parker, quien daba más importancia a los posibles perjuicios económicos que un veto podría causar a su pupilo que a cualquier otra zarandaja, a Elvis Presley se le filmó sólo de cintura para arriba. El mote de 'Elvis, la Pelvis', por su forma de mover sus caderas, quedaba, entretanto, en suspenso. Y Ed Sullivan acabó declarando en directo, quién sabe si realmente convencido: «Nunca he tenido una más grata experiencia con un gran artista en mi programa que contigo».

★★★ **Eminem. 'Eminem solo contra todos'** parecía ser lo que se desprendía de sus polémicos primeros discos. Por ello, en la ceremonia de entrega de los premios MTV de 2000 en Nueva York, Eminem saltó al escenario rodeado de cien tipos como él, con el pelo corto rubio, camisetas blancas y vaqueros azules, imitando sus movimientos. Con un clon, uno nunca se siente tan solo, y con cien...

★★★ **Eminem. En una interpretación en el programa** *Top Of The Pops* de su éxito *The Real Slim Shady*, Eminem modificó la letra de la canción por otra, digamos, más blasfema: «*I'm the fuck fucking and I'm the fucking fuck and won't the fuck fuck fucking please fuck up... Fuck you, Uncle Europe!*» Mejor se queda sin traducir.

★★★ **Fine Young Cannibals. La broma se les fue un poco de las manos** en una entrega de premios retransmitida por la televisión alemana a mediados de los 80. David Steele, componente de Fine Young Cannibals, lanzó un yogurt a Mark Reilly, del grupo Matt Bianco, y éste respondió con una patada justo allí donde más duele. Ambos se enzarzaron en una pelea que acabó por los suelos y los cámaras no sabían a qué prestar atención.

★★★ **Frank Zappa. Con sólo 20 años,** Frank Zappa apareció por primera vez en televisión en el programa de Steve Allen. Su actuación consistió en golpear e intentar sacar sonidos de una bicicleta colocada boca abajo. «Por lo que respecta a tu música, nunca más lo vuelvas a intentar aquí», fue el comentario del presentador una vez que terminó.

El momento más denigrante en la carrera de Elvis.

★★★ **Iggy Pop. En el programa que el fundador de la prestigiosa discográfica Factory Records,** Tony Wilson, tenía en la televisión inglesa, Iggy Pop respondió a su entrevista de pie en una silla. A una sugerencia del cámara para que se sentase, Iggy contestó: «¡Cierra tu puta boca! ¡Tony es mi amigo!» Más tarde, escenificó una danza de guerra pagana con un prominente rabo saliéndole de su trasero. A Tony Wilson le costó mucho no perder ese día su puesto de presentador. Sin embargo, poco después el matrimonio de Tony Wilson sí que terminó abruptamente tras una entrevista con Debbie Harry, de Blondie, que fue algo más allá de lo estrictamente profesional para convertirse en un flirteo en toda regla.

★★★ **Jane Birkin. La polémica canción** *Je t'aime non plus*, debido a sus susurros orgiásticos, fue también la causante de que a Jane Birkin se le pusiera cara de palo en la televisión francesa cuando se enteró de que Serge Gainsbourg ya la había grabado antes con Brigitte Bardot. No obstante, esta versión se editaría más tarde que la registrada por Jane Birkin, ya que Brigitte Bardot iba a casarse con el multimillonario Gunter Sachs y nadie de su entorno quería que éste se lo pensara dos veces.

★★★ **Jarvis Cocker (Pulp). En la entrega de los Brit,** los Premios de la Industria Musical Británica, en 1996, Michael Jackson interpretó *Earth Song* rodeado de niños a los que simulaba curar. Cuando un actor vestido de conejo salió a acompañar la escenificación, Jarvis Cocker, que andaba por allí como invitado, decidió que era suficiente. Subió al escenario con la intención de escarmentar a la megaestrella del pop metido en su papel de Mesías, le tocó el trasero y se marcó unos pasos de baile para ridiculizar aquel montaje. Horas después, a instancias de Jackson -quien emitió un comunicado en el que decía sentirse «asqueado, entristecido, conmocionado, molesto, engañado y enojado»-, Jarvis Cocker fue detenido por la policía acusado de acosar a menores. Aun así, todo el mundo sabía de parte de quién estaba la razón.

★★★ **Jimi Hendrix. Su aparición en 1969** en el *Show de Lulu* marcó el final de una época de la televisión en directo. A Jimi Hendrix le pidieron que interpretase *Hey Joe*. Hendrix, que estaba harto de su éxito de dos años atrás, sabía que la única forma de salirse con la suya era asentir. Con la venganza en su cabeza, empezó tocando *Hey Joe* hasta que, por la mitad, paró de repente. A continuación, anunció que no le daba la gana seguir y que lo que quería era cantar otra cosa, así que arrancó con *Sunshine Of Your Love*, de Cream. La presentadora, irritada, se fue hasta la sala de control y, al poco rato, desconectaron todos los enchufes. A partir de ese momento se acabaron las apariciones de estrellas del rock en directo en los programas convencionales.

★★★ **Jimmy Pagge (Led Zeppelin). Cuando el equipo llegó a la montaña** en la que habían quedado para grabar a Jimmy Page de Led Zeppelin junto a Roy Harper, un reputado músico amigo suyo y con el que estaba presentando su disco en común *Whatever Happened To Jugula*, se encontraron con que ambos habían llegado con un grupo de amigos bastante 'colocados' ya a las nueve de la noche. Les explicaron que había sido un error, porque su intención era filmarlos a las nueve de la mañana siguiente, así que al grupo no se le ocurrió nada mejor que esperar allí de pie toda la noche con su particular fiesta. Cuando la grabación comenzó, Roy Harper hizo una serie de preguntas a Jimmy Page sobre Led Zeppelin y, cada vez que éste respondía algo, Harper imitaba el balido de las ovejas, con tanta insistencia que a los técnicos les fue imposible disimularlo posteriormente con balidos auténticos. A continuación, Harper y Page iniciaron una sesión épica improvisando con sólo sus dos guitarras que terminó abruptamente, al caer mareados, después de 15 minutos. Por aquel entonces, la cinta que los cámaras habían llevado para grabar ya se había acabado.

★★★ **Kula Shaker. En una de esas entrevistas surreales** a las que a veces se tienen que enfrentar los artistas, a Kula Shaker les comunicaron que la ganadora de un concurso de karaoke por teléfono en la MTV, con la canción *I Just Called To Say I Love You* como motivo, tendría ocasión de hacerles una pregunta. Ellos escogieron a la que peor lo hizo. La chica les preguntó cuál era la mejor manera de convertirse en cantante de un grupo. Crispian Mills fue el encargado de responderle: «Lo primero es empezar tomando grandes cantidades de drogas psicodélicas...» En una situación así, no necesitaba aclarar nada. A pesar de todo, se lo exigieron por el bien de la continuidad de la banda. Lo explicó perfectamente: «Mi comentario fue, por supuesto, estúpido, hecho a propósito, como una bomba que dejas caer en una conversación vulgar. En una sociedad dominada por los medios, el único uso constructivo que le queda a la televisión es un tratamiento de choque intensivo».

★★★ **Las Vulpess. Su actuación un sábado por la mañana** en el programa *Caja de ritmos* dirigido por Carlos Tena cantando *Me gusta ser una zorra* había pasado desapercibida, hasta que el periódico "ABC" publicó su letra. Entonces, todos los columnistas del país hablaron de ellas, incluido Camilo José Cela, la mayoría con la intención de usarlas de cabezas de turco de una libertad aún no del todo digerida. Lo que parecía una proyección desmedida para el grupo acabó por representar su ruptura y, de paso, la desaparición de *Caja de ritmos*. Al tiempo, un grupo de ultraderechistas les propinaba una paliza en la sala Rock-Ola por cantar *Policía asesina*. En aquellos días no era tan fácil intentar reproducir el modelo punk en un país como España.

Jimi Hendrix todavía no se ha enterado de que le han desconectado los enchufes.

Mick Jagger cree
que TVE es un lugar
como cualquier otro
para eructar.

★★★ **Madonna. Sus vídeos siempre buscaron la polémica,** pero quién diría que un anuncio suyo para la Pepsi-Cola también lo sería. Sólo llegó a emitirse una vez, ya que la imagen de Madonna besando a un ángel negro trajo miles de protestas y la compañía prefirió cubrirse las espaldas antes de que afectase a sus ventas. A Michael Jackson, rodando otro anuncio para la misma compañía, se le prendió fuego en el pelo y tuvo que ser hospitalizado con diversas quemaduras.

Madonna no debería pensar en angelitos negros.

★★★ **Mariscal Romero. Por un lado estaban los rockeros auténticos** y, por otro, los poperos. Al menos así lo debió ver el presentador Jesús Hermida cuando quiso actualizar los contenidos de su programa de debate convocando a las dos partes. Mariscal Romero, en representación de los primeros, se encaró con Carlos Tena, representante de los segundos. Éste le soltó al primero: «Tú eres más joven que yo, tanto que ni siquiera has nacido; o sea que, sencillamente, eres un feto». Cuando Mariscal Romero se lanzó a por Carlos Tena, éste se zafó ágilmente de la pelea echando a correr del estudio hasta el taxi más cercano. Más vale una retirada a tiempo.

★★★ **MC Hammer. Los programadores deberían pensarse bien** a quién invitan. En una ocasión, para una simple aparición televisiva, el rapero MC Hammer se presentó con 128 personas, 37 de las cuales eran bailarines. La encargada de atenderlos los distribuyó por los estudios de la televisión y en varias habitaciones de hotel a modo de camerinos. Antes de empezar, y para cenar, se les sirvió hamburguesas. «¿Qué? Yo sólo como alitas de pollo del Kentucky Fried Chicken», fue la respuesta. Así que marcharon a llenar una furgoneta a ese establecimiento. Al volver, algunos componentes de tan particular expedición pidieron comida vegetariana. MC Hammer también cambió de idea y exigió que se pidiera pizza para todos. Más tarde, su aparición televisiva tuvo que ser retrasada ya que el astro no pensaba subir al escenario si no se le conseguían unos calcetines negros. Una vez solucionado, y cinco minutos antes de entrar en directo, ordenó que se le pagara a él y a todo su séquito... ¡en efectivo!

★★★ **Michael Jackson. Tras las acusaciones de pederastia,** Michael Jackson se presentó a mediados de los 90 ante las cámaras de televisión con su mujer Lisa Marie Presley, hija de Elvis, para hablar abiertamente de su vida sexual, aunque, como era de esperar por el efecto beneficioso de una actuación así, cayó derrumbado entre mares de lágrimas sin revelar nada, salvo que era inocente. Ocho años más tarde, las acusaciones se repetirían y en esta ocasión no tenía esposa a la que acudir.

★★★ **Mick Jagger. No está mal anunciarlo a bombo y platillo,** como hizo Pilar Trenas cuando consiguió que Mick Jagger se prestase a aparecer en su programa de entrevistas en 1988. Jagger se dio en cuenta a las primeras de cambio que la susodicha no era una autoridad en la materia y que recurría a preguntas que el cantante de The Rolling Stones estaba harto de contestar. Así que empezó a eructar sin tomarse la molestia en ocultarlo lo más mínimo. Todavía hoy se pueden escuchar los ecos de aquellos eructos retumbando en Televisión Española.

★★★ **Milli Vanilli.** ¿Alguien recuerda a esta pareja -Rob Pilatus y Fabrice Morvan- que un buen día se comieron el mundo? Poco después tuvieron que tragárselo todo sin tiempo a digerirlo cuando su productor, Frank Farian -también productor de Boney M-, despechado porque lo iban a dejar, descubrió que nunca habían cantado en sus discos y que ellos sólo ponían la jeta. Después de que se les retirara el Grammy que habían obtenido en 1990 a causa de esta revelación, el dúo decidió pasarse por el programa de Arsenio Hall para demostrar que sabían cantar. A nadie le importó lo más mínimo y desaparecieron del mapa. Rob Pilatus murió de sobredosis en 1998, a los 33 años.

★★★ **New Order. En una aparición especial en la BBC2,** el vocalista Bernard Sumner andaba un tanto acelerado, incluso en canciones más lentas como *In A Lonely Place*. Entre tema y tema se le oía recriminar a sus compañeros de grupo por no tocar más rápido. Como no le parecía suficiente, en una de las canciones cambió el texto y se puso a gritar: «¡A ver quién cojones me dice ahora lo que tenemos que hacer!»

★★★ **Nico. A la antigua componente de la Velvet Underground** no le gustaba nada el sonido que se podía escuchar en su aparición en el programa *The Old Grey Whistle Test*. Así que, sin pensárselo dos veces, paró su actuación y dijo: «Quiero hablar con el responsable del sonido ahora. ¡Quiero sonar como una pistola!»

★★★ **Nirvana. En la entrega de premios de la MTV de 1992,** mientras interpretaban *Lithium*, el bajista Krist Novoselic lanzó su instrumento al aire. Cayó en su cabeza y acabó por los suelos. Kurt Cobain, que no lo había visto, empezó a gritarle por no seguir el ritmo. El batería, Dave Grohl, se dedicó, a continuación, a insultar a Axl

Rose, de Guns N' Roses. En la parte de atrás del escenario, Courtney Love también importunaba a Axl Rose mostrándole a su hija y asegurándole que él era el padre. Axl Rose, atacado de los nervios, no pudo reprimirse: «¡Qué alguien se lleve a esta zorra de aquí!» Más tarde, en la misma ceremonia, Kurt envió a alguien disfrazado de Michael Jackson a recoger uno de los premios obtenidos por Nirvana y le hizo decir: «¡Soy el rey del *grunge*!», sentando el precedente para que James Cameron pudiera decir aquello de «¡Soy el rey del mundo!» en la ceremonia de los Oscar.

★★★ **Paul Simon. Cómo salir del paso** sin indignarse también es todo un arte. En dos ocasiones tuvo que demostrarlo Paul Simon. En la primera, la presentadora Annie Nightingale le preguntó si, después de la separación de Simon & Garfunkel, echaba de menos las habilidades compositoras de Art Garfunkel. Hacen falta muchas tablas para no perder la compostura y explicarle a la presentadora que él, Paul Simon, era el auténtico compositor del dúo. En otra ocasión, mientras presentaba su disco *Rhythm Of The Saints* en el programa infantil *Going Live!*, los presentadores aparecieron con una enorme tarta para celebrar su cumpleaños. De nuevo había habido un error: no era el cumpleaños de Paul Simon, sino de su antiguo compañero Art Garfunkel. Los guionistas de ambos programas aún deben andar por ahí buscando trabajo.

★★★ **Pink Floyd. En 1967, durante su gira americana,** Pink Floyd aparecieron en el *Show de Pat Boone* con su entonces cantante Syd Barrett bastante pasado de revoluciones en uno de sus 'vuelos lisérgicos'. Barrett se dedicó a ignorar sistemáticamente las preguntas del presentador con una mirada perdida no se sabe bien dónde. Más tarde, en el programa *American Bandstand*, mientras el grupo interpretaba *See Emily Play* en *playback*, las cámaras decidieron concentrarse en el resto del grupo, pues Syd Barrett permanecía de pie inmóvil, como un zombie, sin prestarle el más mínimo caso a su propia música.

★★★ **Primal Scream. Presentes en este capítulo por omisión.** Invitados a participar en el programa *Top Of The Pops*, les reservaron un vuelo en un jet privado para llevarlos a Londres desde el lugar en el que se encontraban en medio de una gira irlandesa. A última hora, alguien comunicó al canal televisivo que Primal Scream no aparecerían porque el aeropuerto elegido, el de Luton, en Londres, «no es lo bastante *rock'n'roll* para ellos». Prefirieron quedarse durmiendo. Así han sido siempre estos escoceses: sobrados de actitud.

★★★ **Prince. El artista de Minneapolis,** en campaña contra su compañía de discos porque no le dejaba editar sus continuas grabaciones al ritmo que él deseaba, apareció en una entrega de premios con la palabra *slave* (esclavo) escrita en sus mejillas. A continuación, en una interpretación conjunta de un montón de artistas cantando el *single* benéfico *We Are The World*, Prince permaneció en silencio lamiendo una piruleta.

★★★ **Psychic TV. El escándalo llegó en 1984** cuando el grupo catalán Vagina Dentata Organ mostró en *La edad de oro* un corto producido para el programa en el que un artista encapuchado aparecía dando latigazos a la Virgen de Montserrat. A continuación, también encapuchado, presentó en directo la música de una representación acompañado de unos enormes perros, mientras destrozaba con un sable japonés unos carísimos cuadros del pintor surrealista Casademont a los que les brotaba la sangre a borbotones mientras los golpeaba. No obstante, lo que provocó un enorme revuelo a nivel nacional, llegando incluso a tratarse en una sesión del Congreso de los Diputados, fue la intervención de Genesis P-Orridge, el líder de Psychic TV, junto a su hija y el director de cine Derek Jarman en el mismo programa, presentando unos vídeos en los que aparecían imágenes de Cristo crucificado con cabezas de cerdo, así como serpientes y elefantes sobre cuerpos desnudos.

★★★ **Ramoncín. Antes de convertirse en presentador** de *Lingo* o en tertuliano de diversos programas, Ramoncín protagonizó uno de los escándalos de la televisión de la transición. En 1978, dentro del programa *Dos x Dos*, cantó en directo una versión de 12 minutos de *Marica de terciopelo*, mascando chicle y con un rombo pintado en el ojo. La canción se la dedicó a «todos lo que todavía tenéis metidos en la cárcel». La emisión no se pudo ver en algunas zonas del Estado por problemas técnicos y algunos creyeron que la censura aún seguía vigente. Cuando la presentadora Mercedes Milá le intentó sacar las gafas, Ramoncín se zafó con un buen manotazo y se cerró en banda.

★★★ **Richard Ashcroft (The Verve). En su aparición en el programa de David Letterman** a mediados de los 90, cuando The Verve intentaban abrirse camino en el mercado estadounidense, Richard Ashcroft -el mismo que a mediados de los 90 hacía que le llevaran lasaña a su casa todos los días porque «era *rock'n'roll*»- compareció con una camiseta con la imagen de Keith Richards portando, a su vez, una camiseta en la que se podía leer «¿Quién coño es Mick Jagger?» Nadie lo recordaba, pero la imagen era real. En 1975, en el peor momento de The Rolling Stones, tras la salida de Mick Taylor, las malas críticas a *It's Only Rock'N'Roll* y *Goat's Head Soup*, y con Jagger dedicado más a alternar con el mundo del espectáculo, Keith Richards se había paseado por la parte de atrás del escenario de uno de sus conciertos con aquella camiseta. La fotógrafa Annie Liebovitz lo había retratado entonces. Años más tarde, a Richard Ashcroft, tal vez dolido por los derechos de autor que le negaron por utilizar segmentos de cuerda de una canción de los Stones para su *Bittersweet Symphony*, le pareció una genial idea recuperar la instantánea en directo para millones de espectadores.

★★★ **Rivolta. Rivolta es un grupo catalán** formado por gente que anteriormente había militado en Decibelios, Brighton 64 o Matamala. Su cantante, Kbza, fue invitado en el 2002 a participar en el programa *El diario de Patricia* de Antena 3 para que explicase si ligaba más por sus tatuajes. Él, que no se podía creer aquella invitación, aceptó con una idea muy clara de qué hacer. Le pagaron el avión y le pusieron coche con conductor. Durante la emisión en directo, al llegar su turno, se levantó, se desnudó y enseño una pancarta en su falda escocesa que decía «Rivolta. Rompe tu televisor». Nunca una protesta contra la telebasura tuvo tanta repercusión. Lo sacaron del estudio a patadas, pero la cadena de televisión colgó el fragmento en su página web. Escándalo sí, pero si es rentable...

Richard Ashcroft se pregunta '¿Quién coño es Mick Jagger?'

★★★ **Robert Wyatt. Como consecuencia de una caída desde un segundo piso,** un incidente en el que tuvo mucho que ver el vino, una hermosa mujer y un baño resbaladizo, Robert Wyatt quedó paralítico de la cintura para abajo y, desde entonces, vive pegado a una silla de ruedas. A principios de los 70, cuando obtuvo un inesperado éxito con su versión de *I'm A Believer* de The Monkees, fue llamado para intervenir en el programa *Top Of The Pops*. Su actuación fue vetada poco antes de celebrarse, al descubrirse que toda la banda, incluyendo un jovencito Mike Olfield, aparecerían en sillas de ruedas. Hoy ese veto no sería considerado políticamente correcto.

★★★ **Serge Gainsbourg. Ya había quemado 500 francos** en un programa en directo, pero su aparición televisiva por excelencia sería otra. El gran compositor y mujeriego francés y la -por aquel entonces- aspirante a diva Whitney Houston coincidieron en un programa de la televisión francesa. Tras cantar una de sus baladas, Whitney se sentó al lado del presentador y enfrente de Serge Gainsbourg. Tras unos minutos de anodina entrevista, Gainsbourg sorprendió a todos afirmando en francés: «Quiero follarte». Whitney Houston, que había sospechado algo, pero tenía sus dudas, preguntó qué había dicho. El anfitrión intentó recobrar la calma: «Quería ofrecerte flores». «No, no, no», volvió Gainsbourg. «No traduzcas por mí. Quiero follarte». Whitney Houston se quedó a cuadros, el presentador se escondió en su sillón y Gainsbourg apuró otro trago.

★★★ **Sex Pistols. Gran parte de su repentina fama** se la debieron a -paradojas del destino- Queen. Estos últimos eran los invitados a un programa nocturno de la BBC. A última hora, no pudieron acudir y a alguien se le ocurrió ofrecer a los Sex Pistols como recambio. El presentador, Bill Grundy, que le tenía ganas a eso del movimiento punk que estaba despuntando, aceptó con la idea de dejar en evidencia a aquellos «retardados» para siempre. Los Sex Pistols aparecieron rodeados de cuatro amigos de llamativa vestimenta. Cuando una respuesta de una tal Siouxsie Sioux -entonces anónima; después todo un símbolo para una generación- no le gustó, Grundy le dijo que se verían las caras más tarde. Steve Jones le respondió llamándolo «sucio cabrón». Grundy se frotó las manos y le replicó: «Tienes otros diez segundos. Di algo escandaloso». Y Jones no se lo pensó, dedicándole epítetos como «jodido canalla» y «sucio bastardo». Los periódicos del día siguiente desplegaron sus grandes titulares: «La mugre y la furia», que años más tarde serviría también para dar título a una de las películas del grupo. Grundy fue despedido. El punk había llegado.

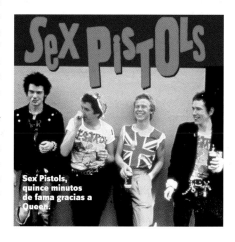

Sex Pistols, quince minutos de fama gracias a Queen.

★★★ **Sid Vicious. Su interpretación del archiconocido** *My Way* que hiciera famoso, entre otros, Frank Sinatra, no podía quedarse en una simple versión. En el vídeo rodado en París para acompañar a la película *La gran estafa del rock'n'roll* y que después se vería en las televisiones, el bajista de los Sex Pistols aparecía descendiendo por una escalera de un teatro justo antes de empezar a disparar a la audiencia y no dejar a nadie con vida. Sí, él lo hizo todo a «su manera».

¿Puedes vernos,
Stevie?

★★★ **Stevie Wonder. Aunque todo el mundo sabe que** Stevie Wonder es ciego, puede que haya quien no se ha enterado aún. El compositor Andy Williams, en una entrega de los Grammy a finales de los 70, y en una conexión en directo con África, le preguntó al cantante: «¿Nos puedes ver, Stevie?» Más tarde se disculpó. Tal vez lo que pretendía era hacerse pasar por un gracioso, pero en esa ocasión seguro que no lo consiguió.

★★★ **The Beatles. En abril de 1976,** sabiendo que John Lennon y Paul McCartney se encontraban juntos en casa del primero, el productor del programa *Saturday Night Live*, Lorne Michaels, ofreció en directo a The Beatles 3.000 dólares para que interpretaran tres canciones en su programa. Lennon y McCartney estuvieron dudando si tomar un taxi y pasarse por el estudio, pero decidieron quedarse porque estaban «muy cansados», como reconoció Lennon en una entrevista a la revista "Playboy". En su lugar, registraron en el apartamento de Lennon su última grabación juntos de 43 minutos, incluyendo versiones de *Walkin' The Dog*, *Let's Work Together*, *It's My Party* e *Iko Iko*. También pensaron en enviar una copia en vídeo de aquella sesión al programa, pero lo desecharon por los múltiples problemas legales que tendrían que sortear. El productor del programa, creyendo que había una posibilidad de que se pasaran por el estudio, había dado instrucciones a los porteros para que los dejasen pasar. Quien sí se pasó por el programa fue George Harrison el fin de semana siguiente para recoger el cheque, sin haber cantado una sola nota él solo ni, mucho menos, con sus antiguos compañeros.

★★★ **The Doors. El grupo californiano** tuvo que vérselas con la censura en el *Show de Ed Sullivan*. En las pruebas realizadas antes de la emisión, los responsables pidieron al grupo que retirasen la frase «Chica, no podríamos llegar más alto» de su canción *Light My Fire*. El grupo accedió, pero en el momento de la emisión en directo se saltaron su compromiso a la torera. Nunca más volvieron a ser invitados.

★★★ **The Proclaimers. Nadie como ellos para atestiguar** lo descabellados que suelen ser los programadores televisivos. En una ocasión, el dúo fue engatusado para cantar *I'm Gonna Be (500 Miles)* (Estaré a 500 millas) desde la cama del hospital de una fan. En otra, les hicieron interpretar *Letter From America* (Carta de América) sentados en una rotonda, mientras la circulación continuaba. Por último, en un programa de la televisión austriaca descubrieron, tras acabar su interpretación de *Let's Get Married* (Casémonos) que habían sido acompañados a la batería por un peluche tipo Barrio Sésamo. Por supuesto que hay que saber salir de estos trances con dignidad.

★★★ **The Rolling Stones. ¿Los chicos malos del rock? ¿De verdad?** Ed Sullivan, harto de que las actuaciones de grupos rock se le fueran de las manos, había prometido no llevar a ninguna otra banda y prohibir la entrada a los adolescentes en el anfiteatro desde el que se emitía su espacio. Evidentemente, ante la presión popular, tuvo que retractarse de sus palabras. En su siguiente aparición, The Rolling Stones consintieron en cambiar un trozo de la letra de una de sus canciones y, además, no se saltaron el trato cuanto tuvieron que interpretarla en directo. El texto de *Let's Spend The Night Together* (Pasemos la noche juntos) fue cambiado por *Let's spend some time together* (Pasemos algún tiempo juntos). Mick Jagger, como siempre, cumplió profesionalmente con lo que se le pedía y Ed Sullivan respiró más aliviado.

★★★ **The Stone Roses. Algunos dicen que el propio grupo** se decidió a sabotear aquella actuación en diciembre de 1989 en la BBC2 para obtener mayor repercusión. El caso es que, a los 45 segundos de haber iniciado su interpretación de *Made Of Stone*, el acople del micrófono del guitarrista John Squire en su monitor era tan insoportable que el sonido se cortó automáticamente al exceder lo permitido. El presentador se disculpó y pasó al siguiente tema del programa. Desde el fondo del estudio se escuchó claramente a Ian Brown decirle a sus compañeros de grupo: «Estamos perdiendo el tiempo aquí, chicos». A continuación, gritó a los responsables del programa: «¡Aficionados! ¡Sois unos aficionados!» Uno de ellos se atrevió a preguntarles si interpretarían una segunda canción. «¿Pero quién coño te crees que soy? ¿Mickey Mouse?» Y se marcharon.

★★★ **The Wedding Present. A pocos les gusta hacer** *playback* en televisión, aunque casi todos tragan con ello cuando se lo proponen en un horario de máxima audiencia. A David Gedge, cantante y compositor de The Wedding Present, le pareció que una buena forma de protestar era permanecer inmóvil con la boca cerrada cuando tuvo que aparecer en el programa *Top Of The Pops* para interpretar su single *Kennedy*, que acababa de entrar en las listas.

★★★ **The Who. En una actuación en el programa** humorístico de los Smothers Brothers el 15 de septiembre de 1967, a Keith Moon, batería del grupo, se le fue un poco la mano con la cantidad de explosivos que metió en el bombo de su batería para la traca final. La explosión le cortó la pierna y quemó el pelo del guitarrista Pete Townshend. Desde aquel día, Townshend siempre culpó a Keith Moon de su acusada sordera.

★★★ **U2. Más que de ellos, el mérito de su aparición en este capítulo** se debe a un programa mítico de la televisión británica, *The Old Grey Whistle Test*. Era tal su influencia en el mundo de la música, que nadie quería perderse ni una de sus emisiones. Un par de cazatalentos londinenses tenía una cita con unos desconocidos llamados U2 a los que iban a firmar un contrato. Sin embargo, aquella noche The Specials aparecían en el programa, así que prefirieron no perderse la emisión y saltarse su cita con los irlandeses. En su lugar, Island consiguió el contrato y U2 siguen hoy en activo como la banda más grande del rock, con permiso de los Stones. De los cazatalentos nunca se volvió a saber.

★★★ **Vanilla Ice. Suponemos que es difícil que a uno le consideren** artista de un sólo éxito, en su caso *Ice, Ice Baby*. Cuando al rapero blanco Vanilla Ice le comunicaron que uno de sus vídeos no se iba a programar más en la MTV, no se le ocurrió nada mejor que arrasar todo lo que encontró por delante en el estudio. Ni siquiera así consiguió recuperar su carrera, lo que equivale a decir que, aunque lo intenten, no a todos les resultan estas tretas.

THIS IS WHAT The KLF IS ABOUT

THE KLF: LA HISTORIA MÁS GRANDE JAMÁS CONTADA

¿Qué coño está pasando?
(¿What The Fuck Is Going On?; The KLF)

★★★

The KLF tenían que estar aquí. Si estrechamos más de lo normal los límites de este libro, son casi el único grupo que se lo merece. The KLF fueron el punk; más concretamente, el punk de la música de baile, aunque con una diferencia crucial: The KLF sí lo siguieron al pie de la letra y casi sin pretenderlo. Nunca tuvieron un mánager o una compañía discográfica poderosa detrás. Nunca se movieron por dinero. Y se les puede atribuir algunas de las acciones más punk jamás perpetradas por un grupo de éxito.

★★★ **Aún hoy, The KLF son casi una entidad anónima.** Mucho más aun fuera de las Islas Británicas. Sin entrar en muchos detalles, se puede afirmar que Bill Drummond era el cerebro para la acción y Jimmy Cauty el cerebro musical del grupo. Juntos parieron proyectos sin fin que fueron, al mismo tiempo, deslumbrantes, estúpidos y subversivos.

★★★ **A pesar de ser ya entonces padres de familia,** se comportaban a veces como terroristas concienciados para, al minuto, parecer adolescentes descerebrados. Más de una vez modificaron los anuncios publicitarios para traerlos a sus inexistentes causas. Robaron retazos de un buen montón de canciones conocidas y las colocaron en su debut de 1987, *What The Fuck's Going On?*, toda una declaración a favor de la cultura del *sample* y del hip-hop. No era simplemente desgana, sino provocación: la estrategia de subrayar las absurdas normas de la sociedad para destrozarlas descaradamente a continuación.

★★★ **En los cinco años en los que pasaron** de ser una más que simpática novedad en el mundo de la música de baile a unos artistas de éxito masivo con credibilidad, para acabar, más tarde, otra vez en el punto de partida, el dúo nunca se comprometió con nada ni nadie.

★★★ **Quemaron un enorme hombre de paja en una isla remota** para celebrar el solsticio de verano. Intentaron comprar todo el espacio disponible en la revista musical más influyente del mundo, New Musical Express, sólo para colocar allí sus propios artículos. Incluso, en sus momentos más desquiciados, pensaron seriamente en amputarse una mano o cortar con una sierra eléctrica las piernas de un elefante delante de la plana mayor de la industria musical británica. Y, no menos importante, editaron unos cuantos discos brillantes.

★★★ **También se gastaron una fortuna** en comprar coches blindados y submarinos. Pagaron por anuncios de televisión que nadie comprendió en su momento e hicieron películas que

The KLF esperando el avión que les llevará a una remota isla escocesa a quemar un millón de libras.

casi nadie llegó a ver. Dieron el dinero que recibieron por alguna de sus actuaciones al público asistente. Al final, cuando consiguieron un éxito desbordado en 1991, tomaron más dinero del que nunca podrían gastar y lo quemaron, convirtiendo sus cenizas en un ladrillo.

★★★ **Provocadores o lunáticos, cínicos u oportunistas en busca de publicidad,** vivieron más intensamente esos cinco años que la mayor parte de los grupos en toda su extensa carrera. Ni siquiera se paraban a explicar sus acciones o a intentar acaparar la atención de los medios; de hecho, muchos de sus golpes se produjeron lejos del ojo público. Toda la ironía e impacto teatral de sus acciones tenía una esencia romántica y mística, un sentimiento de que hay más en esta vida y, sobre todo, de que puede haber mucho más en el rock que simplemente dejarse llevar.

★★★ **Así, se convirtieron en algo más importante** de lo que ellos mismos pudieron imaginarse. Por todas estas razones, conviene recordarlos. The KLF vivieron bajo distintas encarnaciones: Lord Rock y Time Boy, The Timelords, Rockman Rock y Kingboy D., The Justified Ancients Of Mu Mu, The JAMs, The Forever Ancients Liberation Loophole, The FALL, The K Foundation... Tanto nombre no ocultaba más que a Bill Drummond y Jimmy Cauty. Ésta es su historia en común, al menos la que nos han dejado conocer.

★★★ **Bill Drummond, nacido en Sudáfrica en 1953,** se inicia en la música formando parte del grupo punk de Liverpool Big In Japan, con Ian Broudie -más tarde líder de The Lightning Seeds-, y Holly Johnson -posteriormente cantante de Frankie Goes To Hollywood-. En 1978 crea Zoo Records y empieza a editar discos de bandas como Echo And The Bunnymen o The Teardrop Explodes -la banda de Julian Cope-, grupos de los que se convierte en mánager.

★★★ **Tras una agria ruptura con ambos grupos,** pasa a trabajar en la multinacional WEA como responsable de bandas como Strawberry Switchblade, Zodiac Mindwarp And The Love Reaction o Brilliant, el grupo en el que milita Jimmy Cauty y que era producido por el entonces imbatible triunvirato comercial que formaban Stock, Aitken y Waterman.

★★★ **Al no alcanzar Brilliant el éxito en su país,** Bill Drummond deja su trabajo en 1986 para, a continuación, grabar su primer disco en solitario, *The Man,* editado por la reputada discográfica Creation. En él aparece la polémica *Julian Cope Is Dead* (Julian Cope está muerto), en respuesta a la canción *Bill Drummond Said* (Bill Drummond dijo) que se encontraba en el álbum *Fried* de Julian Cope.

★★★ **A partir de ese momento,** comienza la colaboración musical con Jimmy Cauty. Jimmy, que había nacido en Devon en 1956, había sido el guitarrista de Brilliant justo antes de formar uno de los grupos clave en la imparable ascensión posterior de la música de baile, The Orb, junto a Alex Paterson. Tras dejarlo, forma The KLF con Bill Drummond. Más adelante, con el alias de *Acoustic Advanced Armament* (Armamento Avanzado Acústico), experimentaría con armas de baja frecuencia que le compra al Ministerio de Defensa británico.

★★★ **Durante los cinco años** que The KLF funcionan a pleno rendimiento, consiguen varios números uno en las listas de *singles,* otros tantos que se quedan entre los cinco de más éxito y venden más de siete millones de copias de sus álbumes, en especial de *The White Room.* Los números, ya se sabe, poco dicen, pero resulta curioso que tomaran las listas al asalto unos tipos a los que nadie identificaba por la calle y que han dejado para la posteridad una forma de actuar, cuando menos, atípica.

★★★ **En marzo de 1987 Bill Drummond y Jimmy Cauty** se unen bajo el nombre de The Justified Ancients Of Mu Mu, también conocidos como The JAMs. Su nombre lo extraen del libro "Illuminatus!" de Robert Anton Wilson, una trilogía de ciencia-ficción en el que The Justified Ancients Of Mu Mu eran los Señores del Desgobierno, cuyo único objetivo era llevar el caos adondequiera que fueran. Nada más apropiado, según se tendría ocasión de comprobar poco después.

The KLF, obsesionados con ABBA.

★★★ **Su primer *single*,** All You Need Is Love, se convierte en un éxito en las pistas de baile con un contenido un tanto atípico, ya que hablaba de la cobertura que por entonces se le estaba dando al SIDA, e incluía *samples* de las noticias de la BBC, de la explosiva Sam Fox y de los mismísimos Beatles.

★★★ **Todo el mundo baila la canción en los clubes,** pero nadie compra el disco. Cuando se reedita para evitar problemas con los derechos de autor, llega a ser un relativo éxito en las listas independientes, convirtiéndose en uno de los primeros grupos en llevar a las listas la técnica de los *samples,* o pequeños muestreos de canciones de otros artistas para configurar una nueva.

★★★ **El álbum que le sigue ya avanza lo que se viene encima desde el título,** *1987 (What The Fuck's Going On)* (1987, ¿Qué coño está pasando?). La técnica de cortar trozos de canciones de otros artistas y pegarlas para hacerlas suyas se convierte en la marca de un disco que se promociona colocando un cartel publicitario gigante con letras blancas en un rascacielos.

★★★ **En el disco hay una canción,** *The Queen And I,* que tenía algo más que pequeños trozos del archiconocido *Dancing Queen* de ABBA. El grupo sueco, a través de su compañía discográfica y de su mánager, probablemente incómodos por el título del álbum, pide que se retiren todas las copias del disco y se destruyan.

★★★ **Ni cortos ni perezosos,** Bill Drummond y Jimmy Cauty meten todas las copias existentes aún no vendidas de su disco en el maletero de un coche y se embarcan en un ferry rumbo a Suecia junto a un periodista del "New Musical Express", con la idea de convencer a los componentes del grupo nórdico más famoso de la historia del pop.

★★★ **Al no conseguir ni tan siquiera aproximarse a ABBA,** deciden enviarles un mensaje en forma de disco de oro a través de una prostituta sueca. En el viaje de vuelta hacia el ferry, encuentran un idílico bosque en el que prenden fuego a la mayoría de copias del disco -otra pequeña parte la tiran por la borda del ferry y las 150 copias restantes se las quedan, por lo que pueda pasar-. La humareda que se levanta atrae la atención de un granjero armado que la emprende a tiros con ellos. En su retirada, aún tienen tiempo de hacer unas fotografías que servirían para la portada de su segundo disco.

★★★ **Poco después, los representantes de ABBA** acceden a retirar los cargos de la denuncia interpuesta siempre que no se fabriquen más discos. The KLF aceptan y, acto seguido, editan una versión censurada de su disco sin los fragmentos polémicos y con largas partes en blanco, aunque con instrucciones sobre cómo recomponer el disco original.

★★★ **Evidentemente, no se han arrepentido lo más mínimo** y, para su siguiente *single, Whitney Joins The JAMs* (Whitney se une a The JAMs) utilizan numerosos *samples* de Whitney Houston. El *single* se distribuye entre distintos pinchadiscos y nunca se llega a editar comercialmente.

★★★ **De todas formas, algo del revuelo ocasionado llega al oído de la diva estadounidense** -probablemente bastante alejado de lo que era la auténtica realidad-, ya que les ofrece remezclar una de sus canciones. The KLF lo rechazan. A Whitney Houston no le convence la negativa y trata de persuadir a los productores de su primera película, *El guardaespaldas,* para que The KLF sean los compositores de la banda sonora.

★★★ **Antes de que los productores se vean obligados a darle una negativa** a la estrella estadounidense, The KLF rechaza la propuesta de nuevo, y la banda sonora se convierte en la más vendida de la historia. En su lugar, ellos editan un segundo disco, *Who Killed The JAMs?* (¿Quién mató a The JAMs?)

★★★ **Su siguiente *single* se convierte en un número uno inmediato.** Editado bajo la encarnación de The Timelords, la canción *Doctorin' The Tardis* parece una enorme tomadura de pelo con una frase, «*You Wot?*» («¿Tú qué?»), repetida por encima de la melodía del *Rock'n'Roll* de Gary Glitter y *samples* de *Blockbuster* de The Sweet y de la sintonía de la serie de televisión *Dr. Who.*

★★★ **No contentos con ridiculizar a la industria del disco británica** con una estúpida canción en la que ni siquiera habían tocado, el dúo presenta su nuevo grupo como una banda liderada por un coche americano policial de los 70. Según la campaña de promoción, el coche asegura ser «una criatura de los 70, y pensé que si mezclaba dos de los elementos esenciales de la década, *Dr. Who* y Gary Glitter, tendría un éxito en mis manos».

★★★ **Como no les ha resultado especialmente complicado llegar a lo más alto** de las listas, publican su fórmula en un libro titulado "The Manual (How To Have A Number One The Easy Way)" -"El manual (Cómo conseguir un número uno fácilmente)"-. En él revelan sus «'zenarquistas' métodos usados para conseguir que lo impensable se convierta en realidad», y ofrecen instrucciones prácticas y completamente detalladas para alcanzar un número uno a la primera intentona. «No se necesita experiencia previa», aseguran.

★★★ **Además, garantizan los resultados con una oferta** tipo hipermercado: si en tres meses no se consigue un número uno en las listas británicas, devolverán el dinero pagado por el libro. Eso sí, ponen la condición de que se deben seguir sus instrucciones al pie de la letra.

★★★ **«Lo primero es un ritmo de baile irresistible.** Cuando escribimos esto, estamos en el 'verano del amor' de 1988 y aconsejamos a todo el mundo que esté buscando el ritmo perfecto que pasen la noche en una fiesta de *acid house,* que beban poco alcohol, que pierdan su cabeza en la pista de baile y que agiten sus brazos en el aire hasta que lo sientan. Por supuesto, las drogas son algo que no puede parecer que recomendamos, pero entendemos que un narcótico muy conocido consigue aclarar todo esto mucho mejor», indicaban en su manual.

★★★ **Que se sepa, al menos un dúo austriaco** llamado Edelweiss sigue sus instrucciones y vende más de un par de millones de copias de su *single Bring Me Edelweiss,* que utiliza *samples* de otra canción de -venga cebarse con ellos- ABBA, *SOS*, colocándolo en el número uno de varios países europeos. Sólo llegan al número cinco de las listas del Reino Unido pero, con deportividad, no reclaman las 5 libras y 99 peniques de su compra.

★★★ **Tras anunciar la banda sonora de una película** que nunca nadie ve y editar el que es, probablemente, el disco de *chill-out* más extremo jamás grabado, *Chill-Out* -que, además, se puede considerar un precursor del género-, publican un *single* con el título de *Kylie Said To Jason* (Kylie le dijo a Jason).

★★★ **Conviene recordar que, por aquel entonces,** los dos mayores ídolos de los adolescentes, Kylie Minogue y Jason Donovan, salían juntos, así que la perspectiva de un dúo en la cima de su creatividad y credibilidad hablando de tales personajes entrañaba el riesgo más que evidente de que su carrera se precipitara al vacío inexorablemente.

★★★ **A partir de ese momento,** se les conoce también como The KLF (Kopyright Liberation Front, Frente de Liberación de los Derechos de Autor), convirtiéndose en el dúo de más éxito del momento y, con ello, el dinero empieza a pesarles en sus cuentas corrientes.

★★★ **Necesitan urgentemente explicarse.** En una de sus escasas entrevistas dejan caer lo que se podría entender como su manifiesto: «Empezamos reaccionando contra 25 años de historia del *rock'n'roll*. Nos inspiró el rap y el hip-hop, pero nos salió algo punk. Después llegó la escena de la música de baile y, obviamente, también se trataba de reaccionar contra la misma clase de cosas».

★★★ **Puede que tales palabras fueran lo más serio** que nunca llegaron a decir, así que a continuación, en la misma entrevista, dejaban a su interlocutor totalmente desorientado al adelantar su intención de comprar un submarino y de grabar un disco techno a bordo del tren Transiberiano. Con tales antecedentes, hasta podía sonar totalmente creíble.

★★★ **Pocos meses más tarde,** a finales de 1990, graban un disco que tampoco llega a editarse nunca. Según ellos, a mediados de 1990, mientras estaban en una *rave* -fiesta ilegal de música de baile organizada espontáneamente-, el sonido se paró y todo lo que se podía escuchar era la lluvia, las fábricas cercanas, los coches en las carreteras circundantes y un bajo y una batería a lo lejos.

★★★ **Esos ruidos son, exactamente,** los que componen su siguiente grabación, sesión que se finaliza tras pasar sólo 45 minutos en el estudio. El disco, sin dato alguno, se lo hacen llegar a las puertas de los domicilios de distintos pinchadiscos, solicitándoles que elijan un título entre los ocho que proponen.

★★★ **En él sólo se encuentra una inscripción** en la que se puede leer «It's Grim Up North» («El Norte es horrible»). Poco después, aparecen algunos grandes carteles en las vallas publicitarias de distintas autopistas cercanas a Londres con esas palabras, lo que irrita a algunos conductores que piden a las autoridades que sean retirados de inmediato. Tan sólo aquellos que habían recibido el disco podían relacionar ambos hechos, ya que nadie se hacía responsable de los carteles.

★★★ **Otro cartel publicitario** llama la atención a principios de 1991. Donde un periódico se había anunciado con «The Gulf: The coverage, the analysis, the facts» («El Golfo: la cobertura, el análisis, los hechos»), en relación a la recién iniciada Guerra del Golfo Pérsico, alguien tacha las letras Gu y las cambia por una K, con lo que el cartel pasa a decir: «The KLF: la cobertura, el análisis, los hechos». Son demandados y se libran de la cárcel con una fianza.

★★★ **En el mes de febrero de ese año,** el dúo tiene previsto participar en la ceremonia de entrega de los Brits, los premios musicales de la industria británica, pero la invitación les es retirada después de descubrirse que iban a aparecer montados en un par de elefantes y rodeados de ángeles blancos y guerreros zulúes que irían armados con lanzas y flechas.

★★★ **Nada extraño, pues,** que para celebrar el solsticio de verano inviten, en el mes de junio, a un grupo de 50 periodistas, amigos y gente de la industria a volar desde Londres a un destino desconocido. El curioso grupo aparece en la Isla Jura, una de la Hébridas interiores, donde, tras pasar un 'control de pasaportes', en el que Bill Drummond hace de oficial de uniforme, se les pide que vistan unas túnicas amarillas para interpretar el papel de druidas y que vayan rumiando 'moooo' mientras siguen una procesión ritual por la isla.

★★★ **En una playa apartada asisten a la quema de un hombre de paja** de unos 18 metros de alto en el que habían insertado previamente dinero en metálico. 'Los Ritos de Mu', que es como se les presenta el ritual a los alucinados invitados, acaba con una fiesta *rave* regada por champán. Al día siguiente, el mismo grupo de invitados sube al escenario de un concierto en Liverpool para hacer los coros de su *single Justified And Ancient* (Justificado y viejo) mientras que The KLF se dedican a vender helados a la audiencia.

★★★ **En noviembre de ese mismo año** reaparecen como The JAMs con una versión *hardcore* de *It's Grim Up North* y editan como The KLF su *single Justified And Ancient*, con la colaboración en las voces de la estrella del country Tammy Wynette en lo que sería el primer éxito para ésta en las Islas Británicas tras más de 20 años.

★★★ **El vídeo, rodado en los estudios Pinewood,** lugar en el que se filman habitualmente las películas de James Bond, incorpora guerreros tribales, guitarristas que portan hachas, el submarino y la camioneta de helados que el grupo acaba de comprar, druidas y helados gigantes.

★★★ **Tammy Wynette se pregunta cómo** es que han pensado en ella y reconoce que no sabe si podrá seguir las partes vocales a ritmo de hip-hop tan rápidamente como se le requiere. Además, reconoce sentirse completamente desorientada en medio de semejante lío. «El escenario de James Bond es un caos la mayor parte del tiempo», declara, «y Bill y Jimmy parece que se han traído un mundo con ellos. Pero seguro que todo tiene sentido cuando se acabe. El mundo de Mu Mu parece más interesante que Tennesse, aunque no me gustaría vivir en él».

Bill Drummond con falda escocesa y metralleta pensando qué hacer con su oveja.

★★★ **Tan sólo unas semanas después,** The KLF sitúan otro *single* en las listas, en este caso una versión de *3 a.m. Eternal* embrutecida por el ruido de su colaboración con el grupo de metal Extreme Noise Terror (Terror del Ruido Extremo).

★★★ **Su éxito les lleva a participar en la gala de entrega de los premios Brits** en febrero de 1992. Esta vez no es posible cancelar la invitación, ya que son el grupo del momento y al que todos quieren ver en acción. De todas formas, la organización les retira unos cubos de sangre que pensaban tirar a la audiencia, compuesta por artistas y gente de la industria musical.

★★★ **Por su parte, el grupo Extreme Noise Terror,** sus compañeros en la escenificación ruidosa que van a hacer de *3 a.m. Eternal*, les comunican que si siguen con sus planes de destripar una oveja muerta en el escenario, no saldrán con ellos. «¡Somos vegetarianos!», alegan para justificarse.

★★★ **Pero ellos no se arredran** ni cambian de planes. Su actuación se convierte en la más recordada de su carrera, tanto por el hecho de ser televisada, como por el impacto que deja en todos los que pudieron contemplarla, habituados a apariciones anodinas de artistas inocuos o que no se salen del guión.

★★★ **Bill Drummond aparece en escena** caminando con la ayuda de unas muletas, debido a una reciente caída, y con una falda escocesa y una cazadora de cuero por vestimenta, gritando: «¡Esto es la libertad de la televisión!» Tras interpretar *3 a.m. Eternal*, saca una metralleta y dispara balas de fogueo a la audiencia, a la que también arrojan no se sabe bien qué sustancias líquidas.

★★★ **Después, se lanzan a una batalla campal con sus guitarras,** rompen los micrófonos y se marchan anunciando: «The KLF ha abandonado la industria musical», una cita similar a la de uno de los últimos conciertos de Elvis Presley en el que una voz anónima, para atajar los disturbios provocados por sus fans, informó: «Elvis Presley ha abandonado el edificio». Al mismo tiempo que ellos, algunos de los invitados a la entrega de premios se marchan del auditorio indignados.

★★★ **Curiosamente, tras su actuación** se conoce que el grupo ha logrado el galardón al mejor grupo británico del año -¡junto a Simply Red!- y, en su retirada, deciden enviar a un mensajero a recogerlo. Aunque la organización lo impide, el motorista se lo arranca de las manos a Martika, la cantante que se lo iba a entregar, y tienen que recuperarlo por la fuerza.

★★★ **En la fiesta posterior a la ceremonia,** el dúo se presenta en la puerta del Hotel Royal Lancaster Gate y deja el cadáver de una oveja en la puerta con una nota que dice: «He muerto por vosotros». Casi nadie sabe que la oveja se ha convertido en motivo recurrente del grupo en sus portadas y en algo así como su talismán desde que apareciera en la carátula de *Chill-Out*.

★★★ **En mayo del mismo año,** el grupo se paga un anuncio a toda página en la publicación "New Musical Express" anunciando que deja de existir y que descatalogan todos sus discos, renunciando, por lo tanto, a los más que abundantes derechos de autor que están por llegar, justo en el momento de mayor éxito comercial.

★★★ **Durante 1993, en la prensa comienzan a aparecer anuncios** a toda página. El primero habla de que La Fundación K, su nuevo alias con el objetivo de promover «el avance de la creatividad», ha pagado la grabación de una canción, *K Será Será* (*War Is Over If You Want It*) (K Será Será. Las guerras se acaban si queréis), en la que colabora el Coro del Ejército Ruso, y que será editada sólo cuando se consiga la paz mundial.

★★★ **Los principales administradores de la Fundación,** Bill Drummond y Jimmy Cauty, emiten un comunicado en el que alegan que ellos no tienen nada que ver con la grabación, ya que han abandonado el mundo de la música. Por supuesto, la canción, que llega a escucharse en lugares como el Festival de Reading, nunca ve la luz comercialmente y sólo aparecen unas escasas copias en Israel y Palestina, como deferencia al acercamiento entre ambos gobiernos en los meses inmediatamente anteriores.

★★★ **Más crípticos son los otros anuncios** que aparecen en esos meses: «Abandonen Todo Arte Ahora» o «Esperen Nuevas Instrucciones». Todo se aclara con el último anuncio de la serie: «Se nos ha comunicado que no han abandonado todo tipo de arte. Por lo tanto hay que tomar una Clara Acción Directa. La Fundación K recompensará con 40.000 libras al artista que haya producido la peor pieza artística de los últimos doce meses».

★★★ **Conviene recordar que en el Reino Unido** se concede anualmente el Premio Turner, entonces dotado con 20.000 libras, al mejor artista del año, así que la afrenta iba claramente dirigida en esa dirección. La Fundación K invita a votar libremente a la gente y la ganadora resulta ser la misma que la del Premio Turner, Rachael Whiteread. De todas formas, no comunican su nombre hasta el intermedio de la retransmisión en directo de la entrega del Premio, para lo que tienen que pagarse de sus bolsillos tres anuncios en televisión.

★★★ **En la misma noche de la entrega del premio oficial,** 25 testigos -críticos de arte y gente de la industria musical- son invitados a desplazarse a un destino incierto. En principio, el trayecto se realizaría en helicópteros, pero la intensa niebla les impide salir de su base, así que son recogidos en siete limusinas.

★★★ **Al llegar a un descampado,** los testigos se encuentran con un lienzo enorme en el que hay un millón de libras en billetes de 50 y un par de coches blindados protegiéndolo todo y desde los que se escucha incesantemente la canción *Money, Money, Money* de ABBA -otra vez ellos, sí-.

★★★ **Allí se les comunica a los sorprendidos participantes** que la 'instalación artística', titulada 'Clavado en la madera', será vendida por 500.000 libras y que el comprador tendrá que decidir si se lo queda como trabajo artístico o se lleva el dinero.

★★★ **Además, se les proporciona** a cada uno 1.650 libras para que las claven en una placa de madera, hasta completar las 40.000 libras del premio; 50 de esas libras son para cada uno de los invitados como recompensa por participar en el acto. Parte del dinero, unas 8.000 libras, desaparecen en la *performance* y Bill Drummond y Jimmy Cauty tienen que reemplazar también esa cantidad para completar el total ofertado.

★★★ **Una vez consumada la operación,** se dirigen a la Tate Gallery, lugar de la entrega del premio, y reclaman que la artista Rachael Whiteread salga. Ésta se niega, pero ante la evidencia de que el dúo tiene todo preparado para quemar el dinero, sale y lo acepta. Posteriormente declararía que se había tratado de un chantaje.

★★★ **Finalmente, cuando el dinero es devuelto** a la mañana siguiente al Banco de Inglaterra, el millón de libras es clasificado como destrozado e inutilizado para su curso legal por los agujeros que se les han practicado a los billetes. Unas semanas más tarde, reciben una carta oficial en la que se les comunica que han sido multados con 8.000 libras de sanción por ello.

★★★ **Incansables, el dúo planea algo más.** En agosto del 94, acompañados sólo por su mánager, Alan Goodrick, y un periodista del diario "The Observer", Jim Reid, se presentan de nuevo en la Isla Jura, esta vez con un millón de libras en sus maletas. Entre las 12:45 y las 2:45 del 23 de agosto queman 20.000 billetes de 50 libras. Nadie es testigo de su acción, aunque su mánager lo filma todo. El periodista declararía más tarde que se sintió 'aburrido' y 'culpable' mientras se quemaba el dinero. También reconocería que los billetes eran auténticos y que él mismo había acompañado al dúo a retirarlos del banco.

★★★ **Días más tarde,** la gente del lugar empieza a encontrar billetes esparcidos por sus propiedades, así que la policía inicia sus pesquisas. Conociendo sus antecedentes en la Isla, un sargento llama a Bill Drummond a Londres y le pregunta directamente si ha sido él. Éste le responde que se pondrá en contacto con su socio Jimmy Cauty antes de responder, aunque nunca devuelve la llamada. El sargento tampoco insiste después de descubrir que el hecho no está tipificado como delito.

★★★ **La película resultante de la filmación** nunca se proyecta comercialmente, pero sí se puede ver en pases privados en escuelas, prisiones o albergues para gente sin recursos. Aunque la película no tiene sonido, en cada ocasión se acompaña de un pequeño montaje con títeres, animales... A cada exhibición le sigue un turno de preguntas y respuestas en las que The KLF aceptan todo tipo de cuestiones, aunque se niegan a contestar la mayoría.

★★★ **Las cenizas resultantes de la quema del dinero** se transforman en un ladrillo que presentan como una 'obra de arte'. Por su parte, los comentarios del público a las proyecciones se convierten en un libro con imágenes de la película titulado "Viendo cómo la Fundación K quema un millón".

★★★ **A partir de ese momento,** el dúo acuerda desaparecer totalmente de la vida pública durante tres años. Antes, para dejar constancia de su decisión, pintan en una furgoneta un contrato para poner fin a la Fundación K durante los próximos 23 años. Acto seguido, la furgoneta es arrojada al Océano Atlántico.

★★★ **Hasta mediados de 1997** no se tienen noticias de ellos. En ese momento, dos anuncios en la revista de ocio de la capital británica "Time Out" avisan que el 2 de septiembre de ese mismo año habrá una actuación única de Bill Drummond y Jimmy Cauty en la Sala Barbican de Londres.

★★★ **El texto de aquellos dos anuncios** dice así: «Están de vuelta. Los Creadores del Trance. Los Señores de lo Ambiental. Los Reyes del *House* para los Estadios. Los Padrinos de *Techno-Metal*. El Grupo Más Grande de Rave del Mundo que Jamás Ha Existido».

★★★ **Los que acuden saben que no será una**

actuación normal, y por supuesto que no lo es. El dúo se presenta como ancianos en sillas de ruedas motorizadas, con un cuerno gigante en la cabeza, y ofrecen un concierto de tan sólo 23 minutos en los que interpretan una única canción, su nuevo *single*, *Fuck The Millenium* (Qué se joda el milenio).

★★★ **Unos días más tarde,** una pintada con ese mismo texto aparece cubriendo las paredes del Teatro Nacional Británico. Los responsables del teatro, desconocedores de las andanzas del dúo, manifiestan ignorar de qué se trata y aseguran que piensan «que puede ser obra de seguidores de la Princesa Diana disgustados por su reciente fallecimiento».

★★★ **A finales de ese año,** abren una línea telefónica para que el público responda si el dúo debe o no 'joder' el milenio. Como la respuesta mayoritaria es positiva, se proponen erigir una torre de ladrillos de unos 50 metros de alto, llamada la Pirámide de la Gente, con el fin de establecer un contraste con el Domo del Milenio que va a construir el gobierno británico.

★★★ **Su aventura se despide con un *single*** editado en las últimas semanas de 1999, justo antes del cambio del milenio, grabado conjuntamente con Fat Les bajo el nombre de *Solid Gold Chart Busters* (Sólidos creadores de éxitos de oro) y basado en el sonido repetido de un teléfono móvil. Así hasta ahora, aunque conviene estar al acecho con célula irrepetible y totalmente imprevisible.

MGM Presents
ELVIS PRESLEY
AT HIS GREATEST

Jailhouse Rock

Co-Starring JUDY TYLER with MICKEY SHAUGHNESSY · DEAN JONES · JENNIFER HOLDEN · Screen Play by GUY TROSPER · An Avon Production · Directed by RICHARD THORPE · Produced by PANDRO S. BERMAN · In CinemaScope

GRUPOS FICTICIOS EN LA PANTALLA

Creo
(I'm A Believer; The Monkees)

Muchas veces, cuando la ficción se acerca al *rock'n'roll*, acaba representando los peligros del éxito y el exceso, con un mensaje claro: «Da las gracias por lo que has conseguido y olvídate de toda esa tontería del estrellato pop». En esto, el cine es como los padres. A The Beatles -y a las Spice Girls también, ¿por qué no?- se les permitió pasárselo bien en la gran pantalla, esencialmente porque aparecían tal y como eran. Pero la representación en ficción del negocio musical parece que debe tener su moraleja: no puedes llegar a la cima y salir indemne. ¿Cuántas veces tuvo que sufrir Elvis Presley por su corazón roto en sus intercambiables fábulas de 90 minutos?

También es cierto que la pantalla nos ha dado algunos personajes rock fascinantes, a menudo más interesantes que los de la vida real. Por supuesto, muchos han sido rematadamente malos y sus aventuras totalmente increíbles, pero otros han servido para regalarnos buenos momentos de celuloide, unas carcajadas o, simplemente, para vender una banda sonora.

Con estos antecedentes, aquí va una cronología seleccionada de algunos de los artistas más interesantes que nunca existieron y que fueron creados para la pantalla. No todos son clásicos, pero cada uno posee algo del sueño que todos tuvimos alguna vez. Como decía el lema publicitario de *El ídolo*: «Dime el nombre de algún chaval que nunca haya querido ser una estrella del *rock'n'roll* y te mostraré a un mentiroso».

★★★ **Vince Everett.** *El rock de la cárcel* **(Richard Thorpe, 1957). Mencionar a todos** los personajes ficticios interpretados por Elvis Presley en la pantalla grande daría para un capítulo por sí mismo, así que nos quedamos con éste, de *El rock de la cárcel*, una de las pocas películas en las que participó donde las canciones tienen sentido dentro de la trama y no aparecen porque sí. En el momento en que se filmó la interpretación de Presley de la canción principal de la película, en el estudio había un invitado muy especial: Gene Kelly.

★★★ **The Monkees (Serie de televisión, 1966-68). Banda creada expresamente** para la serie de televisión por Bert Schneider y Bob Rafelson, e inspirada por la película de The Beatles *Qué noche la de aquel día*. El grupo, para el que presentaron su currículo Stephen Stills, Charles Manson o Harry Nilsson, entre otros, acabó siendo integrado por Mike Nesmith, Micky Dolenz, Dhabi Jones y Peter Tork. Excepcionalmente, lo que comenzó como una creación ficticia acabó como un grupo completamente real, con una exitosa carrera comercial y largas giras.

★★★ **Steven Shorter.** *Privilegio* **(Peter Watkins, 1967). El cantante de Manfred Mann,** Paul Jones, interpreta a un rockero creado por el gobierno para dirigir a la juventud con su reconversión en baladista cristiano que llena los estadios. Antecedente de los U2 de *Under A Blood Red Sky*.

★★★ **The Archies (Serie de TV, 1968). Don Kirshner,** después de que The Monkees le retiraran el control sobre la banda, decidió crear a un grupo de dibujos animados que, evidentemente, no le rechistarían esta vez, y que tenían como base un cómic de William Hanna y Joseph Barbera. Ron Dante era la voz anónima del éxito *Sugar, Sugar* de 1968. Evidentemente, predecesores de Gorrillaz.

★★★ **Josie And The Pussycats.** *Josie y las Pussycats* **(Serie de TV, 1970. Película dirigida por Harry Elfont y Deborah Kaplan, 2001).** Trío de dibujos animados sin bajista, con Josie a la voz y la guitarra, Melody en

The Monkees no tenían sitio para Stephen Stills, Charles Manson o Harry Nilsson.

la batería y Valerie en la pandereta. Creado por William Hanna y Joseph Barbera, giraba por el mundo de ficción como banda de rock, viviendo aventuras increíbles, al igual que sus coetáneos Scooby-Doo y sus compinches. Su único disco, de 1970, contaba con la voz de Cheryl Ladd, más tarde una de las protagonistas de la serie televisiva *Los ángeles de Charlie*. La versión cinematográfica, titulada *Josie y las Pussycats*, pasó directamente a las estanterías de los videoclubes sin escala en las salas de cine. En un principio, los tres papeles principales iban a ser interpretados por Drew Barrymore, Cameron Diaz y Lucy Liu, aunque acabaron protagonizando, en su lugar, la versión cinematográfica de *Los ángeles de Charlie*.

Josie y las Pussycats pudieron ser Los ángeles de Charlie.

★★★ **The Carrie Nations.** *Más allá del valle de las muñecas* **(Russ Meyer, 1970). Tratándose de Russ Meyer,** se puede suponer de qué iba su película: un trío de *playmates* bien agraciadas, con un mánager transexual, envueltas en una trama de sexo desenfrenado, drogas y bailes ridículos. Sus canciones, que se encuentran entre las favoritas de Courtney Love, palidecían al lado de las del grupo real Strawberry Alarm Clock, que también aparecía en la banda sonora. El personaje de Ronnie Barzell estaba inspirado en el legendario productor Phil Spector y, a pesar de que el actor no sabía siquiera quién era, amigos de Spector le comentaron que había captado perfectamente su esencia.

★★★ **Ivan Martin.** *Caiga quien caiga* **(Perry Henzell, 1972). La historia de siempre:** la ascensión y caída de una estrella, en este caso del *reggae*, a través de un personaje interpretado por Jimmy Cliff, uno de los grandes del género, sólo que esta vez convertida en una de las películas de referencia de la historia del rock. Su personaje estaba basado en el héroe jamaicano Rhygin. A pesar de haber sido rodada en inglés, el acento jamaicano de los actores era tan acusado que, para su proyección fuera de aquel país, la cinta tuvo que contar con subtítulos en inglés.

★★★ **The Beach Bums.** *El fantasma del paraíso* **(Brian de Palma, 1974). Grupo parodia de los Beach Boys** en esta recordada película de Brian de Palma. Jeffrey Comanor es quien pone la voz en *Upholstery*, un pastiche de las canciones de coches de los Beach Boys. La secretaria de la compañía de discos Death Records que aparece en la película tiene 'fichados' a Alice Cooper, Bette Midler, David Geffen, Kris Kristofferson y Peter Fonda. Otros artistas ficticios que aparecen en el film son: The Juicy Fruits, otros clones de los Beach Boys, Phoenix, una vocalista a la que explota una especie de Phil Spector, y The Undead, unos Kiss... ¡anteriores a los auténticos Kiss!

★★★ **Jim MacLaine & The Stray Cats.** *El ídolo* **(Michael Apted, 1974). David Essex interpreta** a un rockero que llega a la fama y lo pierde todo, rodeado de gente como Keith Moon o Dave Edmunds, quien, años más tarde, produciría el primer disco de los auténticos Stray Cats. Secuela de *That'll Be The Day*, del año anterior, en la misma línea. Ringo Starr participó en la primera, pero declinó intervenir en esta segunda porque, según sus palabras, «siento el argumento como algo muy cercano».

★★★ **Alice Bowie.** *Como humo se va* **(Lou Adler, 1978). El dúo de cómicos Cheech y Chong,** dedicados a ensalzar la marihuana en todas sus películas, forman esta banda que se enfrenta a grupos punk reales de la zona de Los Ángeles como The Whores, The Berlin Brats o The Dils. Hacia el final de la película, Cheech dice: «Vamos a ser más grandes que Ruben & The Jets». Este grupo era el que muchos creían, erróneamente, ser el responsable de un disco de parodia del *doo-woop* titulado *Cruising With Ruben & The Jets* y que había sido, en realidad, grabado por Frank Zappa.

★★★ **Sgt. Pepper's Lonely Hearts Club Band.** *Sargento Pepper* **(Michael Schultz, 1978). En una de las más lamentables películas jamás filmadas,** los Bee Gees y Peter Frampton interpretan a la banda creada por la imaginación de The Beatles. George Burns fue el narrador de los acontecimientos, al concluir que el acento de los cuatro protagonistas principales no era el adecuado y que tenían nula experiencia como actores. Otros artistas ficticios que aparecen en el film: Future Villain Band, o los mismísimos Aerosmith en el papel de malos de la película que antes les había sido ofrecido a Kiss, y Molly McGuire, Dianne Steinberg siempre al servicio de su mánager, papel interpretado por Donald Pleasence.

★★★ **The Rutles.** *All You Need Is Cash* **(Eric Idle y Gary Weis, 1978). Empezaron en un oscuro programa** de Eric Idle, uno de los Monty Phyton. Después, protagonizaron su propio film para televisión, *All You Need Is*

**Sargento Pepper (1978):
¿realmente iba en serio?**

Cash, una parodia de The Beatles, con intervenciones de Mick Jagger, Paul Simon, Ron Wood o el mismísimo George Harrison. A partir de ahí, camino abonado para las giras y los discos.

★★★ **Rose. *La rosa* (Mark Rydell, 1979). El mejor papel** que haya tenido nunca Bette Midler, interpretando a una especie de Janis Joplin en esta película de tópicos sobre el ascenso y la caída de una cantante autodestructiva. La frase utilizada para su promoción la definía perfectamente: «Lo dio todo hasta que ya no tuvo nada más que dar».

★★★ **Johnny Casino And The Gamblers. *Grease* (Randal Kleiser, 1979). Grupo que aparece en el baile** del instituto de la película que barrió las taquillas en 1979, *Grease*. La banda estaba interpretada por el grupo auténtico Sha Na Na, devotos del *rockabilly*. El ídolo del rock de los 50, Frankie Avalon, aparecía también interpretando a otro de los personajes, Teen Angel. La canción principal de la cinta, *You're The One That I Want*, era odiada por su director, quien dedicó una única tarde a filmarla. Muy a su pesar, se convirtió en el momento más recordado de la película.

★★★ **The Blues Brothers. *Granujas a todo ritmo* y *Blues Brothers 2000* (John Landis, 1980 y 2000). Una de las creaciones más recordadas.** Dan Ackroyd y John Belushi -John Goodman en su secuela- aparecieron por primera vez en televisión en 1975, después hicieron una gira y acabaron en el cine. La excusa, una pareja que sale de la cárcel para reunir a su vieja banda y recaudar fondos para una causa benéfica. Su banda estaba compuesta por verdaderos músicos de la era dorada del soul y contaron con la colaboración de Aretha Franklin, James Brown, Ray Charles... De la secuela, mejor no hablar. Otros artistas ficticios que aparecen en el film: Street Slim, un músico callejero interpretado por el mismísimo John Lee Hooker, The Good Ole Boys y Murph And The Magic Tones.

★★★ **Ellen Aim And The Attackers. *Calles de fuego* (Walter Hill, 1984). Diane Lane interpreta a esta cantante** que es secuestrada por una pandilla de moteros en este film repleto de clichés. A sus olvidables canciones les pone la voz Laurie Sargent. En una de las escenas se puede ver a The Blasters tocando con su propio nombre. El título de la película viene de una canción de Bruce Springsteen del disco *Darkness On The Edge Of The Townn* y, aunque en principio se pensó en incluirla en su banda sonora, Springsteen se negó al saber que la iban a interpretar otros músicos. Otros artistas ficticios que aparecen en el film: The Sorels.

★★★ **Spinal Tap.** *This Is Spinal Tap* **(Rob Reiner, 1984). La primera película dirigida por Rob Reiner** (*Cuando Harry encontró a Sally*) merece un capítulo aparte por retratar, como nadie, las andanzas de unos veteranos *heavies* británicos de gira por los USA. Tan creíble resultaba que gente como Ozzy Osbourne, que era algo más que una inspiración para el film, vio la película sin reírse una sola vez. «Creí que era un documental completamente verídico», comentó. La cinta se convirtió en uno de los filmes más festejados y recordados, tanto que sus tres protagonistas principales tuvieron que continuar con la banda creada para la ocasión dando conciertos

A Ozzy Osbourne no le hizo nada de gracia Spinal Tap.

durante muchos años. Otros artistas ficticios que aparecen en el film: Duke Farne, The Folksmen y The Regulars.

★★★ **Nick Rivers.** *Top Secret!* **(Jim Abrahams, David Zucker y Jerry Zucker, 1984). Val Kilmer,** antes de interpretar a Jim Morrison en *The Doors*, debutó como ídolo juvenil de finales de los 50 protagonizando este film y cantando varios temas, entre ellos una parodia de los Beach Boys en *Skeet Surfing* y una versión del clásico *Tutti Fruti*.

★★★ **Marvin Berry And The Starlighters.** *Regreso al futuro* **(Robert Zemeckis, 1985). Según la tesis** de la película, Marty McFly, el personaje interpretado por Michael J. Fox -y que en principio le fue ofrecido al cantante canadiense Corey Hart-, fue el creador de *Johnny B. Goode*, piedra angular del *rock'n'roll*. Cuando Marty tiene que suplir al guitarrista de un grupo de rock formado por gente de color en 1955, año al que ha viajado desde el presente, interpreta aquella canción y deja al personal asombrado. El guitarrista sustituido, un tal Marvin Berry, la escucha y, presa de la emoción, llama a su supuesto primo Chuck Berry: «Creo que he encontrado el sonido que andabas buscando». Otros artistas ficticios que aparecen en el film: The Pinheads.

★★★ **Jack Butler.** *Cruce de caminos* **(Walter Hill, 1986). Uno de los casos en los que el cine** habla de un intérprete de blues que ha vendido su alma al diablo, algo que, según la leyenda, era lo que había sucedido con el auténtico *bluesman* Robert Johnson. En este caso, Jack Butler, interpretado por el héroe de la guitarra *heavy* Steve Vai, es utilizado por el diablo para enfrentarse en un duelo de guitarras por el alma de Eugene 'Lightning Boy' Martone, al que da vida Ralph Macchio.

Bruce Springsteen no quiso pasearse por las Calles de fuego.

★★★ **Dorothy Vallens.** *Terciopelo azul* **(David Lynch, 1986). Isabella Rossellini encarnaba a la cantante** de esta inquietante película. En ella interpretaba un viejo éxito de Bobby Vinton de 1963 que servía para darle título, *Blue Velvet*. Como los productores no querían pagar los desorbitados derechos de autor que se requerían para utilizar la canción original, Angelo Badalamenti grabó una versión idéntica e invitó a Bobby Vinton a cantarla de nuevo. La voz había cambiado tanto que David Lynch no tuvo ningún problema para convencer a los productores de que era mejor pagar lo que se les pedía y usar el original.

★★★ **Billy Parker.** *Corazones de fuego* **(Richard Marquand, 1987). Bob Dylan interpreta** a un rockero solitario que reaparece para ayudar a otro interpretado por Ruper Everett, en esta película de lugares comunes a la mayor gloria de la olvidada Fiona. Ni las apariciones estelares de gente como Ian Dury, Ron Wood o Richie Havens la salvaron del fiasco. Otros artistas ficticios que aparecen en el film: James Colt (Ruper Everett) y Molly McGuire (Fiona).

★★★ **The Commitments.** *Los Commitments* **(Alan Parker, 1991). La novela de Roddy Doyle** traspasada a la pantalla, sobre la creación de una banda soul en Dublín. Los actores-músicos llegaron a dar numerosos conciertos y grabaron dos discos. Evidentemente, se convirtió en la película responsable de un buen número de grupos de pubs de tercera división.

★★★ **Citizen Dick.** *Solteros* **(Cameron Crowe, 1992). Cameron Crowe aprovecha la eclosión del grunge** para filmar en Seattle las aventuras de varios veinteañeros con la música como telón de fondo, entre ellos un estudiante en aquella ciudad que dice ser de A Coruña. Los miembros del grupo que sirve de excusa son interpretados por Matt Dillon y tres de los miembros de Pearl Jam (Eddie Vedder, Stone Gossard y Jeff Ament). Su disco ficticio *Touch Me I'm Dick* tomaba su título de una de las canciones más celebradas de Mudhoney, una de las bandas más importantes de aquel movimiento: *Touch Me I'm Sick*.

★★★ **Bob Roberts.** *Ciudadano Bob Roberts* **(Tim Robbins, 1992). Tim Robbins dirigió e interpretó** esta película sobre un candidato ultraderechista que impulsa su campaña con canciones de corte folk-rock. Él mismo, compositor con su hermano de la digna banda sonora, prohibió su comercialización, para que canciones de tal

Ciudadano Bob Roberts, el Bob Dylan de la ultraderecha.

índole no fueran utilizadas fuera de lugar. Todos los títulos de canciones o discos que aparecían en la película eran homenajes -o parodias- a los de Bob Dylan.

★★★ **Crucial Tunt.** *Wayne's World ¡Qué desparrame!* **(Penelope Spheeris, 1992). Banda heavy** compuesta por Wayne Campbell (Mike Myers) y Cassandra Wong (Tia Carrere) en una película que surgió a partir de diversas apariciones del primero en el programa televisivo *Saturday Night Live*. En un momento dado de la película sonaba *Starway To Heaven* de Led Zeppelin, pero los cinco segundos iniciales del *riff* de guitarra sólo pudieron escucharse en los Estados Unidos, ya que no fue posible obtener los derechos para el resto del mundo. Otros artistas ficticios que aparecen en el film: The Shitty Beatles y Jolly Green Giants.

★★★ **Hey, That's My Bike.** *Bocados de realidad* **(Ben Stiller, 1993). La película de la generación X** contaba con este grupo en el que Ethan Hawke y sus amigos daban cuenta de una versión de Violent Femmes y de otra canción, *I'm Nuthin'*, que llegó a aparecer en su banda sonora. Quentin Tarantino pensaba incluir la canción *My Sharona* de The Knack en *Pulp Fiction*, pero cambió de idea cuando comprobó que ya había sido utilizada en *Bocados de realidad*.

★★★ **The Lone Rangers.** *Cabezas huecas* **(Michael Lehmann, 1994). Un trío de *heavies*** completamente despistados -Brendan Fraser, Steve Buscemi y Adam Sandler- secuestran a un pinchadiscos -Joe Mantegna- para que emita su maqueta por la radio. Participa Lemmy de Motörhead.

★★★ **Camel Lips.** *Los asesinatos de mamá* **(John Waters, 1994). Grupo femenino de rockeras** interpretado por el grupo femenino de rockeras L7. John Waters podía haberse ahorrado el equívoco y llamar a las cosas por su nombre.

★★★ **The BC-52s.** *Los Picapiedra* **(Brian Levant, 1994). La versión cinematográfica** de la celebrada serie de animación incluía a The B-52's convertidos en un grupo de la edad de piedra, añadiéndole sólo una letra a su nombre real. De esta forma, el nombre de la banda, tomado de un avión estadounidense, el *B-52*, pasaba a hacer referencia a una fecha, el año 52 antes de Cristo. El director fue elegido por su condición de fan de la serie y su impresionante colección de productos relacionados con ella. En su secuela, *Los Picapiedra en Viva Rock Vegas* del 2000, intervenían unos prehistóricos Rolling Stones llamados Mick Jagged And The Stones. Otros artistas ficticios que aparecen en el film: Frank Stoneatra, Stony Bennett y Slime And The Family Stone.

★★★ **Fuck You Yankee Blue Jeans.** *Clerks* **(Kevin Smith, 1994). En su primera película independiente,** Kevin Smith hace aparecer a un primo suyo de Moscú al frente de este grupo de *heavy*. Su inglés es bastante macarrónico y ahí radica la gracia. La película contaba con un presupuesto tan bajo que los derechos de las canciones de la banda sonora superaron al coste de producción final. En la película del 2001 del mismo director, *Jay y Bob el silencioso contraatacan*, el colega de Kevin Smith, Jay, lleva una camiseta con el nombre del grupo.

★★★ **Dense Waverly.** *Corazón rebelde* **(Allison Anders, 1996). Todo en esta película es un homenaje** nada velado a la forma de producir éxitos pop en los años 60, en especial los que salían de la factoría de Phil Spector. Illeana Douglas encarnaba el papel principal, basado en parte en Carole King, quien llegó a trabajar con Spector, pero había muchos más artistas ficticios que merecían cada uno de ellos otra película. Lesley Gore, el modelo que se utilizó para crear el personaje de Kelly Porter, fue una de las responsables de la banda sonora. Otros artistas ficticios que aparecen en el film: The Click Brothers, dúo al estilo Everly Brothers, The Luminaries, grupo de chicas asimilables a The Shirelles, The Riptides, clones de The Beach Boys, y The Stylettes, cuarteto de doo-woop.

★★★ **The Wonders.** *The Wonders* **(Tom Hanks, 1996). La primera película dirigida por Tom Hanks** ofrece la cara amable del pop de los 60 con unos émulos de The Beatles que se dedican a cantar una única canción (*That Thing You Do*, el título original en inglés) una y otra vez. El tema en cuestión fue compuesto por Adam Schlesinger, de Fountains Of Wayne. Los cuatro actores principales ensayaron durante ocho semanas para conseguir la sensación de un grupo auténtico aunque, al final, la mayor parte de las canciones las interpretaron músicos profesionales. Otros artistas ficticios que aparecen en el film: The Saturn 5, surferos en la onda The Ventures, The Chantrellines, grupo de chicas, y The Norm Wooster Singer, un cantante tipo Ray Coniff.

★★★ **Dirk Diggler.** *Boogie Nights* **(Paul Thomas Anderson, 1996). Marky Mark,** conocido anteriormente por formar parte del grupo Marky Mark And The Funky Bunch, interpreta a una estrella del porno con un miembro prominente. No contento con ello, se empeña en grabar un disco para el que se queda sin dinero. En una de las escenas, el personaje de Rollergirl escucha la canción *Voices Carry* de Til Tuesday; la cantante de Til Tuesday era Aimee Mann, casada con Michael Penn, el compositor de la banda sonora del film.

★★★ **Ming Tea.** *Austin Powers* **(Jay Roach, 1997). Mike Myers creó el grupo** antes que la película. El sonido retro le inspiró su personaje. La banda participó en las dos entregas de la serie, aunque sólo aparece una de sus canciones en la banda sonora de la primera. Entre sus componentes, Matthew Sweet en el bajo y Sussana

Hoffs (de The Bangles) a la guitarra. Parte de las secuencias originales son un homenaje a *Qué noche la de aquel día*. Las actrices Elizabeth Hurley y Mimi Rogers quedaron tan contentas con su imagen que pidieron llevarse sus ajustadas mallas como recuerdo.

★★★ **Autobahn.** *El gran Lebowski* **(Joel Coen, 1998). Homenaje claro a Kraftwerk,** el grupo alemán de música electrónica que empezó en los 70, a cargo de un trío (Flea de Red Hot Chili Peppers, Peter Stormare y Torsten Voges) de alemanes nihilistas que, se supone, fueron un grupo de música electrónica a finales de los 70. Incluso la portada de su disco ficticio es una copia de uno de los álbumes de Kraftwerk.

★★★ **Wild Curt.** *Velvet Goldmine* **(Todd Haynes, 1998). El camaleónico Ewan MacGregor** da vida a un rockero americano en los tiempos del glam, inspirado por Iggy Pop, al que acompaña su banda, The Wylde Rattz. Gran parte de los diálogos del film están tomados de textos de Oscar Wilde. Otros artistas ficticios que aparecen en el film: Brian Slade, interpretado por Jonathan Rhys-Meyers e inspirado por David Bowie, The Venus In Furs, grupo con miembros de Suede, Radiohead y The Verve, y The Flaming Creatures, o sea, Placebo haciendo una versión de *20th Century Boy* de T-Rex.

★★★ **Shacky Carmine.** *Shacky Carmine* **(Chema de la Peña, 1999). Dos años de la vida** de un grupo independiente de Salamanca que emigra a Madrid para triunfar aunque, como siempre, el tiempo acaba por poner a cada uno en su lugar. Cuenta con apariciones de Manu Chao, Antonio Vega, Kiko Veneno, Albert Pla, Manolo Kabezabolo, Ari o Raimundo Amador. Se rodaron tres finales diferentes para proyectar en diversas salas y poner a disposición de los espectadores en Internet.

★★★ **Marie de Salle.** *Alta fidelidad* **(Stephen Frears, 2000). Lisa Bonet** (hija de Bill Cosby en la serie de éste y ex-mujer de Lenny Kravitz) interpreta a esta cantautora que tiene una relación de una noche con el protagonista principal -«ya que el sexo es uno de los derechos humanos básicos»-, en la adaptación a la pantalla de la novela de Nick Hornby. Además, canta una buena versión acústica del *Baby I Love Your Way* de Peter Frampton, acompañada por Jeff Parker, componente de Tortoise. Lo mejor son los múltiples guiños para melómanos empedernidos como, por ejemplo, «si no le dices a nadie que no tienes *Blonde On Blonde* de Bob Dylan, no pasará nada». Otros artistas ficticios que aparecen en el film: Barry Jive And The Uptown Five, la banda del personaje interpretado por Jack Black, que interpreta el *Let's Get It On* de Marvin Gaye, y The Kinky Wizards.

★★★ **Stillwater.** *Casi famosos* **(Cameron Crowe, 2000). El antiguo cronista de "Rolling Stone",** Cameron Crowe, reincide, después de *Solteros*, en crear otra banda, en esta ocasión para documentar su etapa de plumilla musical. El grupo de melenudos que, supuestamente, estuvieron a punto de comerse el mundo en su gira de 1973, está integrado, entre otros, por -curioso, curioso- Mark Kozelek, líder de Red House Painters. La banda sonora la pone el director junto a su mujer, anteriormente componente de los intrascendentes Heart.

★★★ **The Soggy Bottom Boys.** *O Brother!* **(Joel Coen, 2000). George Clooney, John Turturro y Tim Blake Nelson** dan vida a este trío de ex-convictos que, a finales de los 30, triunfan cantando *country* y *bluegrass* acompañados por un guitarrista de blues que ha vendido su alma al diablo. Los derechos de una de las canciones, rescatadas del olvido por el productor de la banda sonora, T-Bone Burnett, se le acaban de pagar recientemente a un ex-presidiario de 76 años que ni siquiera recordaba haberla grabado. Probablemente sea el primer -y último- grupo inexistente que triunfa en los Grammy.

★★★ **Fred Chatman.** *Ghost World* **(Terry Zwigoff, 2001). Anciano intérprete de blues** al que los personajes interpretados por Thora Birch y Steve Buscemi van a ver en concierto después de que este último revele que tiene una de las dos únicas copias existentes de su disco. El personaje de Steve Buscemi tiene más de un punto en común con el director: en una de las secuencias, éste saca un disco de R. Crumb And His Cheap Suit Serenades, un grupo del que el director había formado parte junto a Robert Crump. En la película se mencionan otros músicos de blues, pero éstos sí son auténticos: Geeshei Wiley, Lionel Belasco, Memphis Minnie o Skip James. Otros artistas ficticios que aparecen en el film: Alien Autopsy, Blueshammer, Ebony, Jade y Vanilla.

★★★ **Steel Dragon.** *Rock Star* **(Stephen Herek, 2001). El reemplazo de Rob Halford,** vocalista original de la banda heavy Judas Priest, por Tim 'Ripper' Owens, tuvo su traslación apro-

The Soggy Bottom Boys, único grupo inexistente con un Grammy.

ximada a la pantalla en esta película en la que el personaje interpretado por Mark Wahlberg, proveniente del grupo Blood Pollution, sustituye a Jason Flemyng. El resto de la banda estaba formada por músicos como el cantante de Yngwie J. Malmsteen, el hijo del batería de Led Zeppelin, Jason Bonham, el guitarrista de Ozzy Osbourne o el cantante de Third Eye Blind.

★★★ **B. Rabbit.** *8 Millas* **(Curtis Hanson, 2002). Eminem encarna a este rapero** en una película que tiene bastante que ver con su vida real, y en la que su personaje Jimmy 'Rabbit' Smith Jr. se enfrenta en batallas de recitados a otros oponentes como The Free World. Las guerras dialécticas ocurrieron de verdad mientras se estaba rodando y Eminem se enfrentó hasta a cuatro contrincantes distintos elegidos entre más de cien. El

Eminem aprovechó sus ratos libres en 8 millas para ver cómo sacar un dinerillo extra.

trozo de papel en el que escribe en su viaje en bus es, de hecho, el papel en el que Eminem garabateó la letra de uno de sus temas más conocidos, *Lose Yourself*, y que, más tarde, sería vendido por 10.000 dólares en una subasta en Internet.

JOE STRUMMER, EL VALS REBELDE

Muerte o gloria
(Death Or Glory; The Clash)

★★

Por increíble que parezca, Joe Strummer se había convertido en los últimos años en un hombre de familia, preocupado por, entre otras cosas, la deforestación del planeta. Seguía grabando y girando con su nueva banda, The Mescaleros, pero le costaba cada vez más escaparse lejos de su prole y de su casa de campo. Pocas cosas puede haber menos relacionadas con el rock que fallecer de un ataque al corazón mientras se saca a pasear el perro por la campiña inglesa.

★★★ **Sin embargo, conservaba su aureola** de persona honesta y con algo tan indefinible como la credibilidad entre sus colegas y los seguidores del rock. Se trataba, en fin, del músico que compuso algunas de las canciones más definitorias de las últimas décadas y que había pertenecido, según sus palabras, a la «única banda que realmente importaba», The Clash.

★★★ **Él fue la cara visible del punk político,** y su grupo, una idea antes de convertirse en una banda. Más tarde, aquella idea se convertiría en un ideal. Cada frase que Joe Strummer dijo en su día podía considerarse un slogan. Cada acto, algo simbólico, puede que premeditado o reformulado para convertirse en otro gran capítulo dentro de la leyenda que fueron -y son- The Clash.

★★★ **Sin ellos probablemente no hubieran existido grupos como** Manic Street Preachers, The Offspring, Green Day, Midnight Oil, Bad Religion, Public Enemy, Bad Brains, The Pogues, Rancid, The Beastie Boys, Rage Against The Machine y tantos otros artistas que pudieran no ser tan fácilmente identificables con el grupo. Sin ir más lejos, el día del fallecimiento de Joe Strummer, Bono, del grupo U2, reconocía en su web que «The Clash han escrito el libro de estilo para U2».

★★★ **Joe Graham Mellor, nacido en Turquía en 1952,** siempre se sintió menospreciado por los punks por provenir de una familia de clase media y pertenecer su padre a la carrera diplomática. Para justificarse, en más de una ocasión intentó explicar que su padre era un simple funcionario de base y que todas las propiedades de su familia se reducían a una única vivienda de dimensiones reducidas.

★★★ **De pequeño, conoció un buen montón de países** siguiendo a su familia por los distintos destinos que le encomendaban a su padre, residiendo en lugares tan dispares como El Cairo, Teherán, Berlín, Malawi o México, lugar en el que vivió un intenso terremoto.

★★★ **Fue al emanciparse de su familia** cuando empezó a sobrevivir con distintos trabajos mal pagados, como el de enterrador o el de limpiador de los lavabos de la Ópera de Londres, visitando de vez en cuando la cola del paro. Justo allí conocería a Mick Jones y Paul Simonon, sus compañeros en The Clash.

The Clash, 'la única banda que realmente importaba'.

★★★ **Por aquel entonces se hacía llamar Woody,** en homenaje, cómo no, al cantautor folk politizado Woody Guthrie. En el metro londinense se ganaba un dinero extra tocando el ukelele, instrumento que le parecía más fácil porque tenía únicamente cuatro cuerdas. La canción que más monedas le reportaba era *Sweet Little 16* de Chuck Berry.

★★★ **También vivió en primera persona la persecución policial** por tocar sin permiso en el metro. Como recordaba, «fue tal y como lo ves en las películas, con una espectacular persecución por los túneles y yo entrando en el último segundo en el vagón y haciéndoles gestos obscenos, mientras la policía se quedaba fuera mirándome amenazadoramente a través del cristal».

Joe Strummer no sabía qué pintaban las guitarras en las literas.

★★★ **Mientras mantenía su primer grupo,** The 101'ers, vivió en una casa ocupada. Allí estaban, entre otros, un navarro y dos malagueñas, con lo que se inició su larga relación con España. Una de ellas, Paloma, que cambió su nombre por Palm Olive, fundó la recordada banda The Slits. En aquel momento, el grupo favorito de Joe Strummer era Doctor Feelgood y su canción de cabecera *Gloria* de Van Morrison, ambos sin mucha relación con el punk en el que se encuadraría.

★★★ **Sin embargo, su héroe fue siempre Bo Diddley,** al que The Clash recuperarían del olvido para que les acompañara en una gira norteamericana. En el autobús de aquella gira, Strummer descubrió que cada músico tenía su propia litera, salvo Bo Diddley, que iba siempre sentado al fondo. Al preguntarle por ello, Diddley descorrió la cortina de una de las literas, descubriendo allí su característica guitarra cuadrada bien atada a la cama, y le dijo: «Las guitarras van en las literas, yo viajo en el asiento».

★★★ **En abril de 1976, los Sex Pistols** hicieron de teloneros de The 101'ers en la sala londinense The Nashville y, aunque muchos de los allí presentes no supieron entender lo que acababan de ver, Strummer quedó epatado. Según él, «rescribieron la historia del *rock'n'roll* justo delante de mis narices».

★★★ **En aquel concierto se volvió a encontrar con Mick Jones y Paul Simonon,** decidiendo formar The Clash. Además de la influencia decisiva de aquel concierto, Strummer se volvió loco con el primer disco de los Ramones. En aquellos días todo cambió: dejó el *rhythm & blues* y abrazó el punk, pasando a llamarse desde ese momento Joe Strummer (Joe Golpeador) porque se veía como «un cantante folk que va escupiendo información y emoción en bruto».

★★★ **Su mote también tenía bastante que ver** con su forma de tocar la guitarra. *Strum* significa en inglés tocar los acordes de la guitarra rasgándolos, sin arpegiar o puntear, y ésa era precisamente su técnica. Incluso grabó, al menos en su primer disco, sus partes de voz tocando la guitarra eléctrica... ¡sin enchufar!

★★★ **Como mandan los cánones del punk,** a Joe Strummer y Mick Jones no les importaba en absoluto que sus compinches en el grupo supieran o no tocar un instrumento. Paul Simonon, a quien se le encargó del bajo, en su vida había tocado una nota. Eso sí: su imagen era la apropiada, la de un rebelde guapo que atraía a las fans -fue votado el hombre más sexy en una de las encuestas anuales de la revista "Playgirl"- y que, además, se dedicaba a pintar.

★★★ **Eran los primeros tiempos del punk** y The Clash se identificaron pronto con su ideario, aunque sin compartir todo lo que ello representaba. A Joe Strummer, sin ir más lejos, no le gustó nunca la costumbre del público de escupir en los conciertos punk. Es más: echaba la culpa de una hepatitis de seis meses que había sufrido a un salivazo que alguien le había lanzado en un concierto y que él había tragado sin querer.

★★★ **Ya desde el principio quedó claro** que ellos tenían otros objetivos más allá del nihilismo del punk. En la primera entrevista que The Clash concedió al influyente semanario musical "New Musical Express" sólo hablaron de su ideario político. «La gente debería saber que somos anti-fascistas, anti-violencia, anti-racistas y pro-creatividad.» En ningún momento hablaron de técnica musical.

★★★ **Sabían bien de qué hablaban porque vivían** la calle intensamente. Es más; pasaron temporadas entre rejas por distintos motivos. El robo de unas almohadas en un concierto fue excusa suficiente para que los detuvieran tras un intenso registro de su autobús por parte de la policía en busca de drogas. En otra ocasión, a Strummer le pillaron unos policías de paisano, que el batería Topper Headon no supo identificar, pintando el nombre de su grupo en un muro cercano.

★★★ **También fueron detenidos por dispararles con una escopeta de aire comprimido** a unos pichones de competición desde un balcón; en el lugar de los hechos, alertados por los miembros del departamento de transportes de la policía, se presentaron la brigada antiterrorista, el servicio de inteligencia, la brigada aérea y la policía local. Por todo ello, una de sus giras fue bautizada como *Out On Parole* (En libertad condicional).

★★★ **Aún sin blanca, fue la abuela de Mick Jones** la que hizo de mecenas en aquellos primeros meses: les dejó su vivienda en el piso 18 de un edificio para componer su primer disco y ensayar. Además, no se perdía una actuación de su nieto y sus compinches. Por aquel entonces, Mick Jones apareció con una canción titulada *Remote Control* para incluir en su primer disco y el resto del grupo la llamó mini-ópera. Duraba... ¡dos minutos y medio!

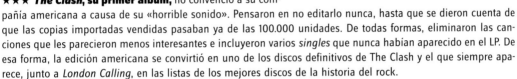

Joe Strummer, tras visitar Jamaica, se dio cuenta de que no hay nada como el hogar, dulce hogar.

★★★ *The Clash*, **su primer álbum,** no convenció a su compañía americana a causa de su «horrible sonido». Pensaron en no editarlo nunca, hasta que se dieron cuenta de que las copias importadas vendidas pasaban ya de las 100.000 unidades. De todas formas, eliminaron las canciones que les parecieron menos interesantes e incluyeron varios *singles* que nunca habían aparecido en el LP. De esa forma, la edición americana se convirtió en uno de los discos definitivos de The Clash y el que siempre aparece, junto a *London Calling*, en las listas de los mejores discos de la historia del rock.

★★★ **De aquel primer disco,** *The Clash*, su compañía CBS editó un segundo *single*, *Remote Control*, sin el permiso del grupo. La respuesta no se hizo esperar: The Clash grabaron rápidamente *Complete Control* (Control absoluto) para ridiculizar a su compañía y demostrar a las huestes del punk que no se habían dejado manipular. Fue su tercer *single* y aún hoy sorprende pensar cómo consiguieron editarlo sin el veto de su sello.

★★★ **Joe Strummer, que era un enamorado del *reggae*,** fue quien introdujo al resto de la banda en esos ritmos, haciendo que sonara natural dentro de sus estructuras rock, como en las versiones que hicieron de *Police & Thieves* en su primer disco, o de *Pressure Drop* y *Armagideon Time*, así como toda la cara *dub* de uno de los tres discos que componían *Sandinista!*

★★★ **Sin embargo, cuando él y Mick Jones** visitaron Jamaica después de grabar su primer álbum, se encontraron totalmente aislados y temieron por sus vidas, recelosos de una comunidad de color en la que no se integraron. Regresaron rápidamente a Inglaterra y la primera canción que compusieron fue *Safe European Home* -El seguro hogar europeo-.

★★★ **Desde un principio, Joe Strummer** siempre reconoció que su voz no era nada especial, que tenía un carácter áspero como la de Lemmy (de Motörhead) o Rod Stewart, pero que lo importante era poner el alma en ello y no la técnica. Al productor de su segundo disco, *Give'Em Enough Rope*, no le gustaba nada la voz de Strummer, así que la mezcló con menos volumen que la batería en aquel álbum.

★★★ **No fue el único contratiempo que tuvieron con él.** La decisión de contratarlo, que provenía del mánager de The Clash, no acababa de convencer en el entorno del grupo. Sandy Pearlman tenía en su haber trabajos con grupos americanos establecidos tipo Blue Oyster Cult, o sea, grupos que representaban casi todo contra lo que el punk arremetía.

★★★ **Su relación no empezó precisamente bien:** el productor se acercó a una de sus actuaciones en la Politécnica de Lanchester para conocerlos y Robin Crocker, un ex-presidiario amigo de Mick Jones, le golpeó cuando intentaba entrar en los camerinos, por lo que tuvo que ser tratado en urgencias. A pesar de todo, él fue finalmente el encargado de producir aquel segundo disco. En su afán por conseguir un sonido crudo y eliminar toda aportación del piano, Sandy Pearlman empezó las sesiones vertiendo una buena cantidad de cerveza por encima del piano que la banda tenía en el estudio.

★★★ **Tras aquel disco, su mánager Bernie Rhodes** invitó al guitarrista de los Sex Pistols, Steve Jones, a compartir algún concierto con The Clash, bajo la desconfiada mirada de Mick Jones, quien no entendía qué pintaba allí otro guitarrista. En aquel momento, los Sex Pistols ya no existían.

A The Clash no les funcionaba el piano porque estaba lleno de cerveza.

★★★ **Más extraña todavía fue la invitación que recibió Mick Jones** de la novia de Sid Vicious, Nancy Spungen, para acompañar a éste en su presentación en directo en solitario en Nueva York. Fue Joe Strummer el que le convenció a participar en un concierto en el que el resto de la banda la formaban componentes de grupos como New York Dolls, The Heartbreakers o The Idols. Aquella insólita actuación duró unos escasos veinte minutos, en los que sólo consiguieron interpretar cinco canciones.

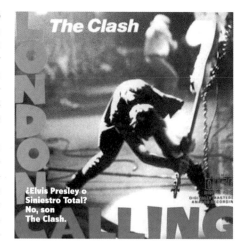

★★★ **Otro de los momentos más recordados** de aquella gira ocurrió en septiembre de 1979. Si antes se habían significado por su frase «No Elvis, no Beatles, no Rolling» de la canción *1977*, como modo de distanciarse de las generaciones que les precedían, aquel día compraron veinte ejemplares del "New York Post" y los colocaron alrededor de la batería para romperlos después en escena, todo a raíz del titular de aquella edición: «The Beatles se reunirán de nuevo».

★★★ **La portada de *London Calling!*, su tercer álbum,** es un homenaje -o copia- al disco *Rock And Roll* de Elvis de 1956. La imagen desenfocada de Paul Simonon rompiendo el bajo y obtenida por casualidad no le gustaba a Pennie Smith, su autora, pero Strummer la convenció para que fuera la elegida. Hoy es una de las portadas más emblemáticas del rock. Años más tarde, Siniestro Total retomaron la idea en la portada de su *single Sexo chungo*, aunque en este caso el instrumento estrellado contra el suelo era una gaita gallega.

★★★ ***The Clash* venían del mundo del punk** y tuvieron que sufrir en sus carnes la acusación de muchos de sus seguidores de haberse vendido al sistema. Para justificarse por grabar con una multinacional, el grupo convenció a su compañía para que editaran el doble *London Calling* y el triple *Sandinista!* a precio de disco sencillo, sufriendo un recorte en sus derechos de autor. Aun así, en España la idea no cuajó: fue el único país en el que *Sandinista!* se vendió a precio de álbum triple.

★★★ **Detrás de aquella estrategia** había otra motivación menos confesable: Joe Strummer estaba convencido de que, de esta forma, entregaba cinco discos en lugar de dos, y que así pondría fin mucho antes al contrato firmado con la multinacional Sony en enero de 1977 por 10 discos en 10 años a cambio de 100.000 libras .

★★★ **En *London Calling* se incluían un par de frases en español** que se le deben atribuir a Joe Strummer, quien intentó escribir algo en nuestro idioma después de sus numerosas visitas a Granada, ciudad en la que hizo buenos amigos, como el grupo 091, a los que produjo el disco *Más de 100 lobos* en 1986.

★★★ **Aquellas frases en castellano estaban en la canción *Spanish Bombs*** y, aunque entrañables, no tenían mucho sentido: «Yot' quierro y finito / yote querda, oh ma corázon». Más adelante, en *Should I Stay Or Should I Go*, de su disco *Combat Rock*, cantaría: «Me arrodilla y está feliz / Al rededar en tu espalda / Si me voy va peligro / Me quedo es doble».

★★★ **Siempre ávidos de nuevos sonidos,** The Clash fueron el primer grupo blanco en interesarse por un estilo que estaba naciendo: el rap. Invitaron a los pioneros Grandmaster Flash & The Furious Five a ser sus teloneros en una de sus giras e introdujeron este sonido en *The Magnificent Seven*, *This Is Radio Clash* y *Lightning Strikes (Not Once, But Twice)*.

★★★ **Era la época de *Sandinista!*,** etapa en la que coincidieron en Nueva York con Martin Scorsese. El director los invitó a participar en su película *El rey de la comedia*, protagonizada por Robert De Niro y Jerry Lewis. The Clash, habitualmente explícitos y decididos, simplemente aparecen como extras en el film. Tan intimidados se sintieron en aquella ocasión que, en palabras de Strummer, «perdimos una gran oportunidad».

★★★ **A principios de 1982, Joe Strummer desapareció durante un mes,** dejando a sus compañeros colgados antes de iniciar una gira británica. Su mánager Bernie Rhodes, consciente de las bajas ventas de las entradas de su inminente gira, le ordenó desaparecer durante una temporada para que su huida actuase en beneficio del grupo. Su idea era que fuese a ver a su amigo Joe Ely, cantante country que hizo las segundas voces en *Should I Stay Or Should I Go*.

★★★ **En lugar de marcharse a Texas,** Strummer cogió un barco a París donde, entre otras cosas, corrió el maratón. Al principio, su mánager simulaba desconocer dónde se encontraba. Cuando descubrió que de verdad no lo sabía, contrató un detective privado. Por fin, uno de sus técnicos, Kosmo Vinyl, se desplazó hasta París y se presentó en la puerta de su casa vestido con ropa militar. «Te he encontrado», fue su saludo.

★★★ **Topper Headon, el batería de The Clash,** fue expulsado poco después por su adicción a la heroína. También fue expulsado meses más tarde Mick Jones, en este caso debido a que el mánager Bernie Rhodes pretendía ejercer un mayor control sobre el grupo. Y lo consiguió: The Clash continuó adelante tras *Combat Rock* -el álbum que estaba basado en el concepto de lo que Strummer llamaba el «Vietnam urbano»- publicando un último disco, *Cut the Crap*, con la colaboración por primera vez en la composición de su mánager, del que hoy no quiere oír hablar ninguno de los que participaron en él. Nada era ya lo mismo y se separaron.

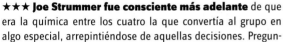

¿Joe Strummer productor de Morrissey?

★★★ **Joe Strummer fue consciente más adelante** de que era la química entre los cuatro la que convertía al grupo en algo especial, arrepintiéndose de aquellas decisiones. Preguntado en una ocasión cuál había sido el mayor error que había cometido, Strummer contestó: «¿Puedo señalar dos por el precio de uno? El primero, despedir a Topper Headon, y el segundo, despedir a Mick Jones».

★★★ **Ahí se inició la etapa en solitario de Joe Strummer,** con discos acreditados a su nombre, producciones para grupos como Big Audio Dynamite -en el que militaba su antiguo compañero Mick Jones-, bandas sonoras, apariciones en directo con The Levellers o The Brian Setzer Orchestra, giras como cantante de The Pogues, grabaciones con el nombre de Electric Dog House o junto a Black Grape, participaciones en varias películas y tres álbumes como Joe Strummer & The Mescaleros.

★★★ **En 1987, mientras grababa su disco en solitario** *Earthquake Weather* en Los Ángeles, su coche recibió un impacto de bala. Strummer, queriéndole restar importancia al hecho, decía que todo había sido producto de la casualidad: creía que a alguien le había dado por probar su arma contra el único coche que se encontraba aparcado en una gigantesca explanada al lado de un recinto deportivo el día de Navidad, vehículo que resultaba ser el suyo.

★★★ **Años después, a Strummer le llegó la oferta más inesperada** de su carrera: producir a Morrissey. La compañía discográfica del anteriormente cantante de los Smiths se puso en contacto con él y le invitó a pasarse por un concierto para conocerlo. Se trataba de la gira en la que Morrissey hacía de telonero de David Bowie y el lugar era el estadio de Wembley.

★★★ **Allí, la entonces mánager de Morrissey** le adelantó que éste tenía pensado grabar una versión del *Can't Explain* de The Who. Strummer, al que todo aquello le parecía un tanto fuera de lugar, le señaló que la versión que mejor le iría era el *Pop Music*, un *single techno* del grupo M, canción que, curiosamente, poco después versionarían U2. Nunca más volvió a saber del entorno de Morrissey.

★★★ **Durante todos estos años, el mito de** The Clash nunca ha dejado de crecer, para lo bueno y para lo malo. En 1991, los Estados Unidos dieron la señal convenida para el inicio de la Guerra del Golfo haciendo sonar *Rock The Casbah* a través de la emisora de sus Fuerzas Armadas. Seguro que Joe Strummer se revolvió de asco en el momento en que se enteró.

★★★ **En la canción, compuesta con un propósito muy distinto,** hay frases que a los americanos les parecieron aplicables a su particular guerra, como: «El rey llamó a sus aviadores / Y les dijo empezad a ganaros la paga / Dejar caer las bombas entre los minaretes / Por el camino de la casbah».

★★★ **Nunca fueron un grupo de singles de éxito,** aunque su credibilidad permanece intacta. *Should I Stay Or Should I Go*, el único *single* número uno del grupo, lo fue en 1991, ocho años después de su edición original, gracias a su inclusión en un anuncio de los vaqueros Levi's. Joe Strummer no quería ni oír hablar del tema; sin embargo, Mick Jones prestó su consentimiento.

★★★ **Strummer nunca se lo perdonó, aunque,** un mes antes de su desaparición, ambos volvieron a tocar juntos por primera vez tras más de veinte años sin compartir escenario. Sucedió el 15 de noviembre de 2002 en el Action Town Hall de Londres, en un concierto en apoyo a una huelga de bomberos. Siempre se habían negado a una nueva reunión y, si a alguien se le pasó por la cabeza después de ese encuentro que podía ser viable ese reencuentro, las esperanzas se desvanecieron días más tarde cuando Joe Strummer sacó a pasear a su perro.

A DOS METROS BAJO TIERRA, LOS EPISODIOS MÁS HUMILLANTES DEL ROCK

Preferiría estar muerto
(*I´d Rather Be Dead;* Harry Nilsson)

Se supone que hay cosas que no deben suceder. Las estrellas del rock tienen que hacerlo todo siempre absolutamente perfecto. No en vano les acompaña una aureola divina alrededor. Sin embargo, el *rock'n'roll* ha sido creado para la humillación: su audiencia potencial es vasta, sirve para dar rienda suelta a todo tipo de caprichos, se estimulan los extremos... Y no precisamente cualquiera puede salir indemne de sus consecuencias.

Por cada canción memorable, por cada disco imprescindible, siempre habrá un momento en la carrera de un artista que preferiría que no hubiese salido a la luz, un momento del que siempre renegará, ese instante humillante que lo coloca a la altura del resto de los humanos, cuando no un peldaño más abajo. Además, dada su relevancia pública, el público tiene un ansia desmedida por conocerlos y restregárselos por la cara, deseosos de ensañarse con ellos.

★★★ **Allman Brothers Band. En una ocasión,** tras presentarse un cuarto de hora tarde a su actuación, el promotor de su concierto en Buffalo, Nueva York, se negó a pagar al grupo sureño. A uno de los técnicos del grupo, Twiggs Lyndon, no le pareció nada bien, y acabó matándolo a puñaladas. Para exculparlo, los abogados defensores idearon una estrategia que probase que cualquiera del entorno del grupo en una de sus giras estaría fuera de sí. Así que llamaron a testificar al bajista Berry Oakley. Durante su testimonio, Oakley tuvo que salir tres veces a vomitar en el baño. «¿Ha tomado drogas en el último mes?», le preguntó el abogado. «Je, je», fue la respuesta. «¿En la última semana?» «Bueno, eh, sí». «¿Y en la última hora?» «¿Qué diría usted?» El técnico fue declarado inocente.

★★★ **Bill Wyman (The Rolling Stones). El guitarrista de The Rolling Stones** contrajo en su día matrimonio con una joven de 13 años llamada Mandy Smith. El escándalo apareció en grandes titulares en la prensa, aunque no fue nada comparado con los que sufrieron en su día gente como Jerry Lee Lewis por el mismo motivo. Con todo, en este caso el asunto dio una nueva vuelta de tuerca el día en el que el hijo de Bill Wyman inició una relación con la madre de la joven, casándose poco después. De esta forma, su hijo se convertía en el padrastro de la que había sido hasta entonces su madrastra... o algo así.

★★★ **Bob Dylan. En 1963, Bob Dylan** entró en un club folk de Londres. Al poco, comenzó a gritar desde el fondo de la sala: «¿Qué pasa aquí? ¿Dónde están las bebidas? ¿Cómo se consigue tomar algo en este sitio?» El cantautor que se encontraba en el escenario le espetó: «No sé si te das cuenta de que aquí le permitimos a los intérpretes que hagan su actuación y, durante ese intervalo de tiempo, la audiencia permanece callada». «¡No tengo por qué mantener mi maldita boca cerrada!», gritó el americano. «¡Soy Bob Dylan!»

★★★ **Bob Dylan. Durante años, Neil Diamond** colaboró con Robbie Robertson de The Band. En 1976, el grupo invitó a Diamond a participar en el concierto de despedida de The Band, *The Last Waltz* (El último vals), en el que también estaría Bob Dylan. Tras actuar, Neil Diamond se retiró a los camerinos y allí se encontró a Dylan, que tenía que salir a continuación. «Tendrás que hacerlo muy bien para superarme», fue lo que le dijo a Dylan, quien le respondió bruscamente: «¿Qué tengo que hacer, subirme al escenario y quedarme dormido?»

★★★ **Bob Geldof (The Boomtown Rats). Años después de haberse disuelto** el grupo que le diera la fama y, también, del macroconcierto Live Aid, del que había sido uno de sus principales artífices, Bob Geldof trabajaba

Cher en la época
de su vida a la
que le gustaría
volver.

como locutor radiofónico en la emisora XFM de Londres. Uno de los redactores, disgustado con la reciente adquisición de la emisora por parte de otro grupo empresarial, Capital Radio, le pasó a Bob Geldof la noticia de que Ian Dury, enfermo de cáncer, acababa de fallecer. Geldof leyó la noticia e improvisó un obituario. Ian Dury respondió desde la cama del hospital en el que se encontraba, declarando que le había gustado el homenaje, pero que la noticia de su muerte había sido un tanto exagerada.

David Bowie quería un 'nuevo dictador fascista'.

★★★ **Cher. *If I Could Turn Back Time* (Si pudiese hacer retroceder el tiempo)** era su canción. Y, como aún no existe la máquina del tiempo, pues se pasaba por el quirófano y casi parecía lo mismo. Pero es que, además, Cher quería que todo el mundo viera los resultados de sus múltiples operaciones de cirugía estética. Por ello, para el vídeo de esta canción se colocó enfrente de un batallón de marines sedientos de mujeres y se subió al cañón de proporciones más fálicas que había en aquel barco, con tanta ropa como tendría una mujer que recibe las atenciones de un regimiento borracho después de pasarse seis meses sin pisar tierra. Por si fuera poco, hizo aparecer a su hijo en el vídeo para que viera cómo su madre se pavoneaba casi desnuda delante de todos aquellos marines. Seguro que el chaval aún sigue sometido a algún tipo de tratamiento para recuperarse.

★★★ **Chuck Berry. Para algunos músicos,** conocer a este pionero del *rock'n'roll* es una cuestión de primera necesidad. En una ocasión, el solista estadounidense Greg Kihn se encontró abriendo un cartel en el que también estaba Chuck Berry. Una vez acabado, preguntó al mánager de éste si podía pasar a conocerlo. «Por supuesto», fue la respuesta. Greg Kihn abrió la puerta de su camerino y allí estaba Chuck Berry cómodamente sentado, con los pantalones por debajo de las rodillas, comiendo un bocadillo mientras una joven arrodillada ante él daba buena cuenta de sus habilidades orales. Un estupefacto Kihn sólo alcanzó a decir: «Eh, ha llegado la hora de salir al escenario, Mr. Berry». Chuck Berry levantó su cabeza y le respondió: «Vamos ya, chaval. ¡Déjame acabar el bocadillo!»

★★★ **Chuck Berry. Aunque tenía antecedentes por distintos motivos,** Chuck Berrry superó todas las previsiones en 1990, al ser acusado por una cocinera de su restaurante de Missouri de haber instalado cámaras ocultas en el servicio de mujeres. Cuando la policía se pasó a comprobarlo, encontraron en su domicilio cientos de cintas con imágenes grabadas por aquellas cámaras. Vamos, un auténtico pionero de los programas tipo *Gran Hermano*.

★★★ **David Bowie. A mediados de los 70,** David Bowie estaba perdiendo toda conexión con la realidad a pasos agigantados a causa de su adicción a la cocaína; es más, llegó a declarar que no recordaba nada de lo sucedido durante un año entero. En 1975, durante la entrega de los Grammy, Bowie pidió que le presentaran a Simon & Garfunkel. Su asistente le indicó que había sido fotografiado menos de una hora antes charlando animadamente con el dúo. En su actuación televisiva a finales de aquel año en el programa *Soul Train* ni se molestó en hacer un *play-back* creíble con su tema *Golden Years*, reconociendo después que no se había aprendido la letra. Semanas más tarde, al regresar a Londres, recibió a sus seguidores con un saludo nazi desde un tren en la Estación Victoria, declarando que su país necesitaba «un nuevo dictador fascista». Para escapar de la polémica, se refugió en Berlín, ciudad en la que registró sus siguientes discos.

★★★ **David Lee Roth (Van Halen). Durante la gira de 1979,** David Lee Roth, vocalista de Van Halen, instituyó un 'programa de incentivos' a los miembros de su equipo. Aquel que consiguiera la chica más guapa y fuera capaz de enviarla a su habitación de hotel era recompensado con 100 dólares y una felicitación expresa delante de los demás en la cena previa a su siguiente concierto.

★★★ **Donna Summer. Su conversión al cristianismo,** después de haber sido un icono de la música disco a finales de los 70, la llevó a tomar decisiones un tanto extrañas. Comenzó demandando a su compañía Casablanca por 10 millones de dólares. La compañía cerró, aunque en su fiesta de despedida obsequió a sus invitados con una tormenta de nieve en forma de cocaína. Más tarde, se extendió el rumor de que Donna Summer había dicho que el «SIDA es la venganza de Dios contra los homosexuales», algo que después negó en múltiples ocasiones, pero que le impidió levantar cabeza de nuevo comercialmente hablando.

★★★ **Dr Dre. Al productor del mundo del rap** no le había gustado la entrevista a Ice Cube que la presentadora Dee Barnes le había hecho en su programa *Pump It Up*, debido a un comentario despectivo del rapero hacia el grupo Niggers With Attitude, que él había producido, por lo que Dr Dre la esperó a la salida de un club, le dio una paliza y trató de tirarla por una escalera. Por suerte, salió ilesa y Dr Dre, como era de esperar, nunca fue invitado al programa.

Dr Dre no fue invitado al programa de Dee Barnes.

★★★ **Dwarves. Ya el nombre del líder del grupo,** HeWhoCannotBeNamed (ElQueNoPuede SerNombrado), dejaba claro que no se trataba de un tipo corriente. Después de haber causado unas cuantas trifulcas en escena, un buen día este grupo punk emitió un comunicado en el que decía que su guitarrista había muerto en un incidente de compra de drogas que había salido mal. Era falso, y cuando se descubrió, su sello discográfico, Sub Pop, les rescindió el contrato.

★★★ **Elton John. En 1975, Elton John pagó a buena parte de sus familiares** un viaje hasta Los Ángeles para que participaran en 'La Semana de Elton John'. Nada más llegar, su pariente, que acababa de tomarse 60 pastillas de valium, los recibió saltando a la piscina del hotel y gritando con una amplia sonrisa: «¡Me voy a morir!». Su abuela, que no era fácilmente impresionable, comentó al resto de la expedición: «Supongo que ahora no tendremos más remedio que volvernos a casa».

★★★ **Elvis Costello. En 1979, en Ohio, Elvis Costello se enzarzó en una discusión** con el músico Stephen Stills, aderezada con abundante alcohol, sobre el mayor valor de los principios que representaba la generación del punk sobre la generación *hippie*. Cuando Costello hizo un comentario racista al llamar «ciego» e «ignorante» a Ray Charles, Stephen Stills decidió que ya era suficiente y que estaba justificado pegarle a un tipo con gafas. La publicidad derivada de aquel encuentro se convirtió en una pesadilla para Costello, que tuvo que convocar una rueda de prensa para excusarse por sus comentarios. El propio Ray Charles lo disculpó: «Lo que dice un borracho no debería salir publicado».

★★★ **Elvis Presley. Él es la imagen del rock.** Nadie representa mejor sus contradicciones. Para lo bueno y para lo malo. En la cima de su carrera y en el momento de su muerte. De lo más sublime a lo más trivial. El artista más atractivo del rock, con unas connotaciones mitológicas a la altura de las Pirámides, murió el 6 de agosto de 1977 en el servicio de su mansión Graceland, a causa de un ataque al corazón acelerado por su adicción a la comida basura y a todo tipo de drogas prescritas por su propio médico, en medio de una imparable degradación mental y física.

★★★ **Eminem. El exitoso rapero pensó que era una buena idea** incorporar la voz de su hija a sus discos. Todo muy paternal excepto por un pequeño detalle: hay canciones como *Kim, Bonnie & Clyde* o *What's The Difference* en las que hablaba de matar a su mujer, la madre de su hija.

★★★ **Frank Sinatra. Comparado con las refriegas entre los artistas del hip-hop,** éste casi parece un enfrentamiento de niños. Frank Sinatra, acostumbrado a otros modales, no pudo resistir la tentación de intervenir tras leer una entrevista con George Michael en 1990 en la que éste se quejaba de cómo la prensa se inmiscuía en su vida privada, tiempo antes de 'salir del armario'. Sinatra envió una carta al periódico "L.A. Times" en la que manifestaba que George Michael estaba siendo un ingrato y que debería dar gracias a Dios por lo que le había dado. «Vamos, George. Suéltate», acababa su misiva. «Lánzate, hombre. Sácale el polvo a tus finas alas y vuela hacia la luna de tu elección.» Michael se sintió horrorizado por el ataque personal del icono de la música y no pudo responder. La disputa llegó hasta televisión, siendo representada en el programa *Saturday Night Live* con Kyle McLachlan (el detective de *Twin Peaks*) haciendo el papel de George Michael.

★★★ **George Michael. Cuando George Michael fue arrestado** por intentar mantener relaciones con un policía vestido de paisano llamado Marcelo Rodríguez en los lavabos de un parque de Beverly Hills, se vio forzado a confesar públicamente su homosexualidad. De todas formas, supo tomarse su revancha al parodiar la situación que llevó a su detención en el vídeo de una de sus canciones, *Outside*. El policía acabó demandándolo por este vídeo y por unas declaraciones de George Michael en las que afirmaba que el agente lo había engañado y que había practicado actos indecentes delante de él.

Elton John organiza unas peculiares vacaciones para la familia.

★★★ **Guns N' Roses.** Al vocalista de la banda, **Axl Rose,** le gustaba lanzar al aire retos, y no le importaba demasiado el calificativo que mereciesen. Consciente de que había varias compañías detrás del grupo, aseguró que firmaría un contrato con la primera representante de una discográfica que se pasease desnuda por Sunset Boulevard.

★★★ **Happy Mondays. Su aparición en el Festival de Glastonbury de 1990** se ha convertido en legendaria, algo que se debe, sobre todo, a su afición a las sustancias ilegales. Para empezar, cientos de sus colegas desbordaron las zonas reservadas a los artistas pidiendo pases que les dieran acceso a todo el complejo. El padre de Shaun Ryder, Derek, se había dedicado a fotocopiar y plastificar pases en color para las zonas de camerinos para todos los amigos del grupo que se lo solicitaron. Hacia el final del festival, el conductor de su bus se encontró al grupo desesperado esnifando cocaína del tubo de escape del vehículo con el motor encendido. Cuando lo invitaron a unirse a ellos, el conductor amenazó con dejarlos allí si no dejaban tan peligrosa práctica. Por último, uno de sus amigos con acento de Manchester se acercó a cinco periodistas que llevaban puestas unas gafas de sol estilo John Lennon de las que regalaban en el festival y les dijo: «Perdonadme, tíos. ¿Os importaría sacaros esas gafas? ¡Todos lleváis las mismas gafas y eso está poniendo de los nervios a los Happy Mondays!»

★★★ **James Brown. En 1988, después de haberle disparado a las paredes de su habitación,** el padrino del soul entró por sorpresa en una reunión de agentes de seguros en Georgia blandiendo un revólver. La causa: alguien había usado el servicio de su vivienda sin su permiso. A continuación, montó en su coche y fue perseguido por la policía hasta otro Estado, donde arrolló a una patrulla policial y condujo otros 10 kilómetros con las ruedas destrozadas antes de ser reducido.

★★★ **Jennifer López. Se trataba de la grabación de un vídeo** para acompañar la versión benéfica del *What's Going On* de Marvin Gaye que se iba a editar para recaudar fondos para las víctimas del 11 de septiembre y para la lucha contra el SIDA. Al llegar a Mia-

Mejor no utilizar el servicio de James Brown, por lo que pueda pasar.

mi, Jennifer López exigió una caravana de 13 metros de largo que debía tener «imprescindiblemente una televisión, un DVD y un reproductor de compactos, un camerino con sofás blancos, mesas blancas, velas blancas, cortinas blancas, rosas blancas, lirios blancos, así como mangos, papayas, tartas de manzana, chocolatinas variadas y una selección de compactos de actualidad». Eso sí: su corazón estaba con los damnificados. De verdad.

★★★ **Jerry Lee Lewis. Los problemas para el pionero del *rock'n'roll*** Jerry Lee Lewis comenzaron en 1958, al reconocer ante un periodista en el aeropuerto londinense de Heathrow que la chica que lo acompañaba era su prima Myra Gale Brown de 13 años, con la que acababa de casarse. Tras cancelar su gira debido al escándalo, la polémica llegó hasta el Parlamento británico, donde se presentó una moción para impedir la entrada en el Reino Unido a los rockeros de fuera con la disculpa de que ya había suficientes en las Islas. Su mala suerte la achacaba a una maldición de la que creía ser víctima: dos de sus hijos habían fallecido, uno en un accidente de coche y el otro ahogado en una piscina. Su cuarta esposa murió también ahogada 20 años después.

Jennifer Lopez, ante todo concienciada y solidaria.

★★★ **Jerry Lee Lewis. En septiembre de 1975,** Jerry Lee Lewis quiso celebrar su cumpleaños disparándole a una botella. Al bajista de su grupo Norman 'Butch' Owens, que se encontraba con él, le dijo: «Mira el cañón de esta pistola. Voy a cargarme esa botella de Coca-Cola o mi nombre no es Jerry Lee Lewis». Debería habérselo cambiado, porque a quien apuntó fue a su bajista, a quien le pegó un par de tiros en el pecho. Owens sobrevivió, a pesar de la paliza que le dio la mujer de Lewis por desangrarse encima de su alfombra recién comprada. Recibió 125.000 dólares en compensación por los daños sufridos y Jerry Lee Lewis fue acusado de disparar un arma de fuego dentro de los límites de la ciudad.

No conviene desangrarse en las alfombras nuevas de Jerry Lee Lewis.

★★★ **John Lennon. No todo fue reivindicaciones pacifistas en los 70.** También hubo días de alcohol y juergas junto a cualquier otra estrella del rock que lo quisiera acompañar, como Roger Daltrey, Mick Jagger o Keith Moon. Una noche de 1974, junto a su amigo Harry Nilsson, Lennon se presentó en el club Troubadour de Los Ángeles, donde los Smothers Brothers estaban dando una actuación. Cuando alguien le preguntó dónde estaba Yoko, Lennon gritó: «¡Chupándosela a Ringo!». Todos enmudecieron, pero Lennon y Nilsson siguieron gritando, poniendo en evidencia a las estrellas de la noche: «¡Hey, Smothers Brothers, montároslo con una vaca!» La gente se encaró con él, pero Lennon no se arredró: «¡Qué os jodan! ¡Soy John Lennon!» El mánager de los Smothers Brothers se acercó y Lennon le propinó un puñetazo. Los asistentes, entre los que se encontraba el actor Peter Lawford, sacaron a los dos borrachos del local. Fuera, Lennon siguió golpeando, ya sin gafas, a cualquier extraño que se cruzara en su camino. Semanas más tarde tuvo que hacer frente a una demanda de una fotógrafa a la que había agredido.

★★★ **Joni Mitchell. Si descubriésemos siempre** de dónde han sacado su inspiración ciertos autores para sus admirados textos... Joni Mitchell asegura que encontró poesía en los nombres de los caballos de una quiniela hípica, y dejó caer todos aquellos nombres -Rowdy Yates, Last Word Suzie, Dancin' Clown, Cherchez la femme, Babe In The Woods-, en su canción *Dancin' Clown* de su disco *Chalk Mark In A Rain Storm*. Bob Dylan se interesó por el origen de aquella letra surrealista y, al conocer la verdadera inspiración, respondió: «Vaya, yo rechacé esa idea porque me parecía una tontería, y ahora creo que me he equivocado».

★★★ **Karl Wallinger (The Waterboys y World Party). Prince tiene muchos seguidores** entre los músicos y sólo algunos tienen la oportunidad de compartir un rato con él. Karl Wallinger la tuvo, pero la desperdició al instante. Tras ser invitado a la mansión de Prince en Minneapolis, comenzaron una amena charla. Prince abandonó la habitación para ir al servicio y, al volver, se encontró a Karl Wallinger en el suelo intentando limpiar la inmaculada alfombra blanca del salón en la que acababa de tirar una botella de vino tinto. Fue el final de una bonita y muy corta amistad.

★★★ **Keith Moon (The Who). El batería de The Who** ya había sido calificado por uno de sus profesores como «artísticamente retardado, idiota en otros aspectos». En el mundo del rock encontró su lugar, siendo de sobra conocidas sus excentricidades. En la fiesta de su 21 cumpleaños, el 23 de agosto de 1967, en Flint, Michigan, los invitados aprovecharon una tarta gigante para embarcarse en una guerra de merengue. Alertados por los huéspedes, los responsables del hotel intentaron pillar al homenajeado. Moon escapó y cayó, rompiéndose un diente, con lo que su colega John Entwistle le tuvo que ayudar a encontrar un dentista en medio de la noche. Sin embargo, Moon quiso darle a la fiesta un aire más legendario, inventándose la historia de que entró en el coche más cercano, un Lincoln Continental, y soltó el freno, metiendo el lujoso vehículo en la piscina del hotel. Según él, salió del coche y, en ropa interior, esquivó al *sheriff* que se acababa de presentar. A continuación, resbaló en un trozo de tarta, rompiéndose los dientes. Lo que sí es cierto es que la cadena de hoteles Holiday Inn nunca más permitió a The Who alojarse en sus instalaciones, aunque los mayores desperfectos en el hotel los causaron sus compañeros de juerga, el grupo Herman's Hermits, que, a pesar de todo, esquivaron la mala reputación.

★★★ **Keith Moon (The Who). A pesar de su alocada vida,** no pudo vivir con el remordimiento por haber atropellado a su propio conductor. En enero de 1970, cuando su coche se vio rodeado de un grupo de cabezas rapadas a la salida de la discoteca Cranbourne Rooms que acababa de inaugurar en Hatfield, su chofer Neil Boland salió para despejar el camino. A Keith Moon, que no sabía conducir, le dio un ataque de pánico y arrolló, sin querer, a su conductor.

Keith Richards
era demasiado
ruidoso para sus
vecinos...

★★★ **Keith Richards (The Rolling Stones). Mick Jagger lo definió una vez** como 'ruidoso'. A principios de los 80, mientras vivía en un apartamento de Nueva York, Richards recibió tantas quejas de sus vecinos por el volumen al que solía tocar su guitarra y las horas intempestivas a las que practicaba, que hizo lo que debía hacer. Compró todo el edificio y, ya como propietario, los echó a todos.

★★★ **Kiss. Ellos mismos parecieron siempre un cómic por su imagen** y su maquillaje exagerado. Cuando la editorial Marvel lanzó en 1977 el primer número de una serie de libros de cómic con Kiss como protagonistas, pensaron en una campaña de promoción llamativa para impulsar las ventas: sacarles sangre a los cuatro miembros del grupo y mezclarla con la tinta roja usada en la primera edición. Para darle credibilidad a su truco publicitario, un notario controló y certificó todo el proceso. Según el acta levantada, la sangre fue extraída el 21 de febrero de 1977 en el Coliseo Nassau de Nueva York y, tras ser conservada refrigerada, fue llevada a la imprenta Borden de Depew, donde se procedió a agregarla a la tinta.

Led Zeppelin no olvidan a la pelirroja Jackie y el pequeño tiburón.

★★★ **Led Zeppelin. Tal vez la historia de excesos más famosa del rock,** el encuentro entre un pequeño ti-burón y una *groupie*, se haya exagerado algo, por cuanto no era tal el pez, ni todo el grupo participó, pero por lo demás es cierto. En 1969, Led Zeppelin se encontraban alojados en el hotel Edgewater Inn de Seattle, famoso entre los grupos de rock porque se podía pescar desde sus ventanas. La legendaria orgía, filmada por Mark Stein (de Vanilla Fudge), y con la presencia del mánager de la gira del grupo, Richard Cole, y el batería del grupo, John Bonham, tuvo como participantes a una pelirroja llamada Jackie, atada a la cama de la habitación por petición propia, y, cómo no, a un pequeño pez que dejó más que satisfecha a la joven.

★★★ **Liam Gallagher (Oasis). Oasis tenían que grabar un especial** en acústico para la cadena de televisión MTV. Liam Gallagher, cabreado, decidió a última hora en los camerinos no subirse al escenario. Su hermano Noel le suplió como cantante. Poco después de empezar, se pudo escuchar claramente cómo Liam comenzaba a in-creparles desde el público.

★★★ **Little Richard. El mismo que solía pasear a una mujer** llamada Fanny en su coche para ver cómo tenía relaciones con peatones desconocidos. El mismo que iba a los servicios de la Estación de Bus de Tailways, en Long Beach, California, para ver orinar a los hombres. Es Little Richard, a quien también le gustaba organizar orgías en su casa para ver cómo se lo montaban otras personas. Eso sí: por la mañana entretenía a sus huéspedes leyén-doles pasajes de la Biblia.

★★★ **Manic Street Preachers. Por lo visto, en el Festival de Glastonbury** del 2001, los galeses habían cam-biado mucho desde su aparición una década antes con sus incendiarios eslóganes. En esta ocasión, asqueados de los servicios de los festivales, se llevaron sus propios retretes portátiles a la parte de atrás del escenario y allí escribieron de su propio puño y letra un cartel que decía: «Estas instalaciones son para el uso exclusivo de Manic Street Preachers. Por favor, respétenlo». Las críticas arreciaron, como cabía esperar, y el bajista Nicky Wire no pudo reprimirse ante las palabras de desaprobación de, entre otros, Billy Bragg, llamándole «gilipollas metomentodo» en un descarado intento de desviar la atención.

★★★ **Marilyn Manson. En un concierto en Michigan** el 30 de julio de 2001, Marilyn Manson se dedicó a frotar su 'paquete' sobre la cabeza y el cuello de uno de los guardias de seguridad, Joshua Keasler. Este veterano del Ejército lo demandó. Manson, que ya había sido juzgado por hechos similares un año antes, no se opuso a los cargos de agresión, asalto y conducta escandalosa. Fue multado con 4.000 dólares. «¡Es una victoria del arte!», proclamó el cantante a la salida de los juzgados.

★★★ **Michael Jackson. En el 2001, para promocionar la edición de *HIStory*,** un disco de grandes éxitos y canciones nuevas que había que intentar vender por todos los medios, Michael Jackson hizo construir un buen montón de estatuas réplica de su persona, con 14 metros de altura y de estilo estalinista, que fueron soltadas en las principales vías fluviales del mundo. La campaña de promoción supuso un desembolso de 30 millones de dólares. Un simpático rumor se extendió poco después: las estatuas habían sido liberadas y se las podía ver flotando por los océanos, manteniendo a raya a los peligrosos monstruos marinos.

★★★ **Michael Jackson. Cuando el vídeo de *Thriller* salió a la luz,** con sus imágenes de zombis, Michael Jackson aseguró que no tenía creencias ocultas. Sin embargo, en el 2000 participó en un ritual de vudú en Suiza organizado por un doctor llamado Baba, en el que se podía intervenir tras pagar 150.000 dólares y que comprendía, entre otros, el sacrificio de 42 vacas. La intención de Jackson era eliminar a varios personajes sagrados de la industria del entretenimiento, que se suponía morirían en una semana, como David Geffen o Steven Spielberg. A este último se la tenía jurada desde que el director le retiró la oferta para protagonizar su versión cinematográfica de "Peter Pan".

★★★ **Neil Young. Después de obtener unos decentes** beneficios con los éxitos de Crosby, Stills, Nash & Young, Neil Young decidió invertir su dinero en un sistema de sonido experimental. Para mostrar sus bondades, se llevó a su colega Graham Nash remando hasta el medio de un lago. Allí levantó sus brazos. Una de sus canciones sonó a todo volumen desde gigantescos altavoces colocados en una casa y un granero situados a ambas orillas del lago. Young no quedó completamente satisfecho con el resultado. Remó apresuradamente hacia una de las orillas y le gritó a uno de sus técnicos: «¡Más granero!»

★★★ **Ozzy Osbourne. El guitarrista de Ozzy Osbourne,** Randy Rhoads, y el conductor del autobús de su gira de 1982 -y también piloto- Andrew Aycock pensaron que sería una buena idea birlar una avioneta de un aeródromo cercano, con la intención de molestar con el ruido del aeroplano a los músicos de la gira mientras dormían en el bus. No todo fue como tenían planeado: el avión chocó con el bus, golpeó en un árbol y se estrelló contra una casa, matando a sus dos ocupantes. Después se descubrió que el piloto tenía restos de cocaína en su sangre y que ya había provocado otro accidente de avión anteriormente, hiriendo de gravedad a varios de sus pasajeros.

★★★ **Paul McCartney. Qué fue lo que le empujó a grabar aquella canción** y vestirse como un oso de dibujos animados para la portada es todo un misterio. Pero ahí está, McCartney cantando *We All Stand Together* (Todos estamos juntos) junto al 'famoso' oso Rupert y un coro de anfibios animados en la mayor deshonra del legado de The Beatles tras el capítulo protagonizado por Mark Chapman.

Paul McCartney, muy unido al oso Rupert.

★★★ **Paul Simon. El primer *single* editado por Paul Simon** tras la separación de Simon & Garfunkel fue *Mother & Child Reunion* (La reunión de la madre y el hijo). Como siempre, su esquivo texto se prestó a múltiples interpretaciones, aunque ninguna como la verdadera. En una entrevista con la revista "Rolling Stone" en 1972, Simon reconoció que el título lo había sacado del menú de un restaurante chino de Nueva York al que acudía con frecuencia, concretamente Say Eng Look, y en el que se ofertaba un plato llamado así porque estaba compuesto por pollo y huevos.

★★★ **Peter Criss (Kiss). Al batería de Kiss** las cosas a mediados de los 80 no le iban demasiado bien. Su participación en la película para televisión *Kiss Meet The Phantom Of The Park* (Kiss se encuentran al fantasma del parque) tuvo que ser doblada enteramente por otra persona porque él no conseguía memorizar ni una sola de sus líneas. Más relevancia tuvo cuando le disparó a un árbol de Navidad. Tras ser interrogado, reconoció que se había irritado porque su mujer no le había dejado colocar la estrella en lo alto del árbol.

★★★ **Peter Green (Fleetwood Mac). El guitarrista de Fleetwood Mac** abrazó la religión en 1970, dejó el grupo y se deshizo de todo su dinero. Años más tarde, Peter Green apareció por la oficina de su antiguo contable con un rifle y un cheque de 30.000 dólares en concepto de derechos de autor que le habían enviado, para devolverlo y exigirles que dejaran de enviarle «el dinero del demonio». Poco después ingresaba en un psiquiátrico.

★★★ **Phil Ochs. Un tanto harto de su papel** como salvaguarda del folk en un mundo que se escoraba inexorablemente hacia el rock, a Phil Ochs le pareció buena idea jugar con instrumentos eléctricos y orquestas. Hasta ahí, todo bien. Pero su siguiente paso fue toda una sobredosis de ironía antes de que el público hubiera asimilado el concepto, así que significó poco menos que un suicidio comercial. Era la portada de su álbum de 1970 *Greatest Hits* y en él se presentaba con un traje de lamé en un intento de combinar «a Elvis Presley con el ideario político del Che Guevara». Tendrían que pasar muchos años hasta que U2 intentasen algo parecido sin salir gravemente tocados. Phil Ochs vivió seis años más, en los que pasó por un estrangulamiento y una dura batalla con la esquizofrenia, hasta que se colgó en la casa de su hermana en 1976.

★★★ **Pink Floyd. A veces, los mayores éxitos comerciales** parten de la necesidad. Y, para ello, hay que intentar vender mucho. El mayor éxito de Pink Floyd, *The Wall*, fue compuesto y lanzado con la intención de recuperarse de las sustanciosas pérdidas que el grupo había sufrido a mediados de los 70 tras invertir imprudentemente en... ¡monopatines!

★★★ **Puff Daddy. El 27 de diciembre de 1999,** Puff Daddy disparó su pistola dentro del Club New York de Manhattan. Después de saltarse varios semáforos en rojo, fue detenido. Su pareja de entonces, Jennifer López, que lo había presenciado todo, salió del coche y, ante los sorprendidos agentes, gritó: «¡Me marcho a casa!». Cuando el rapero se enteró de que probablemente pudiera salir en libertad si alguien reclamaba el arma encontrada, intentó convencer a su conductor, Wardell Fenderson, para que dijera que era suya. Ante 50.000 dólares y la promesa de un anillo de diamantes, el conductor aceptó. El problema es que, tras declarar ante la policía, se arrepintió y acabó por descubrir la verdad, lo que no hizo más que empeorar las cosas para Puff Daddy.

★★★ **Queen. Entre las tropelías cometidas por el grupo,** destaca especialmente la canción *Radio Ga Ga*. Por si su infantil estribillo no hiciera concebir demasiadas esperanzas (*Radio gu gu, radio ga ga*) lo remataron con un vídeo que mezclaba secuencias copiadas de la película *Metrópolis* de Fritz Lang con un presuntuoso concepto dictatorial. Aquel montaje recordaba más a las películas que Leni Riefenstahl había rodado en los años 30 para el régimen nazi que a cualquier otra cosa. O sea, que el grupo consiguió dejar bien claro la suerte que tuvimos de que Freddie Mercury no se propusiera entrar en política.

★★★ **Rick James. El pionero del funk** Rick James fue acusado de secuestrar a una mujer durante días en su casa. Según alegó en su defensa, creía que la mujer había robado drogas en una de las fiestas que había organizado. Y decidió tomarse la justicia por su cuenta, claro.

★★★ **Roddy Frame (Aztec Camera). Tras editar su primer álbum** con una independiente, *High Land, Hard Rain*, varias multinacionales rondaban a Roddy Frame para que su grupo Aztec Camera firmara con ellos para sus siguientes grabaciones. Al final, Warner se hizo con el contrato, a cambio de, entre otras cosas, una Harley-Davidson y todos los discos editados con anterioridad por Neil Young, álbumes que Roddy Frame enterró personalmente en el jardín de su casa.

★★★ **Screamin' Jay Hawkins. El pionero del rock,** quien, supuestamente, tuvo 75 hijos de docenas de mujeres diferentes, grabó su mayor éxito, *I Put A Spell On You*, tan sumamente ebrio que todo rastro de la sesión desapareció de su cabeza. Al escuchar el resultado, no pudo aceptar que fuera el responsable de los demoníacos gritos que se escuchaban. Para probarlo, le enseñaron unas fotografías de la grabación. Screamin' Jay Hawkins enloqueció de ira y prendió fuego a la copia del *single* que tenía delante de sus narices.

A Roddy Frame, de Aztec Camera, le gusta enterrar personalmente los discos de su ídolo Neil Young en su jardín.

★★★ **Serge Gainsbourg. El *crooner* francés,** a quien no le importaban las polémicas, sino más bien todo lo contrario, editó en 1984 el disco *Lemon Incest* (Incesto de limón), con la participación de su hija Charlotte, y apareció en el vídeo semidesnudo al lado de ella. A pesar de conocerlo bastante bien a esas alturas, toda Francia se escandalizó una vez más. No era todo: en la película *Charlotte Forever* (Charlotte para siempre), dirigida por el propio Serge Gainsbourg, ambos compartían cama durante buena parte del film.

★★★ **Sex Pistols. Al final de su actuación de 1978 en San Francisco,** que resultaría ser la última

Freddie Mercury:
"Radio gu gu,
radio ga ga".

de su existencia, su cantante Johnny Rotten gritó como si en ello le fuera la vida la letra de la última canción de la noche, *No Fun* (No es divertido). A continuación, dejó caer una de esas sonrisas de completa satisfacción y soltó su sentencia definitiva: «¿Alguna vez habéis sentido que os han engañado? ¡Buenas noches!»

★★★ **Slash (Guns N' Roses). En lo más alto de su carrera,** las borracheras del guitarrista Slash eran moneda corriente, tanto que sus compañeros le ponían una nota en el bolsillo antes de empezar las juergas: «Si encuentran a esta persona, por favor llamen al número X». Así podían tenerlo siempre localizado. En una ocasión, se pasó horas tirado en el ascensor del Hotel Hyatt de Los Ángeles, subiendo y bajando por las distintas plantas hasta que un alma caritativa corrió a marcar aquel número de teléfono.

★★★ **Skipe Spence (Moby Grape). Cuando el lunático,** maniático y adicto a las drogas Skipe Spence, guitarrista de Moby Grape y anteriormente batería con Jefferson Airplane, inició una relación con una nueva novia, se adentró en el mundo de la magia negra. Bajo su influencia, se volvió loco en un hotel de Nueva York y le dio por buscar a su compañero en el grupo Don Stevenson. Al no encontrarlo, cogió un taxi hacia el estudio en el que éste estaba trabajando, vestido con su pijama y con un hacha por toda compañía. Fue arrestado antes de llegar a utilizarla. Pasó seis meses en un hospital psiquiátrico. Al salir, regaló sus escasas posesiones al resto de internos, contactó con su discográfica y les pidió que le consiguiesen una guitarra. Compró una moto y se fue directamente al estudio, donde grabó en una semana su disco *Oar* como particular medio de reivindicarse.

★★★ **Steven Tyler (Aerosmith): El líder de Aerosmith convenció** a los padres de una de sus novias, que entonces contaba con 14 años, para que lo nombraran su 'guardián legal', de forma que pudiera acompañarlo de gira sin problemas con las autoridades. Steven Tyler no fue el único. Ted Nugent, el héroe de la guitarra *heavy*, tuvo que ingeniárselas para que su relación con una menor no fuese motivo de escándalo. La solución: firmar como su tutor y todo arreglado. Sin más.

★★★ **Swans. Ya casi no hay posibilidad** de intentar un montaje publicitario novedoso. Y, si no, que se lo digan a los componentes del grupo de Los Ángeles Swans, que tuvieron que devanarse los sesos para acabar creando polémica al subastar partes de sus cuerpos. Y si las críticas eran negativas, su original respuesta consistía en enviar semen a los autores de los comentarios.

★★★ **Syd Barrett (Pink Floyd). El genio de los primeros Pink Floyd,** el hombre desquiciado por las drogas al mismo tiempo, compuso en su momento una canción titulada *Have You Got It Yet?* (¿Lo has pillado ya?), una de las últimas que llevó al resto del grupo. Syd Barrett tocó la canción muchas veces para Roger Waters, cada vez de forma diferente. Waters no era capaz de seguirle, así que Barrett le preguntaba una y otra vez «¿Lo has pillado ya?».

★★★ **The Beach Boys. Nunca las relaciones** entre los integrantes de los Beach Boys fueron muy cordiales, que se diga, pero se supone que también hay un límite. Dennis Wilson seguramente decidió pasárselo por alto el día que se casó con la hija adolescente e ilegítima de Mike Love sólo para fastidiarle. Más o menos como cuando Mick Jagger, para enojar a su compañero en The Rolling Stones Brian Jones, sedujo a Pat Andrews, la madre del segundo hijo ilegítimo del guitarrista.

★★★ **The Cure. De nuevo, la inspiración surge** en un lugar insospechado, espoleada por el alcohol en este caso. Cuando The Cure estaba grabando su primer disco, *Three Imaginary Boys*, Robert Smith estaba demasiado borracho como para componer nuevos textos, así que optó por leer la oferta especial de un utensilio para hacer tartas heladas que aparecía en un paquete de azúcar y tituló aquella canción *So What?* (¿Y qué?). Probablemente para justificarse incluyó, a mayores, una línea en la que decía: «Este texto no debería estar aquí, pero, ¿y qué? Nadie ha ocupado tu lugar».

★★★ **The Rolling Stones. Casi parece imposible** que en 1963 hubiera algún anuncio en la naciente Televisión Española, pero así era. Mucho menos que un grupo pop fuese el encargado de aparecer en él. En las Islas Británicas ya se las gastaban de otra forma. Y The Rolling Stones se adelantaron muchos, muchos años, al debate de si los grupos de rock deberían de servir de soporte a los anuncios publicitarios. En 1963, nada más empezar, The Rolling Stones ya estaban anunciando los copos de maíz para la marca Kelloggs. Desde el principio supieron muy bien cómo llevar sus negocios.

★★★ **Topper Headon (The Clash). El antiguo batería de The Clash** no pasaba por un buen momento económico a causa de sus adicciones. Así que, un buen día, se presentó en una tienda de discos de segunda mano de Londres con la intención de vender unos cuantos discos de oro de los que le habían concedido al grupo. El dependiente trató de convencerlo de que se lo pensara mejor. «No te preocupes», le dijo. «Éstos sólo son los discos de oro europeos. Los que de verdad me interesan son los británicos. Ésos son los importantes.» Una semana más tarde se presentó de nuevo con los discos de oro británicos bajo el brazo.

★★★ **U2. En una de las primeras actuaciones** del grupo irlandés, dos chicas bailaban animadamente en la primera fila. Bono, en un intento de aproximarse a sus seguidores, agarró el micrófono, se lo puso delante de la cara de una de las chicas y le preguntó «¿Cuál es tu nombre?». «¡Qué te jodan, imbécil!», fue la respuesta. «¡Continúa con tu dolorida música! ¿Quién te crees que eres, David Bowie?»

★★★ **U2. Pocas veces hay tanta unanimidad:** *Rattle And Hum* no es, precisamente, el mejor disco de los irlandeses. Además, se empeñaron en grabar un documental sobre el álbum y la gira que le siguió. Entre los momentos cumbre de aquella película, aparecen U2 en excursión a la morada de Elvis Presley, U2 mirando con cara de estar fuera de lugar a algunos negros en Harlem y U2 dando un concierto en una terraza con el eslogan más patético del rock: «El *rock'-n'roll* corta el tráfico».

★★★ **Van Halen. En los contratos que solían hacer firmar** a los promotores de sus conciertos se incluía una cláusula en la que, además de otras curiosas peticiones para sus camerinos, Van Halen pedían una bandeja de chocolatinas M&M de la que, previamente, se retirarían las de color marrón. Si se incumplía alguna de las cláusulas, el concierto no se celebraría y el grupo tendría derecho a cobrar completo su caché. El dato apareció en la prensa después de que su cantante, David Lee Roth, destrozara un auditorio en Pueblo, Colorado, causando desperfectos por valor de 85.000 dólares, tras descubrir que había chocolatinas marrones en su camerino. En ese momento, el grupo explicó que no se trataba de un capricho, sino de una forma de saber si los promotores habían leído el contrato con todo detalle y, por lo tanto, cumplido

Bono, de U2, piensa que 'el rock'n'roll corta el tráfico'. De verdad.

con otras disposiciones más importantes, en especial las referentes a los aspectos técnicos y de montaje de sus conciertos. De todas formas, los daños ya estaban causados.

★★★ **Van Morrison. El león de Belfast** no es muy amigo de las versiones hechas por otros de sus temas. En su aparición en 1986 en un festival en Dublín, le tocó salir después de Elvis Costello, quien acababa de versionar *Gloria* de Van Morrison. «Si fuera un pistolero, habría unos cuantos copiones muertos por aquí», fue lo primero que dijo, antes de arrancarse con unas cuantas canciones nuevas y no las que había estado ensayando previamente con su banda.

★★★ **Van Morrison. En otra ocasión,** al ser preguntado qué le parecía la versión de The Waterboys de su *Sweet Thing* se mostró algo más diplomático. «Bueno, no era tan buena como la original, ¿no?» Desde ese momento, si le apetecía tomar algo en un pub irlandés, enviaba antes a un mensajero a comprobar que Mike Scott, líder de The Waterboys, no anduviera por allí.

★★★ **Wyclef Jean. Ya sabemos que las críticas negativas** no gustan mucho a la mayoría de los artistas. Unos se tragan la bilis y otros lo hacen saber, aunque pocos como Wyclef Jean. Al leer un comentario desfavorable del disco *Can-I-Bus* del rapero Canibus, del que Wyclef Jean era productor ejecutivo, se fue directamente a por el autor del texto, el periodista Jesse Washington de la revista "Blaze", y lo amenazó con una pistola. Uno de los acompañantes del músico tuvo la genial idea de tranquilizar al asustado reportero de la siguiente guisa: «Nunca hemos matado a nadie que no se lo hubiera merecido», le aseguró.

MORRISSEY, LA RESPUESTA DE MANCHESTER A LA BOMBA ATÓMICA

El cielo sabe lo desgraciado que soy ahora
(Heaven Knows I'm Miserable Now; The Smiths)

Los Smiths fueron, probablemente, la banda más relevante del pop británico de las dos últimas décadas. Sus canciones llegaron al corazón de gente muy diversa y su influencia se puede rastrear desde entonces en los discos de muchos artistas y, lo que es más importante, en la vida de muchas personas.

★★★ **El guitarrista Johnny Marr** era el genio musical de aquellas recordadas canciones, y su aportación al grupo fue decisiva, imprescindible. Sin embargo, el carisma de Morrissey y su atípica personalidad son los elementos que han marcado la imagen que siempre ha tenido el grupo. Incluso en solitario, sus modales, sus acciones y sus declaraciones han dado siempre mucho más al anodino mundo del rock que los de cualquier otra estrella.

★★★ **Steven Patrick Morrissey** nació el 22 de mayo de 1959. Desde sus primeros años en los suburbios de Manchester se encerró en sí mismo y en los libros. «Despreciaba prácticamente cualquier cosa cuando era un niño», recordaría más adelante, «lo que limitaba ciertamente mis actividades de fin de semana».

★★★ **Cuando tenía siete años,** tres niños del área en la que vivía fueron torturados, asesinados y enterrados en los bosques de la zona por la pareja formada por Ian Brady y Myra Hindley, conocidos como los *Moors Murders* -los Asesinos del Páramo-. Aquel acontecimiento fue, junto con la separación de sus padres, uno de los hechos que más marcarían sus años de formación, tanto que acabó componiendo una canción sobre el tema, *Suffer Little Children* (Sufrid niños).

★★★ **Pasó su adolescencia** con su madre, una bibliotecaria, y estuvo seis años, según sus propias palabras, «sellado en una tinaja de introspección». En esos años desempleado, invirtió sus energías en distintas obsesiones: estudiando la obra de Oscar Wilde, colaborando con distintas publicaciones musicales bajo el apodo de Sheridan Whitehead, escribiendo un libro sobre James Dean y ejerciendo como presidente del club de fans en Inglaterra de The New York Dolls. Sus ídolos estaban muertos o habían sido polémicos, generalmente ambas cosas a la vez.

★★★ **En el 81,** antes de que The Smiths hubiesen publicado aún ningún disco, Morrissey editó una especie de fanzine-libro dedicado al grupo The New York Dolls, decisivo en la historia del rock aunque, en principio, un tanto alejado de lo que serían sus sensibles canciones.

★★★ **Según sus propias palabras,** «The New York Dolls fueron tan importantes para mí como Elvis para el *rock'n'roll*». En 2004,

Steven Patrick Morrissey, 'sellado en una tinaja de introspección'.

tras casi 30 años de inactividad, logró reunir, como encargado de la programación del Festival Meltdown, a los tres miembros supervivientes para una única actuación en Londres que derivó, poco después, en una gira de la legendaria banda.

Morrissey, «todavía no te lo has ganado, cariño».

★★★ **Aunque nunca llegó a grabar** ninguna versión de aquel grupo, en directo cantó *Trash* de The New York Dolls durante la gira de *Kill Uncle*, y *Subway Train*, como introducción a *Suedehead*, en la gira de Morrissey *You're The Quarry*. Durante su carrera, Morrissey, tanto con The Smiths como en solitario, y aunque nunca le gustó demasiado incorporar versiones a su repertorio, grabó versiones de Cilla Black (*Work Is A Four Letter Word*), Hermanís Hermits (*East West*), Elvis Presley (*His Latest Flame*), Twinkle (*Golden Lights*), Bradford (*Skinstorm*), The Jam (*That's Entertainment*), T. Rex (*Cosmic Dancer*), Henry Mancini (*Moonriver*), George Delerue (*Interlude*, junto a Siouxsie Sioux) y James (*What's The World*).

★★★ **En 1983 aparecía el primer *single*** de The Smiths, *Hand In Glove*. Sandie Shaw, la recordada ganadora de Eurovisión por su *Puppets On A String*, grabó poco después, por petición de su admirador Morrissey, tres canciones de los Smiths con ellos como banda de acompañamiento, *Hand In Glove*, *I Don't Owe You Anything* y *Jeane*.

★★★ **De aquellas sesiones data,** también, *Please Help The Cause Against Loneliness* (Por favor, apoya la causa contra la soledad), un tema que Morrissey pretendía incluir en su álbum *Viva Hate*, pero que nunca llegó a editar. A cambio, Sandie Shaw compuso una canción para Morrissey: *Steven, You Don't Eat Meat* –Steven, no comes carne–; nada más apropiado teniendo en cuenta que Morrissey siempre se ha declarado vegetariano y que uno de los álbumes del cuarteto es *Meat Is Murder* (Comer carne es asesinato).

★★★ **Todo comentario siempre es susceptible** de inspirar una canción, pero en el caso de *You Just Haven't Earned It Yet Baby* –Todavía no te lo has ganado, cariño–, una de las canciones de The Smiths, el título se debe al responsable de su sello Rough Trade, Geoff Travis: la frase está tomada directamente del comentario que le hizo a Morrissey cuando éste le comentó que estaba decepcionado con la promoción que la compañía hacía del grupo.

★★★ **Otro de los fragmentos que siempre** ha sido motivo de comentario es el final de *Some Girls Are Bigger Than Others* (Algunas chicas son más grandes que otras), en el que lo que realmente se escucha es a Morrissey entonando el título de una canción de Johnny Tillotson, el autor de *Poetry In Motion: Send Me The Pillow You Dream On* (Envíame la almohada sobre la que sueñas).

★★★ **En *Panic* se encuentra** una de las frases más recordadas de toda la trayectoria de The Smiths, aquella que dice «Cuelga al bendito pinchadiscos, porque la música que pincha sin cesar no me dice nada acerca de mi vida». El destinatario de la misma era el conocido locutor Steve Wright, al que Morrissey había escuchado pinchar la intrascendente *I'm Your Man* del grupo Wham! inmediatamente después de las noticias sobre el accidente nuclear de Chernobyl.

★★★ **Por aquel entonces,** la banda ya tenía una reputación que iba en crecimiento. Curiosamente, y aunque en aquel momento no pasaban de vender más que unos pocos miles de copias de sus discos en España, la actuación más exitosa de The Smiths tuvo lugar en Madrid el 18 de mayo de 1985, concierto que fue emitido por el programa de TVE 2 *La edad de oro*. Según los periódicos del día siguiente, hasta medio millón de personas siguieron su actuación en el Paseo de Camoens de Madrid. Puede que aquella multitudinaria audiencia tuviera más que ver con el hecho de que se trataba de un concierto gratuito dentro de las Fiestas de San Isidro.

★★★ **En España no eran un grupo masivo,** pero sus seguidores en el mundo anglosajón siempre fueron legión, y de los que siguen a su ídolo con una fidelidad más allá de lo normal, convirtiéndolo en un icono más que en una estrella. En 1987, poco antes del final del grupo, un fan tomó una emi-

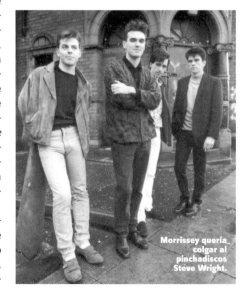

Morrissey quería colgar al pinchadiscos Steve Wright.

En Denver programaron música de The Smiths durante cinco horas a punta de pistola.

sora de radio de Denver a punta de pistola y obligó a programar música de los Smiths durante cinco horas, hasta que la policía se lo llevó.

★★★ **Strangeways Here We Come** sería su último disco. Todas las portadas del grupo, la mayoría con rostros de actores tanto conocidos como anónimos de películas del pasado, habían sido cuidadosamente elegidas. Para este álbum, Morrissey pretendía utilizar una imagen de un joven Harvey Keitel riendo histéricamente, con un cigarrillo en las manos, tomada de la película *¿Quién llama a mi puerta?*, que significó el debut en la realización de Martin Scorsese en 1968. Cuando el sello Rough Trade solicitó su permiso, Harvey Keitel, que desconocía todo absolutamente sobre el grupo, rechazó la propuesta. Su lugar fue ocupado por una fotografía difuminada del actor Richard Davalos, protagonista de *Al Este del Edén* junto a James Dean. Más tarde, cuando Keitel supo de la existencia del grupo y de su relevancia, cambió de idea y permitió que aquella instantánea se emplease como fondo escénico de la gira de Morrissey en 1991 para presentar el disco *Kill Uncle*.

Según Morrissey, los últimos playboys eran David Bowie, Howard Devoto y él.

★★★ **Con sus colaboradores,** Morrissey nunca fue especialmente diplomático. El bajista de los Smiths, Andy Rourke, supo que le habían despedido por una nota que le dejaron en el coche. Otro de los bajistas que acompañaron a Morrissey en solitario, Gary Day, conoció su despido a través de uno de los técnicos que colaboraban en las actuaciones en directo.

★★★ **Gail Colson, el mánager de Morrissey** cuando su primer disco en solitario, *Viva Hate*, llegó al número uno de las listas, tuvo que enfrentarse a medio mundo él solo en aquellos momentos. Al comunicarle la noticia a su representado, Morrissey desapareció y, durante un mes, nadie supo nada de él. Poco después despediría a su mánager, su contable y su abogado el mismo día.

★★★ **Suedehead,** el primer *single* de Morrissey en solitario, y que servía para presentar el álbum *Viva Hate*, contaba con un vídeo filmado en la localidad donde había nacido James Dean, en Indiana. Morrissey siempre había mostrado un interés especial por James Dean, desde que escribiera un libro titulado "James Dean Is Dead (James Dean está muerto)", muy difícil de encontrar hoy en día.

★★★ **La frase «*Will the world end in the daytime* or *will the world end in the nightime*»** («¿Se acabará el mundo de día o de noche?») de *Strecht Out And Wait*, otra canción de The Smiths, está tomada de la película *Rebelde sin causa*, dirigida por Nicholas Ray y protagonizada por James Dean.

★★★ **Otro de los *singles* de Morrissey** en solitario sería *The Last Of The Famous International Playboys* (El último de los famosos playboys internacionales). Según sus palabras, el título hacía referencia a David Bowie, Howard Devoto, del grupo Magazine, y él mismo.

★★★ **Uno de los sueños de Morrissey** se hizo realidad cuando David Bowie, uno de sus héroes, grabó una de sus canciones, *I Know It's Gonna Happen Someday*, para el disco *Black Tie, White Noise*. Tal y como comentó David Bowie en su momento, en aquella versión «Bowie intentaba sonar como Morrissey haciendo de Bowie».

★★★ **Sin embargo, cuando fue invitado** a abrir los conciertos de la gira de Bowie en el 95, todo acabó mal. Según parece, la presión de tocar para salas medio vacías y no poder despedirse de sus fans, ya que Bowie se empecinaba en salir inmediatamente como si se tratase de un único concierto, no le gustó nada. En medio de la gira tiró la toalla y tuvo que ser el mánager de Morrissey el que el

Morrissey, no precisamente diplomático con sus colaboradores.

29 de noviembre de aquel año en Aberdeen, Escocia, comentase a su banda de acompañamiento que no tocarían esa noche, que se había acabado la gira para ellos y que Morrissey se había largado en el bus de la gira, con lo que no tenían sitio en el que dormir ni medio de transporte.

★★★ **Con su personalidad, Morrissey** se presta a todo tipo de elucubraciones. Johny Rogan escribió la biografía no autorizada más celebrada del dúo principal de The Smiths, "Morrissey & Marr: The Severed Alliance" (Morrissey y Marr: La alianza rota). Nada contento con el resultado final, Morrissey comentó que deseaba que el autor muriese «en un choque en cadena en la autopista» y, más tarde, «en un incendio en un hotel».

Sin embargo, cuando tuvo que defenderse ante el juez de la demanda por derechos de autor que interpuso el antiguo batería de los Smiths, Mike Joyce, sacó el libro y le dijo a su antiguo compañero: «¿Ves? ¡En el título de este libro sólo hay dos nombres: Morrissey y Marr!»

★★★ **Aquella demanda, que perdió,** le costó a él y a Johnny Marr más de un millón de libras. El rencor hacia Mike Joyce y el juez, que en la resolución había considerado a Morrissey como «enrevesado, truculento y merecedor de poca confianza», le impulsó a componer *Sorrow Will Come In The End,* una canción con comentarios directos sobre el proceso judicial que no puede ser editada en el Reino Unido para no chocar con las leyes contra la difamación. «Robo legalizado, me deja sin recursos. Me llega directamente a la yugular. De alguna manera no me esperaba más de un tribunal de justicia que no hace uso de la verdad. ABOGADO MENTIROSO. Rezo por el día que sientas dolor. Mentiste y te creyó un juez vil y senil. Pediste y te quejaste. Y crees que has ganado. Pero te llegará el pesar. Un hombre que degolla tiene tiempo. Y TE VOY A COGER. Así que no cierres los ojos. NUNCA CIERRES LOS OJOS. Crees que has ganado. ¡OH, NO!».

★★★ **Después de leer un texto así,** no extraña saber que Morrissey nunca se reprimió al hablar de otros artistas. Su enfrentamiento con Robert Smith, de The Cure, fue siempre notorio, con declaraciones encendidas por ambas partes, siendo la más recordada una de Robert Smith: «Si Morrissey dice que no coma carne, entonces comeré carne, porque odio a Morrissey».

★★★ **Y, cómo no, es en las entrevistas** donde Morrissey no suele dejar a los medios sin titulares. Aquella ocasión en que le preguntaron qué pondría él en el texto de *Reasons To Be Cheerful (Part III)* (Razones para estar contento, parte III), canción grabada por Ian Dury, si la hubiera compuesto, Morrissey contestó: «Creo que hubiera sido un instrumental». Y el día que le preguntaron cómo querría ser recordado, Morrissey respondió sin la más mínima vacilación: «Como la respuesta de Manchester a la bomba atómica».

¿Cuáles son las razones de Morrissey para estar contento?

FANS OBSESIVOS: TODO POR LA FAMA

Seré tu espejo
(I´ll Be Your Mirror; The Velvet Underground)

★★★

Tal y como están las cosas, parece que uno no es famoso hasta que no se encuentra a alguien merodeando en su cocina. Le llaman erotomanía o, de una forma más científica, el síndrome de Clerambaut, que se define como aquel desorden paranoico que hace creer a alguien errónea-mente que otra persona, generalmente de un nivel social o laboral más alto, está enamorado de ella.

★★★ **No hay más que escuchar la razón que alegaba el seguidor de Madonna,** el vagabundo Robert Dewey Hoskins, quien, además de enviarle cartas y llamarla a todas horas para decirle que la quería, entró tres veces en su casa y amenazó con cortarle la garganta «de oreja a oreja» si no le dejaban estar con «su esposa».

En el último intento, un guardia de seguridad le disparó. «¡Ella lo empezó todo!», fue su explicación. Ya en prisión escribió en su celda cuál era su principal ocupación: «EL ACOSADOR DE MADONNA».

★★★ **Muchos lo han sufrido** y nadie quisiera pasar por ello. Los fans realmente obsesionados -y desqui-ciados- con sus ídolos suelen dar más de un quebra-dero de cabeza; sólo cabe acobardarse, esperar que escampe, contratar un buen número de guardaespal-das y protección para el hogar o plantarles cara.

★★★ **Evidentemente, el más famoso de todos estos fans** desquiciados es Mark David Chapman, el asesino de **John Lennon,** quien, identificado con el protagonista de "El guardián entre el centeno" y con-vencido de que Lennon era un «vendido», cruzó los Estados Unidos para matarlo a las puertas de su apar-tamento de Nueva York, no sin antes pedirle un au-tógrafo. Más adelante reconoció: «Yo era el Sr. Nadie antes de matar a la persona más famosa del Planeta».

★★★ **George Harrison estuvo a punto** de ser el segundo Beatle asesinado. A finales de diciembre de 1999, un hombre llamado Michael Abram se coló en su casa por la noche y la emprendió a cuchilladas con él y su mujer. La contundente y rápida respuesta de ambos los salvó de una muerte segura. Curiosamente, una semana antes, una australiana llamada Cristin Joyce Keleher, que decía que Harrison era su 'amante', había sido descubierta en su cocina tomándose tran-quilamente una pizza.

Madonna lo empezó todo con Dewey Hoskins.

★★★ **Peor suerte corrió Darrell Abbott,** fundador del grupo Pantera, cuando daba un concierto en Columbus (Ohio) a finales de 2004 con su nueva banda Damageplan. Un fan perturbado llamado Nathan Gale se subió al escenario y empezó a disparar indiscriminadamente contra el grupo y los espectadores de su concierto. El guitarrista murió, así como otras tres personas del público, aunque su hermano batería, Vinnie, también componente de ambas bandas, logró salvarse. Parece ser que el asesino lo acusaba de ser el causante de la separación del grupo de *trash-metal* Pantera.

★★★ **No se trata de un fenómeno reciente.** ¿Quién no recuerda las imágenes de The Beatles perseguidos por miles de fans enloquecidas? **The Monkees** lo vivieron también: a finales de los 60 estuvieron retenidos en un hotel de Londres unos cuantos días por temor a los fans que los esperaban fuera.

★★★ **Bob Dylan tuvo varios seguidores** de los que van más allá de lo razonable. El más famoso fue Alan Jules Weberman, un estudiante que creó el Frente de Liberación de Dylan con el delirante objetivo de «liberarlo de sí mismo». Empezó a merodear alrededor de su casa en Nueva York y acabó inspeccionando su basura. En una ocasión se llevó una bolsa con pañales de sus bebés, un borrador de una carta a Johnny Cash y letras desechadas para un futuro disco. No se le ocurrió nada mejor que publicar un libro en el que interpretaba a Bob Dylan a través de la lectura en clave de su basura. Un buen día se encontró con que su ídolo, más que harto, lo había seguido hasta una tienda cercana y allí comenzó a pegarle hasta que fueron separados.

★★★ **Uno de los casos más curiosos** es el de una mujer que cavó un agujero a las puertas de la casa de **Cliff Richard** en Surrey y vivió allí durante tres años. Otra mujer, ciega en este caso, llamada Kathy Darnell, persiguió a **Elton John** durante años hasta que la persona que la llevaba de un lado a otro en su persecución le dijo que ya estaba harto: era su marido y acabó pidiendo el divorcio, cansado de tal obsesión.

★★★ **Ian Anderson, de Jethro Tull, actuó durante mucho tiempo** con un chaleco antibalas. La policía había intentado detener en varias ocasiones a alguien que amenazaba con pegarle un tiro, pero aún no lo habían conseguido y él no se fiaba. Desde que se lo quitó, no ha vuelto a saber nada de él.

★★★ **Por su parte, a una tal Ruth Marie Torres** le dio por acosar a **Adam Ant**. Empezó dándoles comida a sus perros en la que metía cuchillas de afeitar para, después, entrar en su casa y decirle que le había estado vigilando mucho tiempo. No era suficiente: le comentó a uno de sus amigos que le advirtiera que, o se casaba con ella, o iba a castrarlo.

★★★ **Adam Ant no pudo soportar la persecución** y empezó a perder su salud mental, hasta el punto de que acabó acudiendo aterrorizado a un centro médico con un gran fajo de billetes implorándoles que lo admitieran o, si no, se suicidaría. Nunca se recuperó y aún hoy sigue siendo noticia por sus visitas a los centros psiquiátricos.

★★★ **Al menos vivió para contarlo,** y no como la que dieron en llamar la 'Madonna mexicana', **Selena**, que murió asesinada por la presidenta de su club de fans, una seguidora verdaderamente obsesionada con ella, a la que llegó a conocer muy de cerca. Tras montar una tienda dedicada en exclusiva a su ídolo, respondió a las acusaciones de malversación pegándole un tiro.

★★★ **Björk ha pasado por esta experiencia** en, al menos, dos ocasiones. El primero, Ricardo López, no pudo aguantar que la islandesa saliera con Goldie y se suicidó mientras lo filmaba todo; en la misma cinta, la policía encontró la explicación de cómo había preparado una bomba que le acababa de enviar por correo. Por suerte, un empleado de Correos la descubrió a tiempo. «Soy el ángel de la muerte para ella», aseguraba en el vídeo. El segundo, algo más inofensivo, tras enviarle mensajes amenazantes durante meses, entró por la fuerza en la casa de su madre.

★★★ **Olivia Newton-John también los ha tenido a pares,** al menos los más peligrosos. Al primero, el granjero Ralph Nau, ya le había dado por acosar a Cher o Sheena Easton, antes de decantarse por la protagonista de *Grease*. Para empezar, se marchó a Australia a verla y

Si no llegas hasta Björk, entra en la casa de su madre.

Olivia Newton-John, responsable de unos cadáveres.

Janet Jackson,
acosada por el
'próximo
Presidente de
América'.

allí, tal y como se descubrió después, asesinó a una persona. Más tarde, en uno de sus conciertos subió al escenario para llegar hasta ella, aunque fue retenido a tiempo y expulsado del recinto; acto seguido, el granjero mató a su propio hermano.

★★★ **El segundo, Michael Perry,** fue expulsado de California después de perseguirla durante meses, obsesionado con que la cantante era la responsable de los cadáveres que, aseguraba, estaban en su casa. Al volver a su hogar en Louisiana, mató a sus padres, dos primos y un sobrino y, sí, consiguió sembrar su casa de cadáveres.

★★★ **Kim Wilde sufrió el acoso durante seis años** de un hombre que se hacía llamar Drácula y al que ya conocían bastante bien Cher, Sheena Easton y Olivia Newton-John, con lo que la casualidad parecía marcar un patrón de acosador interesado en una cierta clase de estrella femenina.

★★★ **Otro que estuvo cerca de un fatal accidente** fue el cantante de country **Billy Ray Cyrus**, al que una seguidora le tiró

Bono recibe letras de sus canciones en bolsas de plástico.

gasolina por todo el cuerpo e intentó prenderle fuego en el mismo escenario durante una de sus actuaciones, aunque la policía consiguió reducirla en el último segundo. A **Norman Cook** lo perseguía una señora de 65 años más inofensiva que aseguraba ser el auténtico Fatboy Slim.

★★★ **Cuanta más fama,** más posibilidad de verse hostigado. En la mansión de **Michael Jackson** se coló hasta ocho veces una mujer de 41 años llamada Levon Muhammed antes de ser detenida. En la última, llegó hasta la cocina, se preparó un bocadillo y declaró, mientras la detenían, que era su mujer y la madre de sus cuatro inexistentes niños.

★★★ **Janet Jackson también tuvo su corte de acosadores.** Consiguió una orden de alejamiento para un tal Ronald Benjamin Singleton, que se hacía llamar el «próximo Presidente de América», y otra para Robert Gardner, quien aseguraba que tenía unos «asuntos de negocios y personales» con ella que prefería reservarse. También obtuvo sendas condenas a prisión para Frank Paul Jones, que le enviaba cartas amenazadoras, y para Jay Thomas Myers, quien había escrito al Presidente Clinton reconociendo que Janet Jackson era su «captura».

★★★ **Pero el más decidido fue Eric Leon Christian**, quien, después de haber sido condenado por amenazar a la hermana de Michael Jackson unas 90 veces, llegó a demandarla por haber arruinado su reputación y haber acabado con cualquier oportunidad de tener una carrera como músico.

★★★ **Whitney Houston también vivió algo similar.** Primero consiguió una orden de alejamiento para Steve Marrito, un carpintero blanco que, aseguraba, era «su hermano del alma». Más tarde, consiguió otra para Desiree Weeks, una mujer que pensaba que Houston era su 'madre reencarnada', y a la que enviaba cartas y regalos como pasteles de cuatro pisos, ropa interior, pijamas para su marido y almohadas para la que decía era su hermana -la hija de Houston, Bobbi-.

★★★ **Bono, de U2, tuvo que vérselas** con un irlandés llamado Patrick Harrison que le perseguía pidiendo recompensa económica por más de 100 canciones que, según él, le había proporcionado a la banda, incluyendo la totalidad de uno de sus discos de más éxito, *The Joshua Tree.* En 1989, el tal Harrison manifestó en una entrevista que «la mayoría se las envié en dos cartas largas en 1986, aunque las últimas once se las di a él personalmente en una bolsa de plástico en Arizona». Como no había obtenido respuesta, concluía que sólo había una solución: «Si cojo un arma y lo mato, entonces voy a llamar la atención de todo el mundo».

★★★ **También las dos cantantes de ABBA tuvieron sus problemas** con fans que fueron más allá de lo normal. Agnetha denunció a un admirador con el que había tenido una amistad muy estrecha en el momento en el que éste empezó a acosarla, al negarse a aceptar el fin de la relación. Mientras, Anni-Fri decidió demandar al más perseverante de sus fans, Lennart Kanter, cuando abrió una página web con el nombre de ella y en la que hacía pública su obsesión.

ABBA, obsesiones en la red.

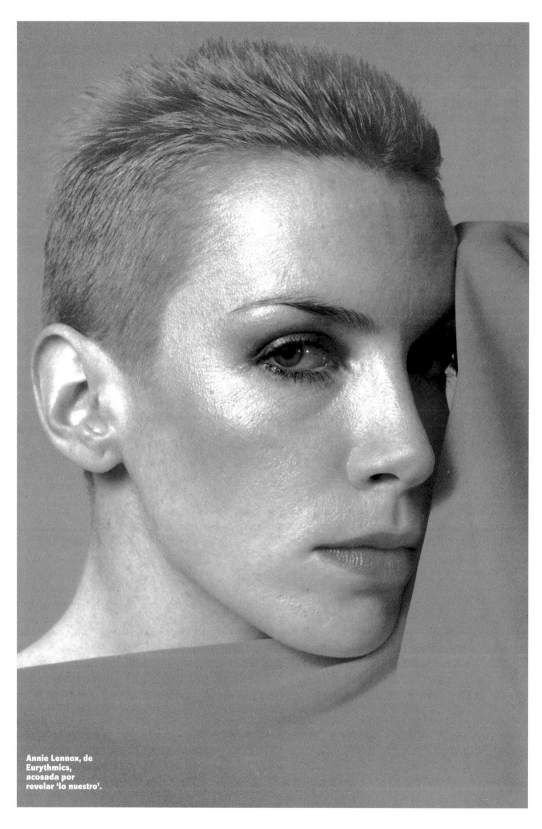

Annie Lennox, de
Eurythmics,
acosada por
revelar 'lo nuestro'.

★★★ **Como no podía ser menos, Courtney Love** también sufrió la persecución de la exmujer de uno de sus novios, Jim Barber, hasta el punto de denunciarla por «contratar a detectives privados para espiarme, acosarme con llamadas sucias y amenazas e intentar matarme con su Volvo». Parece ser que logró esquivar el coche en el último minuto y sólo la hirió en un pie, aunque, según Love, perdió un papel protagonista en una película y tuvo que cancelar una gira.

★★★ **Otros intentan llamar la atención** de forma más original. **Simon Le Bon**, de Duran Duran, se encontró un buen día con una carta de casi un kilómetro escrita en papel de váter por una de sus seguidoras-acosadoras, una estudiante británica llamada Kay Pashley.

★★★ **Paul Young, por su parte,** tuvo que soportar los más de cien mil 'por favor' que una tal Jane Waddington le envió por carta durante seis meses en 1988, algo similar a lo que le había sucedido al actor Michael J. Fox, al que una mujer llamada Tian Ledbetter le había enviado 6.000 cartas durante un año, acompañándolas de cajas con restos de ratas para expresar su enfado por haberse casado.

★★★ **Brian Molko, de Placebo, también tuvo** que aguantar continuas llamadas de un fan que le dejaba mensajes en su contestador en los que le decía cosas como ésta: «Entraré en tu cuarto, cortaré tu pene, me lo meteré en la boca y lo comeré con mis pequeños dientes».

Courtney Love casi acaba debajo de un Volvo.

★★★ **No se lo tomó tan mal,** porque la banda incluyó ese mensaje en el corte oculto que seguía a *Burger Queen*, justo al final de su disco *Without You I'm Nothing*, dejando así en los surcos de un álbum uno de los escasos documentos en los que el resto de los mortales podemos sentir el aliento del acosador en nuestros propios hogares.

★★★ **Entre los miles de cartas que recibió Annie Lennox,** de Eurythmics, hubo una que le preocupó especialmente. En ella, alguien le decía: «En *Thorn In My Side* hablas de mí, zorra. Lo vas a pagar. Has revelado lo nuestro. No quería que se supiese». La policía se hizo cargo del caso, aunque sin resultados concretos.

★★★ **Tanya Donelly, de Throwing Muses, optó** por la acción directa cuando aquel fan que la perseguía le envió una nota tras un concierto en San Diego en la que le decía: «Soy tu marido. No te preocupes. Todo va a ir bien porque voy a cuidar de ti». La respuesta fue clara: «Tengo tu dirección y pagaré a alguien para que te haga daño. Ni se te ocurra pensar que no lo haré». Nunca lo volvió a ver.

★★★ **Otros ven fantasmas donde no los hay,** aunque en ese caso lo normal es que sea el artista quien sufre la paranoia. **Marvin Gaye** pasó gran parte de los comienzos de los 80 convencido de que un asesino le seguía de gira, por lo que se acompañaba de gente que se le parecía para que aparecieran en público y despistaran al asesino. Como veía sombras continuamente en su jardín, instaló un equipo de protección de alta tecnología y situó varias armas en su habitación. Curiosamente, el asesino le era más que conocido y dormía en la habitación de al lado: su padre lo asesinó después de una discusión familiar en 1984.

EL FIN DE UN IDILIO EN UNA CANCIÓN

Las rupturas son difíciles
(Breaking Up Is Hard To Do; Neil Sedaka)

«**S**iempre escribes sobre relaciones de las que no quieres que la gente sepa nada, y tratas de esconderlo en tus palabras. Así que lo dices, pero nadie te descubre.» Neil Young resumió así una vez el dilema de la mayoría de los compositores. Es cierto que, muchas veces, lo que se dice en una canción está tan oculto que incluso la persona sobre la que se escribió no está segura de si es la protagonista. Sin ir más lejos, Marianne Faithfull estaba convencida de que Mick Jagger había escrito *Wild Horses* sobre su relación, hasta que Keith Richards aclaró que la protagonista era, en realidad, su compañera sentimental, la actriz Anita Pallenberg.

Pero lo que Neil Young no dijo es que, por una razón u otra, una buena parte de las intenciones reales al escribir una canción acaban por descubrirse antes o después. Lo que sigue son algunos ejemplos de canciones que acompañan a agrias rupturas sentimentales, y en todas ellas queda claro que, cuando hay un artista del rock por el medio, la perjudicada siempre es la otra persona.

★★★ *Ballad In Plain D*, de Bob Dylan. Varias canciones de Dylan eran producto de sus relaciones, especialmente de la que tuvo con Suze Rotolo, la mujer que le acompaña en la portada de *The Freewheelin'* y a la que salvó la vida cuando intentó suicidarse: *It Ain't Me, Idiot Wind, Don't Think Twice, It's Alright...* En *Ballad In Plain D*, Dylan se enfrenta tanto a Suze como a su hermana, quien lo había echado de su apartamento y que era la persona a la que Dylan culpaba de la ruptura.

★★★ *Bodies*, de Sex Pistols. «Era una chica de Birmingham y acababa de abortar». Así cantaba Johnny Rotten sobre una seguidora acérrima llamada Pauline que había rechazado. La mujer lo acosaba escribiéndole cientos de cartas y los seguía a todas partes con el feto del aborto por el que acababa de pasar metido dentro de una bolsa.

★★★ *Brilliant Disguise*, de Bruce Springsteen. En este caso, el amor es representado como una charada, un juego de luces y sombras en el que los verdaderos sentimientos se esconden. Era la primera vez que se podía intuir que algo no iba bien en el matrimonio que duraba ya un año entre Springsteen y la modelo Julianne Phillips, a la espera de que entrase en su vida Patti Scialfa; estas revelaciones se cerraban hablando de una maldición gitana sobre su boda. Tal vez por ello, ésta es una de esas raras ocasiones en las que, en el vídeo que acompañaba a la canción, el artista aparece en una sola toma interpretando la canción, sin nada ni nadie a su alrededor que distraiga la atención.

Bruce Springsteen y la maldición gitana sobre su boda.

Bob Dylan y Joan Baez, diamantes y moho.

★★★ *Diamonds And Rust*, de Joan Baez. **Tras más de diez años,** Joan Baez se toma una pequeña venganza y habla abiertamente de su relación con Bob Dylan, al que ella había descubierto para el mundo folk y que terminaría menospreciándola en público. En la canción, Joan Baez menciona una llamada de Dylan desde una cabina, después de una década, y acaba diciéndole: «Ahora lo veo claro. Sí, te amé muchísimo. Y si ahora me ofreces diamantes y moho, te diré que ya pagué por ello».

★★★ *Every Breath You Take*, de Police. **Ésta es la canción** que define perfectamente a los acosadores que siguen al acecho, dominando y controlando a sus antiguas parejas una vez rota la relación. La dama que acreditó como su inspiración, su ex Frances Tomelty, llegó a declararse «halagada y horrorizada al mismo tiempo». Curiosamente, la percepción más extendida es que se trata de una canción de amor, y, por lo tanto, es una de las más utilizadas en las ceremonias de boda. Cuando se lo comentaron, Sting respondió: «Pues nada. Buena suerte...»

Sting sentía tan suya esta canción que no permitió que Andy Summers y Stewart Copeland la tocaran lo más mínimo en el estudio; poco después, el grupo se separaba. Años más tarde, Puff Daddy, entonces reconvertido en P. Diddy, logró un éxito mayor con su versión *I'll Be Missing You*, que, en este caso, estaba dedicada al *rapero* asesinado Notorius B.I.G. Según Sting, con los derechos de autor que le proporcionó el éxito de P. Diddy, pagó la educación de sus hijos en uno de los colegios privados más exclusivos de Inglaterra. Sting también hizo otra versión, *Every Bomb You Make* (Cada bomba que fabricas) en alusión a los líderes políticos mundiales, para uno de los episodios de *Spitting Image*, el equivalente británico *de Las noticias del guiñol* de Canal Plus.

★★★ *Go Your Own Way*, de Fleetwood Mac. **Estaba en** *Rumours*, **un disco** que no tiene parangón en la historia del rock, ya que se convirtió en uno de los álbumes más vendidos a pesar de documentar cómo se resquebrajaban los dos matrimonios del grupo. Lindsay Buckingham la compuso como un mensaje a Stevie Nicks en el que declaraba que no había posible reconciliación. Ésta le pidió que sacase la frase que decía «mientras nos separamos, todo lo que quieres hacer es acostarte con otros». Lindsay se negó.

Al mismo tiempo, la pareja formada por John McVie y Christine McVie empezaba a distanciarse, con lo que las sesiones de grabación fueron algo más que tensas. Irónicamente, después de convertirse en tan descomunal éxito, los cuatro siguieron cantándola juntos en varias de esas giras de reunión de la banda.

★★★ *Hearts And Bones*, **de Paul Simon. Muchos detalles de la relación** entre Paul Simon y la actriz Carrie Fisher, más conocida por su papel de la Princesa Leia en *La guerra de las galaxias*, aparecieron en esta canción. «Coges dos cuerpos y los fundes en uno, sus corazones y sus huesos, y no se separarán». Ahí estaría el principio. Tras el divorcio, «vuelven a sus costas de origen». Si Paul Simon es de Nueva York, en la costa Este de los Estados Unidos, Carrie Fisher viene de California, en la costa Oeste, así que no quedaba la menor duda.

★★★ *Here, My Dear*, **de Marvin Gaye. Después de divorciarse de Anna,** la hija de su jefe en el sello Motown, 17 años más joven que él, un acuerdo extrajudicial obligó a Marvin Gaye a cederle los ingresos generados por los derechos de autor de su próximo disco a su ex, hasta completar la cantidad de 600.000 dólares.

Sting deja a sus ex-mujeres halagadas y horrorizadas a la vez.

John Lennon:
¿Cómo duermes,
Paul?

Su carácter testarudo y astuto le hizo responder con una dulce venganza, una obra maestra en forma de disco doble que hablaba de recuerdos amargos, recriminaciones y soliloquios tristes sobre el amor encontrado, perdido y definitivamente destrozado en los tribunales. Anna estuvo considerando seriamente demandarlo por las acusaciones de que no le dejaba ver a su hijo y de que le había mentido a Dios al romper los votos del matrimonio, pero nunca llegó a hacerlo. El disco se vendió tan mal que, cuando Gaye murió doce años después, todavía no le había pagado a su mujer ni la mitad de lo acordado.

★★★ *How Do You Sleep?*, **de John Lennon and The Plastic Ono Band. Por supuesto,** no todas las relaciones amor-odio son heterosexuales. La fricción entre Lennon y McCartney se inició a la muerte de Brian Epstein: McCartney pretendía que su suegro se convirtiera en el nuevo mánager de The Beatles y el resto querían a Keith Allen. Tras su separación, McCartney incluyó un par de frases despectivas a su antiguo compañero en la canción *Too Many People* de su álbum *Ram*. A continuación, Lennon se tomó su venganza con *How Do You Sleep?* (¿Cómo duermes?) del disco *Imagine*, dirigida, por supuesto, a McCartney, al que, tiempo después, definiría como su «relación más antigua y extraña». El retrato no tenía piedad: «Así que *Sgt. Pepper* te cogió por sorpresa. Mejor mira bien a través de esos ojos de madre. Aquellos locos tenían razón cuando decían que estabas muerto. El único error que cometiste estaba en tu cabeza. ¿Cómo duermes? ¿Cómo duermes por las noches? Vives con gente recta que te dicen que tú eras el rey. Si saltas cuando tu mamá te dice algo... Lo único que hiciste fue *Yesterday*».

George Harrison le acompañó a la guitarra en el estudio y parece que Ringo Starr, presente también en las sesiones de grabación, consiguió que Lennon eliminase frases aún más despectivas. McCartney le respondió dos años después con una pieza similar musicalmente, aunque más conciliadora en el texto, *Let Me Roll It*, de su disco *Band On The Run*.

★★★ *I Will Survive*, **de Gloria Gaynor. Gloria Gaynor la grabó** después de un accidente en el escenario que la tuvo en cama con problemas de espalda durante bastante tiempo. En principio, se trataba de un himno de reafirmación de una mujer tras ser abandonada por su pareja. *I Will Survive* fue la cara B del *single* Substitute, ya que el responsable de su discográfica no creía en ella. Gloria Gaynor se dedicó a promocionar *I Will Survive* en lugar de la cara A y los pinchadiscos de todo el mundo ayudaron a convertirla en una de las canciones más reconocibles de la historia. A continuación, se hizo con el Grammy a la mejor Grabación de Música Disco en 1980, en la única ocasión en que se premió esa categoría. Desde entonces, ha sido grabado en 20 idiomas, incluido el español por la propia Gloria Gaynor. También fue el himno oficial de la selección francesa de fútbol en el Mundial de Fútbol de 1998. Desde su reconversión al cristianismo, Gloria Gaynor viene cantando una letra sustancialmente distinta: «Sobreviviré. Él me dio la vida. Al lado del Crucificado puedo seguir adelante. Seré fuerte, ya que mi fuerza para vivir no viene de mí. ¡Sobreviviré!»

★★★ *Mad*, **de Lou Reed. En 1980,** Lou Reed contrajo matrimonio con Sylvia Morales. Tras veinte años, Reed conoce a la cantante Laurie Anderson y se divorcia. No hay muchos datos, pero en su disco *Ecstasy* deja caer algunas pistas del hastío en su relación: «Me vuelves loco. Odio tu silencioso respirar por la noche. Me siento triste cuando pienso en tu forma de ser. Sé que no debería haber metido a otra persona en nuestra cama, pero estaba tan aburrido...»

★★★ *Ms. Jackson*, **de Outkast. No es nada habitual** este tipo de confesiones en el mundo del rap, pero tampoco Outkast es un grupo normal de rap. La canción está dirigida a Kolleen Wright, la madre de Erykah Badu, con la que uno de los dos componentes del grupo, André 3000, había tenido un hijo sin pasar por el altar. Éste opinaba que la madre de Badu estaba propagando una imagen de él como mal padre y que era la responsable de que no pudiera ver a su hijo.

Por si no quedaba claro, al principio del tema dedicaba la canción a «las madres de las madres de los niños». Evidentemente, la señora Wright se dio por aludida desde el primer instante en que la oyó y tuvo que soportar escucharla miles de veces, debido a su éxito, y ver como Outkast la interpretaban en la ceremonia de los Grammy con un montón de niños jugando en lo que simulaba ser un patio de recreo.

**Lou Reed estaba
tan aburrido...**

★★★ *Play With Fire*, **de The Rolling Sto-**
nes. En una de sus primeras grabacio-
nes, contenida en el disco *Out Of Our Heads*,
Mick Jagger rompía con una chica de una clase social más elevada para no caer rendido
ante ella o su estilo de vida. Al mismo tiempo, la avisaba que no jugase con fuego, y ponía como ejemplo a su propia madre, que ya
no frecuentaba los mismos lugares de la alta
sociedad que solía visitar antaño. Evidentemente, Sir Mick Jagger no pudo resistirse a
ninguna de esas tentaciones con el paso del
tiempo. Cuando la grabaron, Mick Jagger y
Keith Richards fueron los únicos del grupo
que tocaron en esta canción, ya que el resto
de los Stones prefirieron irse a dormir. El productor Phil Spector tocó el bajo y un conserje
del estudio que pasaba por allí puso las segundas voces.

★★★ *Positively 4th Street*, **de Bob Dy-**
lan. Parecía que Dylan quería responder
con esta tormenta eléctrica a las acusaciones
de haberse vendido que le echaba en cara la
comunidad folk de la calle 4 de Greenwich
Village, en Nueva York, por haber electrifi-
cado su sonido. La línea central -«Ojalá pu-
dieras ponerte por un minuto en mi piel, y
entonces sabrías la lata que es tener que ver-

Mick Jagger, jugando con fuego.

te»- así lo parecía indicar, aunque Joan Baez, su amante durante un tiempo, sabía a ciencia cierta que ella era la
verdadera diana de aquellos versos. Y para probarlo, nada mejor que *Don't Look Back*, el documental de su gira
del 65 por el Reino Unido en el que Dylan desprecia sistemáticamente a Joan Baez.

★★★ *Rosanna*, **de Toto. El líder de Toto, David Paich,** escribió este éxito para la actriz Rosanna Arquette,
quien por aquel entonces estaba distanciándose del teclista del grupo, Steve Porcaro: «Rosanna, no sabía que bus-
caras más de lo que podía darte». Otra de las canciones del grupo, *A Secret Love*, también habla de esa relación.
Al principio, la aludida no parecía disgustada por el tema, pero, dadas las proporciones que adquirió *Rosanna* y
lo que estaba empezando a airearse de su relación, acabó declarando: «Esa canción es una mierda».

Mientras, encontraba consuelo en los brazos de Peter Gabriel, al que inspiró su *single In Your Eyes* y el disco
Us de 1992, de nuevo basado en la ruptura entre Gabriel y la actriz. En el disco, el cantante le agradece «todo el
amor y la ayuda que no supe reconocer como debería». Rosanna Arquette también aparece en los agradecimientos
del disco *Thriller* de Michael Jackson -en el que intervenía el teclista de Toto, Steve Porcaro-, aunque en el álbum
su nombre aparece incorrectamente como Rosanna Porcaro. Ciertamente, se trata de una dama inspiradora.

★★★ *Sweet Child Of Mine*, **de Guns N' Roses. En algunos casos,** es más recomendable no pasar por la vi-
caría. Erin Everly, hija de Don Everly de los Everly Brothers, era la amiga de la infancia de Axl Rose y su novia de
mucho tiempo atrás. Al casarse en 1990, su relación no llegó más allá de la luna de miel. El resultado de tan
amarga experiencia, transformado en canción, dio lugar al *riff* de guitarra más recordado de Guns N' Roses.

★★★ *The Winner Takes It All*, **de ABBA. Aún aguantaron** casi un par de años juntos, pero aquí se intuía el
principio del fin. Björn Ulvaeus compuso esta canción en plena separación de su mujer y compañera de grupo,
Agnetha, y habla de un divorcio en el que una de las partes no quiere separase y se agarra desesperadamente al
matrimonio. Aunque siempre aseguró que nunca había utilizado alcohol o drogas para escribir las canciones de
ABBA, en este caso excepcional Björn se ventiló una botella de brandy mientras la terminaba. Al poco, sus compañeros Benny y Anni-Frid se separaban también, emulando el caso de Fleetwood Mac, aunque, tras su separación como grupo, nunca han vuelto a cantar juntos. Quien haya visto el vídeo de esta canción seguro que no puede
olvidar la cara de tristeza de Agnetha, sólo comparable a la Sinead O'Connor de *Nothing Compares 2 U* o al Johnny
Cash de *Hurt*. A veces no es posible -o no se quiere- disimular.

★★★ **Till Death Do Us Apart, de Madonna. Era de esperar** que una relación sentimental entre Sean Penn y Madonna no acabase bien. Después de su ruptura, Madonna incluyó este corte en su disco *Like A Prayer*. El comportamiento violento de Penn dio lugar a versos más que honestos y crudos: «Las cicatrices desaparecerán. Hieres tanto con lo que dices. No me quedaré a ver cómo crece tu odio». Sean Penn tampoco esperó.

★★★ **Until The End Of The World, de U2. Como la mayor parte** de *Achtung Baby*, esta canción tiene bastante que ver con la ruptura del matrimonio de The Edge con su mujer Aislin. No obstante, la letra adoptó la forma de una conversación entre Judas Iscariote y Jesús en el otro mundo, en la que daba cuenta de su traición. Nada mejor que un texto rebuscado para ocultar a los auténticos protagonistas.

★★★ **Whatcha Gonna Do About It?, de Sex Pistols. Como siempre, directos.** Tomaron el primer *single* de Small Faces, grabado a las seis semanas de su formación, y le cambiaron una única palabra para que quedase clara su filiación punk y la frágil línea que separa el amor del odio -tal y como decía Ray Davies en *Thin Line Between Love & Hate*-: «Quiero que sepas que TE ODIO, cariño».

★★★ **Where Did You Sleep Last Night, de Nirvana. En el último corte** de *Unplugged In New York*, editado después de su suicidio, Kurt Cobain canta una balada tradicional que había hecho famosa Leadbelly y que habla de un alma condenada a dormir en la fría soledad después de que su amor lo haya abandonado. No es todo: el cantante pasa la noche estremecido pensando en la traición, la desesperación y la muerte. Ni un respiro.

★★★ **You're So Vain, de Carly Simon. Entre otros,** se citó a sementales inagotables como Warren Beatty o Mick Jagger, e incluso a Kris Kristofferson o Cat Stevens -con todos ellos había mantenido relaciones-, como las dianas de esta suave gema envenenada, aunque la creencia más habitual era que se dirigía contra su esposo James Taylor, con el que se había casado un mes antes. En la grabación se pueden escuchar las voces de Mick Jagger y Harry Nilsson. Lo cierto es que su estribillo, «eres tan vanidoso que seguramente creerás que esta canción habla de ti», podría aplicársele al ego desproporcionado de muchas de las personas del mundo del espectáculo que Carly Simon había conocido. La cantante nunca identificó a su destinatario, aunque, en el 2003, organizó una subasta benéfica según la cual quien más pujase conocería la verdad. El responsable del canal televisivo NBC Deportes pagó 50.000 dólares y pudo saberlo, aunque antes tuvo que firmar una cláusula que le impide revelarlo. Sólo se le permitió dar una pista: el nombre contiene la letra E. Por cierto: según una edición americana del Trivial, la canción habla de... ¡Henry Fonda! Se admiten apuestas.

La incógnita de Carly Simon tiene respuestas hasta en el Trivial.

★★★ **Your Pretty Face Is Going To Hell, de The Stooges. La lengua viperina** de Iggy Pop podía ser terrible, reforzando el efecto con la guitarra endemoniada de James Williamson. Si uno pincha este «Voy a enviar tu cara bonita al infierno» después de, pongamos por caso, *Lady In Red* de Chris de Burgh, la sensación es que acaba de caerle encima una bomba atómica. Y, para muchos, una ruptura no dista mucho de esa sensación.

LOS CULTOS PRIVADOS DE LOS ASTROS

No más héroes
(No More Heroes; The Stranglers)

Tomemos a un músico de rock cualquiera. Su motivación principal suele ser, en gran parte, aunque no en todos los casos, su música. Busca decir algo distinto y que deje huella, convertirse en instrumento del cambio, crear un código diferente al que la sociedad ha impuesto.

★★★ **Algunos trabajan dentro de un movimiento** y otros lo hacen sin sustento alguno. Pero todos tienen en común la creencia inquebrantable de que estar en un grupo es algo más que crear acordes y secuencias con textos que encajen. Creen, por así decirlo, en el poder de la música como medio de revolución.

★★★ **Antes o después,** en su camino siempre se cruza la fama. Tanto da si sólo llegan a ser conocidos entre un núcleo reducido, aunque fiel, de incondicionales, como si han vendido millones de discos. La cantidad de seguidores será mucho mayor en el segundo caso, pero el proceso por el que tienen que pasar y sus efectos no dista mucho.

★★★ **Llega entonces el momento de plantearse** la integridad de su arte, de preguntarse cómo enfrentarse a la nueva situación, de dejarse llevar sin más o buscar la salida por otros medios. Al sentir este tipo de contradicciones y presiones, muchos intentan desvincularse de todo lo que la fama y su nueva situación privilegiada acarrean, concentrando sus energías y su pensamiento en seguir, a su vez, otros cultos. En este último caso, el adorado se convierte en adorador. Y de esto hay múltiples ejemplos.

★★★ **Las religiones, digamos, 'convencionales'** son uno de los medios más socorridos para evadirse de este mundo. El ejemplo más evidente lo puso Cat Stevens al convertirse al islamismo y renunciar por completo a su vida en el mundo de la música. Por su parte, Richard Thompson, Eddie Vedder (de Pearl Jam) o Roger McGuinn (de The Byrds) mostraron su interés por el sufismo en algún momento.

Cat Stevens, persona non grata en los EEUU.

★★★ **Gloria Gaynor y el guitarrista de Korn, Brian Head Welch,** se convirtieron en su día al cristianismo, al igual que Donna Summer, quien dijo entonces que «el SIDA es un castigo divino», compartiendo así la teoría oficial de la Iglesia. También se convirtió al cristianismo Bob Dylan, que concibió *Slow Train Coming, Saved* y *Shot Of Love* -para algunos, sus discos menos memorables- bajo el influjo de su recién adoptada fe cristiana, antes de cantar para el Papa en audiencia privada.

★★★ **No es que Fernando Alfaro** (componente de Surfin' Bichos primero y, después, de Chucho) pasara por la misma experiencia, al menos que se sepa, pero hay quien ha interpretado sus textos desde ese curioso punto de vista, tal y como se puede comprobar en la página web de todo un Bachiller en Teología: http://www.arrakis.es/~ruteol/surfin'.htm

★★★ **El budismo, sin ir más lejos,** parece ser el culto que más adeptos gana una vez abandonados los excesos del sexo, drogas y *rock'n'roll*. Los Beastie Boys, Tina Turner, Sandie Shaw, Nacho Cano o Annie Lennox, entre otros, han sido algunos de los abducidos por sus encantos, aunque fue David Bowie, en 1967, el que más cerca estuvo de dejarlo todo por una vida monacal, tras varias semanas en un convento escocés. De haber sido así, el rock hubiera perdido su solista más influyente, según una reciente encuesta. Quien sí vive habitualmente en un monasterio budista es el trovador canadiense Leonard Cohen.

La palabra de Elvis Presley se extiende por los centros comerciales.

©EPE

★★★ **Low se ha convertido en el grupo de mormones** más conocido en la actualidad. La Iglesia de Jesucristo de los Santos de los Últimos Días, como también se les conoce, tiene prohibido el alcohol, el tabaco o la cafeína. Así no es de extrañar que algunos presidentes estadounidenses sólo confíen en los mormones como sus guardaespaldas.

★★★ **Con los testigos de Jehová** han coqueteado Michael Jackson, Peter Green (de Fleetwood Mac) o Andy McCluskey (de OMD). Por su parte, Peret abandonó en su día el negocio de la música para dedicarse en exclusiva a la Iglesia Evangelista Bautista Pentecostal de Filadelfia, convirtiéndose en uno de sus predicadores y su representante más afamado en España.

★★★ **A Boy George, de Culture Club, le dio** en su momento por seguir a los Hare Krishna, al igual que George Harrison, quien fue más lejos, comprándoles una mansión y grabando *Hare Krishna Mantra* en el 69, canción que convirtió en éxito. Sin embargo, John Lennon no los dejó precisamente bien un año más tarde en su canción *I Found Out* (Lo descubrí).

★★★ **Poco tiempo antes, en el 68,** todos los Beatles, junto a Mick Jagger, Donovan, Marianne Faithfull o The Beach Boys habían pasado una temporada en la propiedad del Maharishi Mahesh Yogi en el Himalaya, un gurú que proponía la meditación trascendental a través de su Movimiento de Regeneración Espiritual. Cuando el Maharishi le pidió a los Beatles el 25% de sus ganancias, la relación comenzó a enfriarse. Al marcharse, el gurú les preguntó por qué ya no creían más en él, a lo que Lennon respondió: «Si eres tan jodidamente cósmico, dime tú la respuesta».

★★★ **Dicen que Elvis Presley sigue vivo y,** cuando menos, lo está a través de la Iglesia de Elvis, una comunidad que cree en Elvis como el Mesías y que tiene su propio sacerdocio, ejercido por imitadores que extienden su palabra por los centros comerciales norteamericanos. Entre los defensores de la causa en el rock se encontrarían El Vez, conocido también como el Elvis mexicano, o Dread Zeppelin, que mezclan su imagen con las melodías de Led Zeppelin.

★★★ **Al amparo del líder de Nirvana** nació la Iglesia de Kurt Cobain, que tiene su sede en Portland, Oregón. Su fundador, Jim Dillon, no se cansa de explicar que «Cobain es la luz para la Generación X, un John Lennon de nuestro tiempo. Él ha creado la nación alternativa». No se conocen adeptos en el mundo del rock, aunque su influencia musical ha sido más que perniciosa en Creed, Bush y tantos otros.

★★★ **Louis Farrakhan fundó en su día** la Nación del Islam, una organización que cree que la raza blanca fue creada por un científico demoníaco llamado Jakub. Según su versión, los diablos blancos se escaparon de su control y destruyeron la civilización. Public Enemy, Ice Cube o Dr Dre han mostrado en más de una ocasión su simpatía y respaldo a esta organización.

★★★ **Por su parte, Anton Lavey fundó la Iglesia de Satán,** de la que formaron parte actores como Sammy Davis Jr. o Jayne Mansfield. En el mundo de la música atrajo la atención de The Cramps o Marilyn Manson, quien fue ordenado sacerdote por

The Cramps propagan la palabra de Satán.

Boy George:
«Hare krisna,
krisna hare...»

este culto, aunque no es menos cierto que el influjo demoníaco se puede seguir en la obra de muchos artistas del rock.

★★★ **Sin ir más lejos, algunos artistas** colocaron mensajes supuestamente demoníacos en sus discos, siempre que se reprodujeran hacia atrás. Según estas versiones, Robert Plant dice «*There is power in Satan*» («El poder está en Satán») y otras lindezas por el estilo en la cita más conocida, que se encontraría en la canción más emblemática de Led Zeppelin, *Starway To Heaven*. Otros artistas que, supuestamente, introdujeron este tipo de mensajes sin hacerlo de forma consciente, al menos sin haberlo reconocido públicamente, serían The Beatles, Queen, The Eagles, John Lennon, Eminem, Michael Jackson, AC/DC...

Jimmy Page, de
Led Zeppelin, y
sus asistentes
privados para
dedicarse
exclusivamente a
seguir la figura
de Aleister
Crowley.

★★★ **Aunque también hay quien se lo tomó un tanto a broma,** como Pink Floyd, quienes colocaron en la canción *Empty Spaces* del disco *The Wall* el siguiente mensaje, siempre que se pinchase el disco en la dirección contraria a la habitual: «Congratulations, you just found the secret message. Please send your answer to old Pink care of the funny farm, Chalfont» («Enhorabuena, acabas de encontrar el mensaje secreto. Por favor, envía tu respuesta a la vieja Rosa a cargo de la granja divertida, Chalfont»).

★★★ **Frank Zappa hizo lo propio** en *Ya Hozna*, aunque el texto lo recitó su hija Moon: «Yeah, right. Faster, faster. Go. Do it, do it. Right. Yeeeeeeah. I'm feelin' good. I'm lookin' great. Yeah, for sure. Like, no waayyyy» («Sí, así. Más rápido, más rápido. Vamos. Hazlo, hazlo. Así. Síííí. Me siento bien. Me sienta bien. Sí, seguro. ¡Es increíble!»). También la Electric Light Orchestra incluyeron en *Fire On*

Frank Zappa compone para su hija.

High del álbum *Face The Music* un mensaje oculto: «The music is reversible, but time... Turn back!» («La música es reversible, pero el tiempo... ¡Dale la vuelta!»).

★★★ **Pero para la mayoría** sus inquietudes espirituales iban mucho más en serio. Pete Townshend, el guitarrista de The Who, cayó bajo la influencia de Meher Baba, que se proclamaba la última encarnación de Dios. Townshend utilizó sus influencias para situarlo en la portada de la revista "Rolling Stone" y le financió y produjo un disco.

★★★ **Casi todos los artistas del reggae,** en especial los de los 70, con Bob Marley a la cabeza, han seguido en algún momento la religión rastafari, fundada en Jamaica por la fusión del Viejo Testamento cristiano y el nacionalismo negro de Marcus Garvey, con la creencia de que el dictador etíope Haile Selassie era la encarnación de Jah (o Dios). Sinead O'Connor se encuentra entre sus más recientes adeptos fuera del mundo del reggae.

★★★ **La cienciología, iniciada por el autor** de ciencia-ficción L. Ron Hubbard, no sólo encuentra fieles entre el mundo cinematográfico sino también en la música, como es el caso de Beck, Lisa Marie Presley, Jermaine Jackson, Isaac Hayes o Van Morrison, quien citó al autor y cabeza visible como inspiración de su disco *Inarticulate Speech Of The Heart*.

★★★ **El escritor Aleister Crowley, 'el hombre vivo más malvado',** según la prensa de la época, escandalizó a todas las generaciones que convivieron con él por su utilización abusiva de la heroína, su atípico comportamiento sexual y su participación en ritos diabólicos. Muchos músicos se han sentido atraídos por su figura, entre ellos The Rolling Stones, The Grateful Dead, David Bowie u Ozzy Osbourne, quien compuso la canción *Mr. Crowley*.

★★★ **Sin embargo, fue Jimmy Page** (de Led Zeppelin) el músico más obsesionado con su figura, tanto que acabó comprando la mansión en la que el autor había vivido a la orilla del Lago Ness y empleó a un asistente para dedicarse exclusivamente a comprar todo tipo de objetos relacionados con el escritor en las subastas.

★★★ **El poeta británico William Blake,** el mismo que legó para la posteridad aquella frase que muchas estrellas del rock siguen al pie de la letra, «el camino del exceso conduce al palacio de la sabiduría», ha sido devorado, entre otros, por Billy Bragg, Damon Albarn (de Blur), Morrissey o Jah Wooble, quien le dedicó todo un álbum, *The Inspiration Of William Blake* (La inspiración de William Blake).

★★★ **William S. Burroughs, el escritor bandera** de la generación *beat*, ha sido, sin duda, el autor que mayor

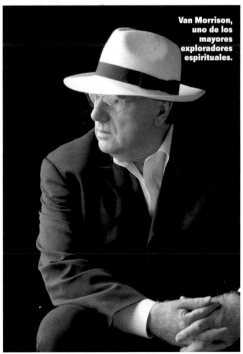

Van Morrison, uno de los mayores exploradores espirituales.

influencia tuvo en el mundo del rock. Tanto Steely Dan como Soft Machine tomaron su nombre de alguna de sus novelas. El propio autor grabó discos de recitados de sus obras con gente como Sonic Youth, John Cale o The Disposable Heroes Of Hiphoprisy.

Billy Bragg sabe muy bien que el camino del exceso conduce al palacio de la sabiduría.

★★★ **También escribió** *The Black Rider* junto a Tom Waits y su voz aparece en discos de artistas tan diversos como Laurie Anderson, The Jesus & Mary Chain, Ministry o Material. Sin embargo, su trabajo discográfico más conocido probablemente sea su grabación de 1993 junto a Kurt Cobain que titularon *The 'Priest' They Called Him* (Le llaman el 'sacerdote').

★★★ **El chamanismo, o creencia en** los métodos practicados por la medicina tradicional, que comprende tomar drogas y viajar por mundos distintos para ganar en conocimiento y poder, algo que recogen como nadie los libros de Carlos Castaneda, ha influido a John Lennon, The Cramps o Jim Morrison, quien creía realmente que su cuerpo había sido poseído a la edad de seis años por un indio.

★★★ **Las civilizaciones antiguas extienden también su influencia** hasta nuestros días. Hacia la civilización egipcia han girado su atención en algún momento, entre otros, Pink Floyd, Elvis Presley, Yes, Michael Jackson, Jean Michel Jarre, Earth, Wind & Fire o The Grateful Dead, quienes en 1978 llevaron todo su equipo a las pirámides de Giza e intentaron usar la Cámara Real para obtener un determinado eco.

★★★ **Otro iluminado es Joseph Cambell,** que cree que todos los mitos, desde los de *La Guerra de las galaxias* hasta las leyendas del Santo Grial, son parte de algo más grande, un monomito que lo comprende todo. Este autor ha escrito abundantemente sobre The Grateful Dead, llegando a la conclusión de que son la encarnación del tribalismo ancestral. Su influencia se ha dejado sentir en Tori Amos o Kate Bush, que llegó a acreditarlo en su disco *The Red Shoes*.

★★★ **Sting se fijó en las enseñanzas del filósofo Jung** para el disco *The Dream Of The Blue Turtles*, y en Arthur Koestler, un crítico liberal del totalitarismo, también interesado en lo oculto, para el álbum *Ghost In The Machine* de su grupo The Police. Mientras, Crispian Mills, de Kula Shaker, bajo no se sabe bien qué coordenadas esotéricas, colocó a un buen montón de gente que empezaba por la letra K en la portada de su debut, titulado, cómo no, *K*.

★★★ **El espacio exterior y, más concretamente, los OVNIs** siempre han sido motivo de especial atención por gente como Frank Black (de los Pixies), The Orb, Foo Fighters o Sun Ra, quien creía realmente que procedía de Saturno. Reg Presley, de The Troggs, compositor del éxito *Love Is All Around*, gastaba todos sus derechos de autor en perseguir OVNIs y figuras misteriosas por los campos. El himno de los interesados en este fenómeno se le puede atribuir a The Carpenters: *Calling Occupants Of Interplanetary Craft* (Llamando a los ocupantes de la nave interplanetaria).

Tori Amos, amiga del tribalismo ancestral y de los monomitos.

★★★ **La experimentación con LSD,** preconizada por el psicólogo Timothy Leary en los 60 cuando aún era legal, y que le costó su puesto de trabajo en la Universidad de Harvard, ha tenido muchos seguidores desde entonces, empezando por grupos contemporáneos al doctor como Jefferson Airplane, The Grateful Dead o The Beatles, de quienes su *Lucy In The Sky With Diamonds* ha quedado para siempre vinculada a esta droga, por mucho que Lennon negara su vinculación.

★★★ **Es curioso el mito que un personaje como Charles Manson,** responsable de la muerte de cuatro personas en casa de Roman Polanski en 1969, entre ellas la mujer embarazada del director de cine, genera en el mundo del rock. El que había sido colega de Neil Young y The Beach Boys ha visto, desde aquel suceso y su ingreso en prisión de por vida, cómo los artistas más insospechados lo citaban.

★★★ **A unos les ha dado por versionar sus canciones,** como Guns N' Roses (*Look At Your Game, Girl*), Redd Kross

(*Cease To Exit*, canción que los Beach Boys plagiaron con el título de *Never Learn To Love*) y The Lemonheads (*Your Home Is Where You're Happy*). Tanto Evan Dando como Axl Rose posaron en algún momento con su rostro impreso en distintas camisetas.

★★★ **Marilyn Manson tomó de él parte de su nombre** para, según sus palabras, «realzar mi faceta perversa», y el grupo Kasabian tomó su alias de una de las acompañantes de Charles Manson en la matanza de Cielo Drive, en concreto Linda Kasabian. Nine Inch Nails grabaron en el lugar de la matanza y Henry Rollins mantuvo abundante correspondencia con Charles Manson en prisión.

★★★ **U2 comentaban al interpretar *Helter Skelter*,** la canción que sirvió de excusa para los asesinatos, entre otras del disco *The White Album* de The Beatles, que su versión la habían recuperado para el *rock'n'roll* de Charles Manson, después de que éste se la hubiera robado al cuarteto de Liverpool. Sonic Youth lo convirtieron en motivo de su *Death Valley 69'...*

U2 en su labor de recuperar clásicos del rock para el bien común.

★★★ **Otros buscan una forma de vida alternativa.** A finales de los sesenta, Frederick Perls aseguraba que las necesidades humanas deben ser satisfechas, porque si no se convierten en neurosis, y que la forma de enfrentarse a ellas pasaba por terapias de grupo, entrenamiento intensivo y catarsis a través de psicodramas. John Lennon y Van Morrison han sido algunos de sus seguidores.

★★★ **El I Ching, también conocido como el antiguo Libro Chino de los Cambios,** es utilizado para prever el futuro. Entre sus adeptos han figurado Marianne Faithfull, quien predijo el ahogamiento del guitarrista de The Rolling Stones Brian Jones, los empleados de la discográfica de The Beatles Apple Records, que lo usaban para fijar las pautas de trabajo diario, o Shaun Ryder (de Happy Mondays), quien lo utilizó para escribir las letras de su disco *Yes Please* -aunque de poco más le sirvió la ayuda: estaba generalmente tan perdido a causa de las drogas que en la mayoría de sus entrevistas comenzaba preguntando al periodista: «¿En qué jodida ciudad estamos?»-.

★★★ **Arthur Janov, el creador de la Terapia del Grito Primal,** una forma de articular el dolor derivado de los abusos infantiles, inspiró todo el contenido del disco de John Lennon *Plastic Ono Band*. Primal Scream, el grupo de Bobby Gillespie, tomaron directamente su nombre de sus enseñanzas, y Tears For Fears le deben el título de su primer álbum, *The Hurting* (El daño) y de sus dos primeros *singles*, *Pale Shelter* (Tenue cobijo) y *Suffer Little Children* (Sufrid niños). Que se sepa, Sinead O'Connor, la defensora más locuaz de la causa de los niños que sufren abusos, nunca lo ha mencionado.

LOS FALSOS MITOS DEL ROCK

Fábulas de la reconstrucción
(Fables Of The Reconstruction; REM)

★★

«**S**i quieres la verdad, lo mejor es que empecemos mintiendo», canta Tom Vek. Y no le falta razón. Todo lo que hemos visto hasta ahora sucedió de verdad, o al menos así nos lo han contado. Hasta que alguien lo desmienta, deberíamos creerlo. Pero la historia del rock tiene también sus leyendas urbanas, sus mitos salvajes, sus historias falsas que se han ido extendiendo como un reguero de pólvora gracias al boca a boca.

Por supuesto, el rock es un terreno abonado para este tipo de leyendas urbanas. Los personajes que se crean algunas estrellas de la música para vender sus discos no los presentan, precisamente, como personas del montón. La gente se cree que hacen cosas anormales. Si se combina esto con la natural propensión humana a fabricar rumores y a añadirles detalles nuevos cada vez, lo lógico es que los falsos mitos se extiendan fácilmente. Nada es dogma de fe y se permite dudar de todo, incluso contando con el desmentido de los afectados.

★★★ **Bob Dylan le robó la canción *Blowin' In The Wind* a un estudiante.** O cómo una mentira acaba convirtiéndose en un bulo de proporciones desorbitadas. Todo comenzó cuando se editó el segundo disco de Bob Dylan, *The Freewheelin' Bob Dylan*, en mayo de 1963, álbum que incluía una canción, *Blowin' In The Wind*, que en la Universidad de Nueva Jersey ya conocían bastante bien.

Allí, un estudiante llamado Lorre Wyatt la venía interpretando en los meses que precedieron a la edición de aquel disco, y él mismo se había encargado de asegurar que había vendido aquella canción, aunque sin especificar a quién. Por lo tanto, la conclusión era evidente: o bien Bob Dylan había sido el comprador, o bien se la había apropiado firmándola como propia. Sin embargo, lo que los compañeros y profesores de Lorre Wyatt en la Universidad no sabían es que este estudiante no les había contado toda la verdad. Por aquel entonces, era cos-

tumbre ceder las canciones, antes incluso de su edición en disco, para que revistas de música folk publicasen su letra y su música. Y eso fue exactamente lo que sucedió: Bob Dylan compuso la canción en abril de 1962 y la grabó tres meses después, publicándose su letra y música en las revistas "Sing Out" y "Broadside" en mayo de 1962.

El estudiante, tal y como reconoció en un artículo publicado en la revista "New Times" en 1974, la tomó de aquellas revistas y, aunque intentó cambiarle la letra, acabó por darse cuenta que el texto de Bob Dylan era inmejorable. Al presentarse para una prueba con uno de los grupos de la Universidad de Nueva Jersey, The Millburnaires, cantó *Blowin' In The Wind* para impresionarlos. Como era de esperar, le obligaron a interpretarla más veces con aquel grupo, aunque él intentaba evitarlo. Cuando una profesora le preguntó por qué se negaba a cantarla, él le comentó que la había vendido por 1.000 dólares y que

Bob Dylan se defiende sólo con su palabra del robo de *Blowin' In The Wind*.

George Harrison, uno
de Los intrusos
enmascarados.

había dado el dinero a una organización benéfica. La conclusión a la que llegaron en aquella Universidad era, evidentemente, la más lógica: Lorre Wyatt era el autor de *Blowin' In The Wind*. Por si fuera poco, la revista *Newsweek* publicó en noviembre de 1963 la historia del estudiante y la canción que Bob Dylan le había robado, y Dylan sólo tenía su palabra para contradecirla y un par de revistas de folk que pocos habían leído.

★★★ **Bob Dylan, Mick Jagger, John Lennon, Paul McCartney y George Harrison grabaron un disco de incógnito como The Masked Marauders (Los intrusos enmascarados).** No se deben creer todas las críticas que se leen. Los Intrusos Enmascarados es uno de los mejores montajes jamás concebidos. Todo se debe al crítico Greil Marcus, quien, después de leer un comentario del primer disco pirata conocido (*Great White Wonder*, con material inédito de Bob Dylan) publicó, en la edición del 18 de octubre de 1969 de la revista "Rolling Stone", con el seudónimo T. M. Christian, una crítica ficticia de otro disco pirata titulado *The Masked Marauders*.

Según aquella crítica, el disco había sido grabado por Bob Dylan, Mick Jagger, John Lennon, Paul McCartney, George Harrison y otros, bajo la producción de Al Kooper, y no podía ser editado con sus propios nombres por problemas contractuales. A pesar de que todo era una gran broma (entre las perlas que supuestamente incluía estaban Paul McCartney cantando *Mammy*, Mick Jagger interpretando *I Can't Get No Nookie* -«No puedo encontrar un escondrijo»- o Bob Dylan imitando a Donovan), mucha gente se lo creyó.

La sorpresa llegó cuando el disco empezó a ser demandado en las tiendas, así que el propio Greil Marcus y su colega Langdon Winner reclutaron a unos músicos de Berkley y grabaron un disco que se ciñese a los datos proporcionados en la crítica. El álbum fue editado por el sello Deity, creado por Warner para la ocasión con el fin de que coincidiera con el que se había mencionado en la revista.

A pesar de que en el libreto interior del disco se decía que aquello era un montaje y que al final del disco una voz dejaba bien claro «esto es una broma», todavía había gente que creía realmente que todas aquellas estrellas del rock habían grabado un disco que pocos conocían, rumor que ha llegado hasta nuestros días. Curiosamente, esta historia tuvo un nuevo giro insospechado cuando, en 1988, dos de los supuestos integrantes de The Masked Marauders, Bob Dylan y George Harrison, montaron un proyecto paralelo, The Traveling Wilburys, junto a Tom Petty, Roy Orbison y Jeff Lyne, grupo con el que grabaron dos discos, aunque en este caso dentro de la industria musical y firmándolos con sus propios nombres.

★★★ **Elvis vive. Puede que el mito más extendido,** incluso con el convencimiento generalizado de que se trata de una pura invención, sea aquel que dice que Elvis está vivo -lo que también se asegura, con pruebas de mayor entidad, de Jim Morrison-. Más que una historia con visos de veracidad, es una necesidad: Elvis Presley puede haber muerto, pero es preciso que continúe merodeando por ahí para mantener viva la llama del *rock'n'roll*.

Por eso mucha gente asegura haber visto al 'Rey del *rock'n'roll*' comprando en la tienda de la esquina, tomándose una hamburguesa en un restaurante o siguiendo un concierto de la última sensación. En este caso, es mejor dejar que cada uno decida lo que quiera creer, aunque, a decir verdad, es una lástima que, de estar por ahí, no siga cantando.

★★★ **Gene Simmons (de Kiss) tiene la lengua de una vaca.** Gene Simmons, bajista y cantante de Kiss, hace alarde siempre que puede de su enorme lengua. Tan larga es, que muchos han creído durante tres décadas que se había sometido a una operación de cirugía en la que a su lengua le habían añadido parte de la lengua de una vaca. El rumor, iniciado por los lectores del cómic que la formación editó con su propio nombre en la portada, ha sido siempre del agrado del aludido, así que cuando Gene Simmons lanzó una revista dirigida al público masculino, el nombre elegido para la misma no pudo ser más obvio: Lengua.

Jim Morrison puede estar vivo y divirtiéndose con Elvis Presley.

Para su desgracia, la historia no puede ser corroborada, en especial si se comparan las dimensiones del apéndice de Simmons con el de una vaca: ahí no hay asimilación posible. Además, aunque hubiera sido posible ese tipo de operación en su momento, las marcas serían perfectamente visibles y Gene Simmons no hubiera tenido tiempo material en sus inicios para operarse y parar toda la maquinaria que su banda movía cuando se estaban dando a conocer.

El propio Simmons se encargó de asegurar en su autobiografía que su lengua tenía más que ver con la Madre Naturaleza: «Fui consciente, ya durante los primeros 13 años de mi vida, que había sido dotado con un apéndice oral largo, mi enorme lengua. Era más grande que la de cualquier otra persona, y pronto descubrí que una lengua así era de bastante utilidad con las chicas».

★★★ **John Denver fue un francotirador del Ejército estadounidense en Vietnam.** No se sabe por qué razón le tocó a John Denver ser la diana de este bulo, aunque se puede pensar en la posibilidad de que alguien tuviera ganas de desacreditar a una figura pública del mundo de la música que tenía una imagen muy distinta -la de un cantante country-folk apreciado por gente de todas las edades- a la que se pretendía dar con esta historia.

La idea de convertirlo en un asesino profesional al servicio del Ejército, justo en el momento en que su carrera estaba en todo lo más alto, parecía haber sido convenientemente premeditada. No sólo se le convertía en un asesino, sino en un asesino en la guerra de Vietnam, de la que un amplio sector de la población estadounidense tenía una imagen negativa en los primeros 70, y, además, en un asesino de los que matan cobardemente amparados en la distancia que los separa de sus víctimas.

A favor de esta historia jugaban dos datos que no se deben olvidar: el padre de John Denver había sido un oficial de alto rango del Ejército norteamericano, en concreto, un teniente coronel que entonces vivía retirado, y John Denver contaba por aquel entonces con la edad requerida para formar parte del Ejército.

Pese a todo, la realidad era muy distinta: aunque lo había intentado, su miopía le había impedido a Denver convertirse en un piloto a sueldo del Ejército; además, en 1964 se le había declarado no apto para intervenir en la guerra de Vietnam por haber perdido un par de dedos del pie en un accidente con un cortacésped años atrás.

★★★ **John Lennon compuso *Lucy In The Sky With Diamonds* en referencia al LSD.** En este caso, poco importa que tanto John Lennon como el resto de The Beatles lo hayan negado una y otra vez: la coincidencia de las iniciales de los tres sustantivos del título *Lucy In The Sky With Diamonds*, del disco *Sgt. Pepper's Lonely Hearts Club Band* de 1967, con los de la droga alucinógena LSD han conseguido que el título haya quedado para siempre inexorablemente ligado a la misma.

Aunque ninguno de los cuatro Beatles reconoció hasta dos semanas después de la edición de aquel disco que consumía LSD, sus seguidores quisieron demostrar desde el primer momento que 'sabían obviamente' que aquello era más que una coincidencia. No podía ser una casualidad; todo el mundo se había enterado del guiño privado de John Lennon. No obstante, hoy casi nadie duda de la explicación de John Lennon. Según él, al llegar a casa un día se encontró con un dibujo de su hijo Julian, de cuatro años, en el que había pintado la cara de una niña con unas estrellas en el cielo. La niña era su compañera de colegio Lucy. Cuando Lennon le preguntó a su hijo qué era aquel dibujo, Julian le contestó: *Lucy In The Sky With Diamonds* (Lucy en el cielo con diamantes). Poca necesidad tenía Lennon de mentir, por cuanto nunca negó que la canción se inspirase en sus 'viajes' con el ácido, pero sí se mantuvo firme en que el título había partido de su hijo. Uno de sus amigos de la infancia, Pete Shotton, asiduo visitante del hogar de Lennon en Liverpool, mantuvo también que él se encontraba en la casa aquel día y que había sucedido exactamente así. Lennon no sólo aseguró que había sido una coincidencia, sino que ofreció una explicación de su origen, la dio en el momento mismo en que el disco se editó, mantuvo la misma explicación el resto de su vida -por ejemplo, en una entrevista con la revista "Rolling Stone" en 1970, en el programa de televisión *The Mike Douglas Show* en 1972 o en una entrevista en "Playboy" en 1980, semanas antes de morir- y su versión fue corroborada por otros. Como nosotros la queramos interpretar ya es otra cuestión.

Las compañeras del hijo de John Lennon parecían no saber lo que era el LSD.

John Denver,
detrás de su
afable apariencia
puede haber un
asesino a sueldo.

★★★ Kate Bush posó desnuda para la revista "Penthouse". Tan pronto como se empezó a comentar que Kate Bush había sido una de las chicas que había aparecido desnuda en la edición internacional -no la estadounidense- de septiembre de 1978 de la revista "Penthouse", aquel número de la publicación para adultos empezó a revalorizarse en los mercadillos y tiendas de segunda mano.

Quienes tuvieron acceso a la misma pudieron tener sus dudas durante un tiempo. Allí aparecía una tal Kate Simmons tal y como vino al mundo. Su pelo y sus ojos tenían el mismo color que los de Kate Bush. Además, la protagonista de la sesión reconocía que estaba trabajando en su primer disco, y el primer álbum de Kate Bush aparecía aquel mismo año. Por si el parecido físico entre ambas no fuese suficiente, el fotógrafo la hizo posar como si se tratase realmente de Kate Bush, jugando al equívoco.

Sin embargo, una comparación algo más detallada entre ambas conducía a una única conclusión: no se trataba de la misma persona. Kate Bush, por su parte, también lo negó en más de una entrevista. A pesar de todo, algunas de las fotos de aquella sesión aparecieron como portadas de discos piratas de Kate Bush. Y, cuando una foto auténtica de la cantante vestida con unas ceñidas mallas de aeróbic empezó a circular, ella fue la primera en protestar por su publicación en prensa. Desde luego, si algo tan nimio le molestaba, es imposible imaginársela en "Penthouse".

Kate Bush se piensa si quitarse las mallas.

★★★ Keith Richards sufrió una transfusión de sangre total. Nada como la historia del libertino absoluto que recobra una vida normal a costa de otros. Como muy bien dejó escrito el español Tony Sánchez, íntimo de los Rolling Stones, en su autobiografía, «no podía dejar de preguntarme de dónde venía toda aquella sangre ni de rechazar la noción decadente de multimillonarios corruptos recuperando su salud a costa de la sangre fresca y limpia de los inocentes, como si de un vampiro se tratase».

Los datos son confusos y las versiones distintas. Lo único casi seguro es que el cambio total de la sangre de Keith Richards nunca llegó a suceder, pero el resto se presta a distintas versiones, en concreto las de tres personas. La de Tony Sánchez, puede que la menos creíble, habla de un doctor de Florida que habría cambiado toda la sangre de Richards en una villa suiza llamada Le Pec Varp, en Villars-sur-Ollon, con el objeto de quitarle su adicción a la heroína en medio de una gira europea, en concreto entre el 19 de septiembre y el 26 de septiembre de 1973. La segunda versión tiene más visos de credibilidad. Según el autor de "Keith Richards: La biografía", Victor Brokis, el proceso se habría limitado a una hemodiálisis, en la que la sangre de Richards habría sido purificada, pero sin que pueda calificarse como una transfusión. Según esta versión, el tratamiento tuvo lugar entre los conciertos de los Rolling Stones de Innsbruck, el 23 de septiembre de 1973, y el de Berna, tres días más tarde.

Además, según Brokis, Keith Richards habría pasado al menos en otra ocasión por el proceso de purificación, en este caso para obtener un certificado médico. En concreto, su segunda visita a la clínica tuvo lugar antes de la gira norteamericana del grupo en 1975, cuando la embajada estadounidense en el Reino Unido exigió a The Rolling Stones que un doctor londinense certificara que no había restos de drogas en su sangre. El propio Keith Richards, en la que sería la tercera de las versiones, contribuyó con sus palabras a mantener una cierta confusión cuando le interrogaron sobre el tema: «Alguien me preguntó cómo me había limpiado, así que les dije que había ido a Suiza para un cambio total de sangre. Simplemente estaba bromeando. Abrí mi cazadora y le dije: '¿Qué te parece mi transfusión de sangre?' Eso fue todo, una bufonada. Estaba cansado de contestar esa pregunta, así que les di una historia».

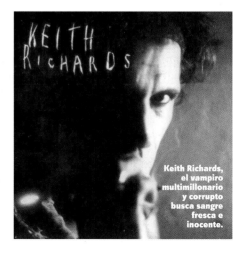

Keith Richards, el vampiro multimillonario y corrupto busca sangre fresca e inocente.

★★★ Kiss significa 'Caballeros al servicio de Satán'.

Quien propagó el rumor tenía un par de elementos a su favor: el grupo siempre escribía su nombre en mayúsculas, KISS, con lo que seguramente se trataba de unas siglas con algún significado, y las dos últimas letras las colocaban de forma que recordara a la insignia utilizada por los nazis. Por lo tanto, la idea de que KISS fuese un acrónimo de *Knights In Satan's Service* (Caballeros al servicio de Satán) resultaba creíble.

KISS, caballeros al servicio de Satán.

Según el bajista y cantante de Kiss, Gene Simmons, la historia de que el grupo eran unos seguidores del diablo surgió a partir de una entrevista que concedió a la revista "Circus" tras la edición de su primer disco. En una de sus respuestas, Simmons afirmó que le gustaría probar la carne humana; del mismo modo, cuando le preguntaron si adoraba al demonio, Simmons no dijo nada, siendo consciente de que eso le reportaría mayor promoción. Pero no era así. El nombre del grupo tiene un origen más banal.

Tras barajar varias posibilidades, el guitarrista Paul Stanley recordó que uno de sus grupos anteriores se había llamado Lips (Labios), y sugirió Kiss (Beso) para su nueva formación. Al resto de la banda le pareció buena idea por dos razones: representaba ciertos aspectos del glam-rock de la época que les atraía y era una palabra muy conocida en todo el mundo. Tan simple como eso.

★★★ 'Mama' Cass murió atragantada con un sándwich de jamón.

Tres rumores se propagaron en 1974 tras la muerte a los 32 años en su apartamento de Londres de Cass Elliot, la componente de The Mamas & The Papas, más conocida como 'Mama' Cass. Los dos primeros, que decían que había muerto de una sobredosis y que estaba embarazada con el hijo de John Lennon, no llegaron mucho más allá.

Sin embargo, al tercero sí que se le dio más credibilidad, y continúa hasta el día de hoy: 'Mama' Cass falleció ahogada en su propio vómito tras comer un sándwich de jamón. Así, por una parte se castigaba a la glotona cantante, que pesaba 110 kilos, el doble del peso normal de una mujer de su edad y de su estatura, y, por otra, se la relacionaba con los cerdos al señalar que el sándwich era de jamón.

El rumor, aparecido en el diario "The New York Times" y en la revista "Rolling Stone", aludía a su propio médico, quien aseguraba que se había atragantado con un sándwich. Una semana después, la autopsia practicada por el doctor Keith Simpson no encontró rastro alguno de comida en su tráquea. Según el informe, 'Mama' Cass había fallecido como consecuencia de un ataque al corazón debido a su exceso de peso y a las dietas extremas que seguía. Es más: se podía concluir que 'Mama' Cass había muerto con hambre.

★★★ Marilyn Manson era uno de los protagonistas de la serie *Aquellos maravillosos años*.

Una vez vista la cara del niño bautizado como Paul Pfeiffer en la serie *Aquellos maravillosos años* que emitió TVE, era razonable albergar alguna duda. La especial fisonomía de aquel personaje podía inducir a creer que aquel niño se había convertido con el paso de los años en uno de los mayores iconos del rock: Marilyn Manson.

No obstante, no era difícil comprobar si la leyenda era cierta o no. Realmente, el actor que interpretaba al amigo del personaje principal (Kevin Arnold, papel que hacía Fred Savage) en la serie de televisión era Josh Saviano y, como se sabe, el auténtico nombre de Marilyn Manson es Brian Warner. Por lo tanto, no era él. Como en otros muchos casos, la historia tiene que ver con la maldad intrínseca que se les atribuye a ciertos personajes de la historia del rock.

'Mama' Cass recibe el castigo a su glotonería.

Aquí se intentaba demostrar que un niño como aquel que interpretaba a un ser aparentemente encantador en la serie podía perder su inocencia, para pasar a representar todo lo maligno de este mundo al entrar en contacto con el rock. Marilyn Manson, preguntado por el tema, ni se preocupó en desmentir los rumores: «Muchas veces es irrelevante si son ciertos o no». Y al auténtico actor, Josh Saviano, tampoco le importó mucho: «Me parece divertido comprobar la creatividad y la imaginación que puede llegar a tener la gente. No me molesta, ni me ofende; me lo tomo como una broma».

★★★ **Michael Jackson puso su número de teléfono en el disco *Thriller*.** Hubiera tenido su gracia que el misterioso, solitario y un tanto singular Michael Jackson hubiera dejado un mensaje a sus seguidores en forma de su número de teléfono en el disco *Thriller*, aquel que se convertiría en el más vendido de la historia. En concreto, se comentaba que las primeras siete cifras del código numérico del disco se correspondían con las de su número privado, al que sólo había que añadirle el prefijo correspondiente al área.

Michael Jackson no contesta el teléfono.

Aunque se llegó a asegurar que el rumor se había originado en una de las emisiones del canal musical MTV, nunca se pudo comprobar. El caso es que los titulares de aquel número en prácticamente los 50 Estados de los EEUU empezaron a recibir llamadas telefónicas preguntando por la estrella del pop.

En especial, quien tuvo que sufrir el mayor número de llamadas fue la persona que tenía aquel número en Encino, California, el lugar en el que Michael Jackson tiene su mansión Neverland. En Bellevue, Washington, una peluquería llegó a recibir más de 50 llamadas diarias en el momento de mayor gloria de Jackson, justo cuando su disco acababa de ganar ocho premios Grammy. Y no, como era de esperar, Michael Jackson nunca contestó directamente en ninguno de aquellos números de teléfono.

★★★ **Michael Jackson compró el cadáver de 'El hombre elefante'.** Dadas las excentricidades atribuidas al considerado como 'rey del pop', algunas de ellas ciertas, todo podría ser posible. Lo único que no se ha podido comprobar en relación con esta historia es si Michael Jackson llegó a ofrecer realmente 500.000 dólar))por los restos de Joseph Merrick, aquel hombre deforme que había sido el caso clínico más famoso de la época victoriana, y que David Lynch recogió en su película *El hombre elefante* de 1987. Puede que hiciera la oferta, pero Michael Jackson no es el propietario del cadáver. Los recipientes que contenían los órganos de Joseph Merrick en el Hospital Real de Londres fueron destruidos en un ataque aéreo alemán durante la Segunda Guerra Mundial. Tan sólo se recuperaron restos de su cabeza, un brazo y un pie, y lo que queda de él nunca ha sido vendido a nadie.

★★★ **A Michael Jackson se le cayó la nariz en un programa de televisión.** Según esta leyenda, a Michael Jackson se le habría caído su nariz durante la grabación del programa de su trigésimo aniversario en el mundo de la música, emitido posteriormente por la cadena CBS el 13 de noviembre de 2001. Los espectadores no llegaron a verlo porque, de acuerdo con esta versión, Michael Jackson tenía la decisión final sobre el montaje y habría suprimido ese momento.

Michael Jackson con la nariz en su sitio.

Evidentemente, nadie ha probado el hecho y, a pesar de lo inverosímil que resulta, lo cierto es que se propagó rápidamente. El origen puede estar en otra historia no comprobada, pero más plausible, que cuenta cómo Michael Jackson se hirió en su nariz durante unos ensayos en septiembre de 2001 y tuvo que ser atendido urgentemente. Además, el hecho de que se presentase a una entrevista con la revista "TV Guide" en noviembre de 2001 con vendajes en su nariz, asegurando que se trataba de cinta analgésica para las alergias, daba pie a este tipo de rumores. Esta historia se puede poner en relación con las múltiples operaciones de cirugía estética a las que se ha sometido en los últimos años y que han cambiado su fisonomía de forma más que evidente, lo que hizo que se propagaran muchas historias, como aquella otra de que duerme en una cámara de oxígeno para permanecer eternamente joven.

Algunas fuentes han llegado a asegurar que Michael Jackson ha pasado por seis operaciones distintas para retocar su nariz, reduciendo y cambiando su apariencia en cada una de ellas. Así que su nariz por los suelos no vendría a ser más que la venganza de la Madre Naturaleza por haber sido traicionada en tantas ocasiones.

★★★ **Mick Jagger fue detenido mientras comía una chocolatina del cuerpo de Marianne Faifthfull.** En febrero de 1967, Mick Jagger, Keith Richards y Marianne Faifthfull fueron detenidos junto a otros seis invitados, todos hombres, en una redada en la casa de campo de Richards en busca de drogas. Por suerte para ellos, George Harrison y su mujer se acababan de marchar cuando llegó la policía.

En el momento del juicio en junio de aquel año, el rumor sobre Mick Jagger, Marianne Faithfull y la chocolatina Mars ya se había extendido. Esta última, una de los dos protagonistas de aquel supuesto incidente, dejó bien claro en su autobiografía cuál era la intención de aquel rumor:

«Su historia era así: un grupo de estrellas del rock disolutas se llevan a una chica inocente a una granja remota en la que, tras proporcionarle drogas, se lo montan con ella, incluyendo varios actos sexuales en los que interviene una chocolatina Mars. Lo de la chocolatina fue una buena historia para demonizarnos. Perfecta. Era tan exagerado, con un retorcimiento tan malicioso de los hechos... ¡Mick Jagger comiendo una chocolatina de mi vagina! Era demasiado barato como para que a cualquiera de nosotros se le hubiera pasado por la cabeza. Es la fantasía de un viejo verde, la idea de un policía sobre lo que hace la gente drogada».

En aquella detención sí hubo un par de elementos que pudieron conducir a la invención de la historia. Aunque todos estaban en un salón viendo la televisión y escuchando música, Marianne Faithfull sólo llevaba encima una colcha persa que dejó caer delante de un agente. Además, en la casa de Richards la policía encontró una gran cantidad de golosinas y chocolatinas. Aun así, como dejó bien claro Marianne Faithfull, «lo de la chocolatina era una detalle que, de tan puro disparate, ha hecho que la historia se creyera siempre».

★★★ **Ozzy Osbourne se negaba a tocar antes de que le devolvieran muertos unos perros que tiraba al público.** Ozzy Osbourne mordió en un concierto un murciélago arrojado desde el público. Ozzy Osbourne decapitó a una paloma de un mordisco en una reunión con los ejecutivos de su discográfica. De lo primero quedó constancia por las vacunas antirrábicas a las que tuvo que someterse; de lo segundo, gracias a un fotógrafo que se encontraba en el lugar de la reunión. Sin embargo, nadie ha conseguido probar que Ozzy Osbourne tirase perros vivos a su audiencia antes de comenzar los conciertos, exigiendo que se los devolviesen muertos para salir al escenario. A pesar de sus antecedentes, la historia que se le atribuye tiene más visos de no haber sucedido nunca. Lo que sí demuestra su propagación es que hay gente interesada en asociar este tipo de atrocidades con la idea de que cierto tipo de música ejerce sobre los jóvenes una influencia perniciosa. Cierto es que durante la gira de *Night Of The Living Dead* (La noche de los muertos vivientes), Ozzy Osbourne acostumbraba a tirar carne cruda a su público y que éste le devolvía ranas y serpientes muertas. Pero nunca llegó a ir tan lejos como para demandar de su público que matasen a unos perros para empezar su actuación.

Ozzy Osbourne: Palomas y murciélagos sí, pero perros no.

La misma historia ha aparecido hasta tres veces con sendos artistas que utilizan el escenario para epatar a su público: Alice Cooper, Ozzy Osbourne y Marilyn Manson. Puede que todo parta de un concierto en 1969 en el que Alice Cooper devolvió una gallina que le habían tirado al público, y éstos la hicieron pedazos. El rumor que se extendió a continuación decía que Alice Cooper había desnucado a una gallina y, acto seguido, se había bebido su sangre en directo. La historia llegó hasta Frank Zappa, quien también había sufrido distintos rumores falsos, por lo que telefoneó inmediatamente a Alice Cooper. «¿De verdad lo hiciste?», preguntó Zappa. «No», le contestó Cooper. «Pues da igual lo que hagas», le dijo Zappa, «nunca le digas a nadie que no lo has hecho». Frank Zappa tenía muy claro que, por mucho que lo desmientas, no hay nada que hacer contra este tipo de historias, así que lo mejor es dejarlas correr y aprovecharlas en beneficio propio.

★★★ **Paul McCartney está muerto.** Tan improbable como aquella leyenda que dice que Elvis Presley está vivo es la de que Paul McCartney está muerto. Si hemos de creer a los maliciosos, la mejor prueba de esta afirmación es que nada de lo que hizo Paul McCartney después de la fecha de su supuesto accidente es comparable, ni remotamente, a lo que hizo con los Beatles.

El principal problema de esta teoría es que el accidente en su coche Aston-Martin que supuestamente sucedió a las 5 de la lluviosa mañana del miércoles 2 de noviembre de 1966, y en el que habría muerto Paul McCartney, ocurrió cuando a The Beatles aún les faltaba por editar discos cruciales de la historia del rock, como *Sgt. Pepper's Lonely Hearts Club Band*, *The White Album*, *Abbey Road* o *Let It Be*, así que el solo hecho de pensar que todos estos discos fueron compuestos por John Lennon junto a un doble de Paul McCartney acaba con cualquier atisbo de verosimilitud.

No obstante, como juego y como hipótesis basada en cientos de pequeñas pistas encontradas por sus seguidores no deja de tener su gracia, aunque probablemente se hubiesen encontrado indicios para sustentar cualquier otra hipótesis si se hubiesen necesitado, como que los Beatles fueron sustituidos por la Familia Real o que el mundo se iba a terminar el día en que se publicó cualquiera de sus discos.

Todo partió de un artículo escrito por Tim Harper y publicado el 17 de septiembre de 1969 en un periódico de la Universidad de Drake (Iowa), basado en historias que él había recopilado de otras fuentes. Su artículo fue recogido y ampliado posteriormente por otro de la Universidad del Norte de Illinois y, a continuación, aireado en el programa del locutor Russell Gibb en la emisora WKNR de Detroit.

A partir de ahí, los seguidores de los Beatles fueron descubriendo más pistas que conducían a la misma conclusión: Paul McCartney estaba muerto y había sido sustituido por Keith Allison (Billy Shears o William Campbell según otras versiones, personaje este último que supuestamente aparece en una fotografía dentro de *The White Album*), un joven que había ganado un concurso de dobles de McCartney y quien, por si fuera poco el parecido, se habría sometido a una operación de cirugía estética para que el recambio no fuese descubierto.

Las pistas serían muchas. En orden cronológico, y según estas teorías, en la portada del disco *Revolver* (1966), McCartney es el único que no mira a la cámara y tiene una palma de una mano abierta sobre su cabeza, lo que significaría que esa persona ya no está en este mundo. Sin embargo, antes de considerarlas como algo fiable, debería tenerse en cuenta que esa fotografía había sido hecha antes del supuesto accidente en coche del bajista de The Beatles.

La portada de *Sgt. Pepper's Lonely Hearts Club Band* (1967) encerraría un buen puñado de indicios, entre ellos un bajo de sólo tres cuerdas con apariencia de corona mortuoria. Por su parte, la canción *A Day In The Life* incluiría en su letra referencias al accidente: «Vi la fotografía / Su mente se estrelló en un coche / No advirtió que el semáforo había cambiado»; en realidad, la canción hablaba del accidente de Tara Browne, el heredero de la familia cervecera Guiness y amigo de McCartney.

En *Magical Mystery Tour* (1967), los indicios empezarían en su portada, en la que, leyendo al revés el nombre del grupo se puede ver un número de teléfono, el 2317438, en el que supuestamente darían información del accidente. Su cuaderno interior revelaría otras dos pistas: una señal que dice «*I was*» («Yo era») y una inscripción en el bombo de la batería de Ringo que revela «*Love The 3 Beatles*» («Ama a los 3 Beatles»). Entre sus canciones, al final de *Strawberry Fields Forever* se podría escuchar a John Lennon decir «*I buried Paul*» («Yo enterré a Paul»), aunque según Lennon lo que realmente dice es «*cranberry sauce*» («salsa de arándanos»).

En *The Beatles* (1968), más conocido como *The White Album*, la canción *Revolution No. 9* pinchada hacia atrás revelaría la frase «*Turn me on, dead man*»

El paseo funerario de Abbey Road.

¿Será éste el verdadero Paul McCartney?

(«Ponme en marcha, hombre muerto») y al final de *I'm So Tired* se podría escuchar «*Paul is dead now, miss him*» («Paul está muerto ahora, se le echa de menos»).

En cuanto a *Abbey Road* (1969), el disco muestra a Paul McCartney en la portada junto a sus tres compañeros, aunque con el paso cambiado, los ojos cerrados, descalzo y fumando con la mano derecha, cuando era zurdo. Además, en la placa del coche aparcado en la acera se puede leer 28 IF (28 SI), que se interpretaría como que McCartney tendría 28 años de estar vivo, seguido de LMW, lo que vendría a significar «*Linda McCartney Weeps*» («Linda McCartney llora»).

Según esta versión, el paseo de la portada sería una procesión funeraria en la que John Lennon iría vestido de blanco, como un predicador, George Harrison en vaqueros, como un sepulturero, Ringo Starr de negro, representando a los allegados, y Paul McCartney sería, por supuesto, el muerto.

Aunque para despistar, nadie como John Lennon, quien, conocedor de todas estas hipótesis y, sobre todo, del análisis puntilloso que se había hecho de *I Am The Walrus*, apuntó una nueva pista al final de *Glass Onion*: «Aquí os va otra pista para todos vosotros: la foca era Paul» -la foca, según algunas culturas, sería el símbolo de la muerte-. Si se toma la broma literalmente, ¿el muerto sería Paul, la foca, o ambos?

Como muy bien reconoció John Lennon en una entrevista, «Paul McCartney no podría haber muerto sin que el mundo lo supiera. No se podría haber casado sin que todos lo supieran. De hecho, no podría ir de vacaciones sin que todo el mundo se entere. Es inimaginable. Pero fue una buena publicidad extra para el disco *Abbey Road*».

★★★ **Phil Collins escribió *In The Air Tonight* después de ver cómo un hombre le negaba su ayuda a otro mientras se ahogaba.** En este caso, todo se reduce a una interpretación demasiado literal de la letra de *In The Air Tonight*, el primer éxito en solitario de Phil Collins en 1981, después de once años en Genesis, grupo con el que se había dado a conocer y en el que permanecería otros catorce años más. La letra decía así:

«Bien, si me dijeras que te estabas ahogando / No te prestaría ni una mano / He visto tu cara antes mi amigo / Pero no sé si tú sabes quién soy / Bien, estuve allí y vi lo que hiciste / Lo vi con mis propios ojos / Así que puedes borrar esa sonrisa burlona, sé dónde has estado / Es todo un montón de mentiras / Lo recuerdo, no te preocupes / ¿Cómo podría haberlo olvidado? Es la primera vez, la última vez que nos hemos visto / Sé la razón por la que guardas silencio, pero no me engañas / No muestro mis heridas, pero el dolor todavía crece / No es nada extraño para ti y para mí / Puedo sentirlo en el aire esta noche / He esperado por este momento toda mi vida».

Lo que en realidad era una canción que hablaba de la ruptura agria y frustrante del matrimonio de Phil Collins con su primera mujer, Andrea, se convirtió en una historia más truculenta gracias a las interpretaciones más libres -y creativas- de un público ávido de significados más interesantes.

Según estas versiones, Phil Collins había visto desde la distancia cómo se ahogaba una persona -un amigo, su hermano o alguien ajeno- y un desconocido que estaba más cerca le negaba su ayuda. Tras componer *In The Air Tonight* e identificar al extraño que no había prestado su auxilio, Collins le envía unas invitaciones para el concierto en el que interpreta por primera vez la canción en directo con un foco apuntándole directamente. El invitado, una vez revelada su historia, comienza a ser humillado por sus allegados y en el trabajo, por lo que se acaba suicidando o, según otra hipótesis, siendo detenido.

Tanta repercusión consiguió este rumor, que Eminem incluyó una referencia en su canción *Stan*, en la que un seguidor y acosador de Eminem compara al rapero, su héroe, del que asegura que lo ha abandonado, con el desconocido de la canción de Phil Collins: «¿Conoces la canción de Phil Collins *In The Air Tonight* acerca del tipo que podía haber salvado a otro de ahogarse pero no lo hizo? Phil lo vio todo y después se lo encontró en un concierto. Esto es algo así. Me podías haber rescatado mientras me ahogaba. Ahora es demasiado tarde. Tomo miles de tranquilizantes. Me estoy yendo».

Pasatiempo del día: ¿Cuántos de los discos de Pink Floyd se pueden sincronizar con películas?

★★★ **Pink Floyd grabaron *Dark Side Of The Mooon* para ser sincronizado con la película *El mago de Oz*.** ¿Extraña casualidad o montaje artístico intencionado? Por increíble que parezca, las sorprendentes coincidencias que se dan al sincronizar la música del álbum *Dark Side Of The Moon* (La cara oculta de la luna) y la película *El mago de Oz* es algo que ha tenido a mucha gente ocupada durante años, algo que se puede comprobar en diversas páginas de Internet dedicadas a probarlo. Para conseguirlo, conviene reproducir la música a partir del tercer rugido del león de la Metro Goldwyn Mayer

que aparece antes de empezar el film. Aunque sólo sea por curiosidad, merece la pena hacer la prueba y comprobar que las coincidencias son numerosas, en especial en los primeros 45 minutos.

Como muestra, se puede señalar que al poco de iniciarse el disco, en la canción *Breathe* se escucha la letra «*balanced on the biggest wave*» («en equilibrio sobre la ola más alta»), que, sincronizado con la película, coincide con el paseo del personaje de Dorothy sobre una verja en una de las primeras secuencias del film, cayéndose justo cuando comienza la canción *On The Run* (En marcha).

Resulta difícil creer que, a mediados de los 70, con los limitados equipos de edición que entonces existían, fuese posible componer una música que tuviese tantas coincidencias con la película. Hubiesen sido necesarias múltiples copias para lograr esa sincronización. Además, dado que la película dura más que el disco, hay que reproducir el disco algo más de dos veces para cubrir todo el metraje.

Como era de esperar, todos los que participaron en la grabación del disco, empezando por el ingeniero Alan Parsons, niegan que ésa fuera su intención y aseguran que hubiera sido imposible. Todos menos uno, ya que Roger Waters siempre ha permanecido callado cuando le han preguntado por el tema. Aunque si creyésemos esta historia sólo por el silencio de Waters, abriríamos la puerta a otras interpretaciones, menos extendidas, que sugieren que la sincronización también existe entre otros discos del grupo y otras películas, como *Wish You Were Here* con *Blade Runner*, *Meddle* con *Fantasía* o *The Wall* con *Alicia en el país de las maravillas*.

**★★★ Pink Floyd no pudieron reconocer a su antiguo guita-
rrista Syd Barrett cuando lo tuvieron delante.** Syd Barrett abandonó el grupo Pink Floyd en 1968 debido a sus problemas mentales.
Desde entonces vive recluido en su casa familiar en Cambridge. Muchos han sido los que aseguran haberlo visto en distintos lugares,
pero lo más probable es que sólo aquellos que se han pasado cerca
del jardín de su casa hayan podido verlo.

Según esta extendida leyenda, fueron el resto de componentes de
Pink Floyd los que, tras cruzarse con Syd Barrett en una fiesta o en
el estudio, en función de las distintas versiones, no fueron capaces
de reconocer a su antiguo guitarrista y cantante por los grandes cambios físicos que había sufrido.

En este caso, la historia tiene una parte de realidad. En junio de
1975, el grupo se hallaba en medio de las sesiones de grabación del
disco *Wish You Were Here*. En concreto, mientras grababan la can-
ción *Shine On You Crazy Diamond* (Sigue brillando diamante loco) Syd Barrett apareció por el estudio. Tras unos
segundos de incertidumbre por lo inesperado del hecho, el grupo reconoció a aquel hombre grueso y calvo.

Hubiera sido mejor que no se hubiera acercado al estudio, porque su conducta errática acabó por convencer al
grupo de que nunca más podrían contar con él. Syd Barrett no parecía interesado lo más mínimo por la música.
A pesar de todo, en un momento en que recuperó la lucidez preguntó cuándo podría grabar su parte de guitarra.
Nunca lo volvieron a ver después de decirle que ya la habían grabado.

★★★ Robert Johnson vendió su alma al diablo. Por su técnica como intérprete de blues se podría creer fácilmente en esta leyenda: Robert Johnson hizo un trato con el diablo, vendiéndole su alma en un cruce de caminos
a cambio de convertirse en el mejor intérprete de blues de la historia de la música.

Las pruebas de este pacto serían varias: canciones como *Me & The Devil Blues* (Yo y el blues demoníaco) o *Hell
Bound In My Trail* (El infierno me sigue la pista) sólo las podía haber compuesto alguien con tratos con el más
allá infernal. Además, tal y como se decía, Robert Johnson había comenzado como un guitarrista bastante limitado que había mejorado súbitamente y de forma asombrosa su técnica.

Para darle más enjundia al mito, se ha creído identificar el cruce de caminos en el que habría sucedido este
encuentro. El lugar sería el cruce entre la Autopista 61 y la Autopista 49 en la localidad de Clarksdale, en el Estado de Mississippi. Otras versiones lo sitúan en la misma localidad, pero en el cruce de la Autopista 61 y la Carretera Jonestown, en la ruta a Friar's Point, lugar en el que solían tocar Robert Johnson, Son House y Charley
Patton. Por suerte o por desgracia, nada así sucedió, aunque la leyenda sea de las más interesantes que han cir-
culado por el mundo de la música: en lugar de tratos con el diablo, Robert Johnson había utilizado esa técnica
infernal tan poco conocida llamada 'práctica', y su profesor había sido un tal Ike Zimmerman, no Belcebú.

Además, había existido un precedente en este sentido, aunque con una ligera variación: un tiempo atrás otro
intérprete de blues llamado Tommy Johnson, quien había nacido 15 años antes que Robert Johnson, había sido el
primero en reclamar para sí mismo ese pacto con el diablo. La diferencia radica en que Robert Johnson nunca di-
fundió esa historia sobre sí mismo, sino que se encontró con que otros lo habían hecho por él.

★★★ A Rod Stewart le sacaron una gran cantidad de semen del estómago. Una de las historias más increíbles que se puedan encontrar en el mundo del rock es ésta, según la cual, tras desfallecer en una fiesta en la
que se encontraba como invitado, Rod Stewart fue trasladado con urgencia a un hospital, donde le sacaron una
gran cantidad de semen de su estómago.

Por insólito que parezca, la historia se viene repitiendo desde hace años. Su origen podría estar en la imputación -también falsa- del libro "Hollywood Babilonia" de Kenneth Anger, en el que se aseguraba que la actriz Clara
Bow había 'servido' a todo el equipo estadounidense de fútbol, incluido un joven Marion Morrison, quien tiempo
después sería más conocido como John Wayne.

Desde entonces, el rumor se le ha aplicado a muchos artistas del mundo del rock como Elton John, David Bowie,
Mick Jagger, Andy Warhol, Jeff Beck, Marc Almond, Jon Bon Jovi, The Bay City Rollers, Fiona Apple, Lil' Kim, Britney
Spears, Foxy Brown o Alanis Morrissette, entre otros, aunque el que más lo ha sufrido ha sido Rod Stewart.

«¡Aquella historia se extendió por todo el mundo!», comentó Stewart cuando le preguntaron al respecto en la
revista "Rolling Stone" en 1991. «Era tan ridículo que nunca me hizo daño. ¿Qué podría haber sido? ¿Una flota de
jodidos marineros? ¿Unos futbolistas? ¡Qué demonios!» Sin embargo, la leyenda puede haberse aprovechado del
hecho de que Rod Stewart, después de haber sido invitado a conocer a los componentes del equipo de fútbol

Rod Stewart se las gasta con una flota de marineros, con los jugadores de un equipo de fútbol o con los invitados a una fiesta.

Stevie Nicks en busca de un agujero más pequeño.

Manchester United, el equipo al que seguía con devoción, salió emocionado gritándole al resto de componentes de su banda: «¡He visto el miembro de Denis Law en el vestuario!».

En lo demás tiene razón. La cantidad de semen que supuestamente se le encontró excede la capacidad normal que un estómago podría almacenar y habría requerido de 'servicios' continuados durante varios días. Además, lo lógico es que las náuseas le hubieran hecho vomitar y no que se lo sacaran del estómago a base de bombearlo.

★★★ **Sid Vicious descansa junto a su compañera Nancy Spungen.** Tras la muerte de Sid Vicious, componente de los Sex Pistols y la imagen definitiva del punk, su madre quiso enterrar su cuerpo al lado del de Nancy Spungen, su novia estadounidense. Con ella había compartido sus últimos meses, encontrándosela muerta en circunstancias poco claras el 12 de octubre de 1978 mientras compartían cama en el Hotel Chelsea de Nueva York, incidente por el que fue acusado de homicidio, algo que nunca se logró aclarar.

Una vez fallecido Sid Vicious por una sobredosis de heroína que su propia madre le había comprado, ésta telefoneó a la madre de Nancy Spungen para conseguir enterrarlo con su compañera. Como se negó, a continuación, y según la leyenda, la madre de Sid Vicious saltó la verja del cementerio en el que estaba enterrada Spungen y soltó las cenizas de su hijo para que estuviesen siempre juntos. Sin embargo, según el mánager de los Sex Pistols, Malcom McLaren, la realidad es que la madre del bajista de los Sex Pistols volvió a Londres en avión y, borracha como estaba, dejó caer la urna con las cenizas del cuerpo de su hijo en la Terminal 1 del aeropuerto de Heathrow, lo que nos lleva a otro mito, aunque éste no del todo falso: el espíritu de Sid Vicious deambula y se regenera continuamente por los conductos del aire acondicionado del aeropuerto londinense.

★★★ **Stevie Nicks se introducía la cocaína por el ano.** Cualquiera que conozca relativamente bien la historia de Fleetwood Mac sabrá que, aunque hoy no se les recuerde especialmente por sus historias de excesos, su trayectoria personal se encuentra entre las más increíbles del rock, con cambio continuo de parejas entre los componentes del grupo, rencillas, venganzas, adicciones incurables...

Entre ellas, una de las más célebres es la adicción de Stevie Nicks, la imagen más identificada con el grupo en su segunda etapa, a la cocaína, que la llevó a ingresar varias veces en la conocida clínica Betty Ford para desintoxicarse. Por lo tanto, la leyenda de que un asistente le introducía la cocaína por el ano con la ayuda de una pajita tenía su origen en algo comprobable.

No obstante, por muy lejos que llegase el comentario y por muy corroída que tuviese su nariz debido a su adicción, la historia del asistente y la pajita no puede ser corroborada. «Es absurdo. Tal vez apareció porque la gente sabía que tenía un agujero enorme en mi nariz», comentó en el 2001 Nicks, «así que pensaron que sería mejor ponerle un cinturón a mi nariz».

★★★ **The Beatles editaron el disco *Yesterday And Today* en los EEUU con una carnicería en su portada para protestar contra su discográfica.** Cuando en junio de 1966 se distribuyeron en los Estados Unidos las primeras copias del disco *Yesterday And Today* para su promoción y para ser vendido en las tiendas, a muchos no les gustó nada lo que vieron: los cuatro componentes de The Beatles vestidos como carniceros y sonriendo sádicamente entre trozos de carne cruda, ojos de cristal, dentaduras postizas y pedazos de muñecas decapitadas y quemadas por cigarrillos.

Ante las quejas, su sello estadounidense Capitol repuso rápidamente la primera tirada del disco con otra portada menos ofensiva en la que se veía a The Beatles alrededor de un baúl de viaje. Las primeras 750.000 copias llevaban la nueva portada pegada por encima de la original, por lo que muchos se lanzaron a comprar el disco con la intención de despegarla y quedarse con lo que se convertiría en una de las mayores piezas de coleccionista de la trayectoria de The Beatles. Desde el momento en que se conoció el contenido de aquella portada, se empezó a extender el mito de que The Beatles habían editado el álbum con aquella fotografía como medio de protesta contra la política de su discográfica en los EEUU de 'cortar' sus discos con relación a la versión británica, editándolos con diferentes portadas y menos canciones. *Yesterday And Today*, por ejemplo, contenía canciones de tres de sus álbumes -*Help!*, *Rubber Soul* y *Revolver*- junto a las dos caras de su *single* inmediatamente anterior -*We Can Work It Out* y *Day Tripper*-. Nada más lejos de su intención. El detalle más evidente es que The Beatles nunca se habían preocupado mucho por cómo se editaban sus discos en el mercado estadounidense y no tuvieron ninguna participación en la preparación del disco *Yesterday And Today*, que sólo conocieron una vez publicado.

Además, aquella fotografía no había sido pensada para la portada del disco, ni tan siquiera había sido una idea del cuarteto. Incluso la instantánea se había tomado un mes antes de que las canciones de *Revolver* que finalmente aparecerían en *Yesterday And Today* fueran grabadas y unos tres meses antes de su edición.

La imagen apareció en la cubierta del disco al entender el sello Capitol que se trataba de otra de esas simpáticas fotografías de The Beatles en acción que el grupo solía hacer. Sin embargo, había sido concebida por el fotógrafo australiano Robert Whitaker como parte de una serie, tal y como se puede comprobar en su libro "*The Un-*

seen Beatles" (Los Beatles no vistos), y fue utilizada sin haber sido retocada antes, tal y como pretendía su autor, y, además, fuera de contexto. Harto de las fotos amables de The Beatles, Whitaker quiso hacer una sesión con ellos que representase su comentario personal sobre la adulación de las masas al grupo y la naturaleza ilusoria del estrellato. En palabras de Paul McCartney, «nos pidieron hacer unas fotos con algo de carne y una muñeca rota. Era sólo una fotografía. No significaba nada. Todo lo que aprendimos es que debíamos ser más cuidadosos con la clase de fotos que hacíamos. A mí personalmente me gustó». John Lennon fue más lejos: «De todas formas... ¡Era tan relevante como Vietnam!»

Klaatu: The Beatles confiando en que la música hablase por sí sola.

★★★ **The Beatles editaron un disco en 1976 con el nombre de Klaatu.** En 1976 se extendió el rumor de que se había publicado un nuevo disco de The Beatles con el seudónimo de Klaatu. La historia apareció por primera vez en un periódico norteamericano llamado "The Providence Journal" en el que se insinuaba que Klaatu podían ser ni más ni menos que el grupo de rock más famoso de la historia. Las ventas de aquel disco se dispararon y, como en el caso de la teoría que aseguraba que Paul McCartney estaba muerto, las pistas se multiplicaron rápidamente: el disco había sido editado por la compañía americana de The Beatles, Capitol, y no contaba con ningún crédito en él: ni el nombre de los músicos, ni el productor, ni los compositores de los temas, ni tan siquiera fotografías de los componentes del grupo. Todo, incluyendo la producción y la composición, aparecía acreditado a un único nombre, el de la portada: Klaatu. Rápidamente se trazó una hipótesis en la que se aseguraba que el disco había sido grabado entre *Revolver* y *Sgt. Pepper's* -de ahí el largo período de tiempo que había pasado entre ambos-, pero que nunca había sido editado, marcando un cierto cambio en la carrera de The Beatles. Incluso se relacionaba con la teoría de la muerte de Paul McCartney, asegurándose que había sido grabado por el sustituto de éste, Billy Shears.

El disco habría sido encontrado en 1975, durante la búsqueda de canciones y cintas para el proyecto *The Long And Winding Road*, abandonado y retomado posteriormente en 1995 como la *Antología* definitiva del grupo. En ese momento, se decidió editar el álbum sin ningún crédito para que la música hablase por sí misma, además de sortear así los numerosos problemas legales que su publicación representaba en ese momento.

Pero, salvo una cierta semejanza musical, en especial en las canciones *Calling Occupants* y *Sub-Rosa Subway*, no había nada más de real. Klaatu era un grupo canadiense integrado por John Woloschuck, Terry Draper y Dee Long que llegó a editar cinco discos antes de disolverse, entre ellos el primero, homónimo, que dio pie a toda esta leyenda. En un principio, su intención era precisamente la misma que luego se utilizaría para propagar el mito, es decir, no poner ningún crédito en la portada con la esperanza de que la música que contenía pudiera defenderse por sí misma y llamar la atención. Una vez aparecido el bulo, el trío decidió mantener la confusión, y sólo con su cuarto disco, en 1980, aparecieron sus apellidos como compositores e, incluso, el nombre de un productor, Christopher Bond. Daba igual: la crítica y el público, hartos de que siguieran jugando al despiste, no les prestaron la más mínima atención.

The Beatles, amigos de las carnicerías.

★★★ **The Beatles tienen cuatro canciones inéditas.** En concreto, esas cuatro canciones sin editar en la discografía de The Beatles, y que serían las más buscadas por sus seguidores, los coleccionistas y los que persiguen sin descanso material inédito del cuarteto de Liverpool, son: *Left Is Right* (*And Right Is Wrong*), *Colliding Circles*, *Deck Chair* y *Pink Litmus Paper Short*.

La autoría de este mito le corresponde al escritor y humorista Martin Lewis, ayudante del publicista de los Beatles Derek Taylor y colaborador en la preparación del disco

The Beatles se decantan claramente por la izquierda (lo correcto es lo equivocado).

The Beatles Live At The BBC y de la serie *Antología*. Al menos los títulos que buscó para esas canciones muestran conocimiento de la obra del cuarteto y un cierto ingenio. Cuando a Lewis se le pidió para una publicación una relación completa de todas las grabaciones de los Beatles, incluyendo discos piratas, y siendo consciente de que no tenía nada nuevo que ofrecer, se decidió a incluir cuatro canciones nuevas: un polémico título de John Lennon *Left Is Right* (*And Right Is Wrong*) (Izquierda es correcto -y derecha es equivocado-), un vodevil de Paul McCartney llamado *Deck Chair* -similar en su estructura a la canción *Honey Pie*-, una composición de George Harrison, *Pink Litmus Paper Short*, y otra de Lennon, *Colliding Circles*.

Tal fue el éxito de su idea, que pronto se le empezaron a añadir detalles del tipo «John Lennon tocaba el clarinete en ésta» a la descripción de las canciones. Casualmente, George Harrison sí había grabado una maqueta de una canción titulada *Circles* en 1968, que aparecería posteriormente en su disco en solitario *Gone Troppo* en 1982, aunque no tenía nada que ver con la grabación supuestamente inédita de The Beatles titulada *Colliding Circles*.

Cuando Martin Lewis admitió al fin algo que la mayoría ya sabía, que todo se había tratado de un montaje, algunos de los seguidores de The Beatles se negaron a creerlo, como si realmente les estuviera engañando. «Tu confesión es un truco. Sé de alguien que tiene esas canciones», tuvo que escuchar en más de una ocasión.

Para acabar de complicar más las cosas, Neil Innes, uno de los Monty Phyton, dejó caer los títulos de estas cuatro canciones dentro de *Unfinished Words* (Palabras incompletas), incluida en el disco *Archaeology* de The Rutles en 1996, en lo que pretendía ser una parodia de la serie *Antología* de The Beatles. Conviene recordar que The Rutles había sido creado en su momento como una parodia de The Beatles.

★★★ **The Byrds pusieron en una de sus portadas a un caballo ocupando el lugar de David Crosby.** Hasta ahora nadie ha confirmado que la aparición de un equino en la portada de *The Notorious Byrd Brothers* no fuera una casualidad, salvo el principal afectado, David Crosby, así que, en este caso, creer o no en la coincidencia es más un asunto de qué versión tomar por buena: la de Roger McGuinn o la de David Crosby.

En 1967, The Byrds se metieron en el estudio para grabar un nuevo álbum, *The Notorious Byrd Brothers*, con una formación de cuarteto: Roger McGuinn y David Crosby a las guitarras, Chris Hillman al bajo y Michael Clarke en la batería. Las sesiones fueron especialmente complicadas, con el abandono del batería en dos ocasiones y, sobre todo, con la expulsión de David Crosby cuando la grabación estaba tocando a su fin por numerosas razones, entre ellas el controvertido liderazgo de Crosby en las actuaciones en directo y el rechazo de sus canciones por el resto del grupo. A pesar de que David Crosby había cantado y tocado en todo el disco, y de que había compuesto tres de sus once canciones, cuando el disco se editó, David Crosby no aparecía en ningún sitio en la portada. En la fotografía colocada en la cubierta del álbum había un establo con cuatro ventanas en las que se podían ver -de izquierda a derecha- a Chris Hillman, Roger McGuinn, Michael Clarke y... ¡un caballo!

Las distintas versiones de los dos principales actores en este capítulo le fueron ofrecidas al biógrafo del grupo Johnny Rogan en sendas entrevistas. Para empezar, David Crosby nunca creyó en la casualidad: «¿Un accidente? ¿Te crees eso? Es una tontería. Sabes muy bien por qué Roger McGuinn lo hizo».

McGuinn tenía otra explicación. A la hora de hacer la fotografía para la portada, los tres componentes que quedaban del grupo habían salido a pasear en caballo. Al volver, posaron en las ventanas del establo y la montura de Michael Clarke sacó su cabeza por la ventana. «Si hubiésemos querido hacer algo así, le hubiésemos dado la vuelta al caballo», aseguró el guitarrista.

Años después, cuando los cinco componentes originales del grupo se reunieron en 1972 para grabar un nuevo disco, el incidente no había sido olvidado. Según McGuinn, «David Crosby dijo como broma, aunque yo creo que iba en serio, que quería a todo el mundo en la portada excepto a mí, y que pondría un caballo en mi lugar».

Crosby contestó a esta imputación. «No lo dije. Nunca. Ése es su estilo, no el mío. Ese chiste en concreto no fue nada divertido para mí, y nunca le diría algo así. No tengo nada que ver con eso. Pienso que McGuinn estaba paranoico por lo que había hecho y espero que se avergonzase». Algunas discusiones son tan buenas que, en ocasiones, es mejor que las dos partes enfrentadas nunca lleguen a ponerse de acuerdo.

★★★ **10cc tomaron su nombre de la cantidad de semen normal en una eyaculación.** Hoy en día, muchos artistas eligen su nombre por las connotaciones sexuales del mismo. Así que, según esta leyenda, 10cc serían uno de los precursores al tomar su nombre de la cantidad de semen normal en una eyaculación masculina, aunque con una pequeña variación: si la cantidad normal es 9 centímetros cúbicos, ellos se habrían puesto 10cc indicando que estaban un poco por encima de la media. Muchas veces, la ficción mejora en mucho la realidad. Según el ejecutivo que fichó al grupo para el sello UK Records, Jonathan King, esta historia distaba mucho de la menos lustrosa verdad: «Tenía que darles un nombre porque acababa de firmar con ellos para editar su disco. Me metí en cama y tuve un sueño en el que uno de mis grupos tenía un número uno simultáneamente en las listas de *singles* y de LPs en América, y esa banda se llamaba 10cc».

En una entrevista con la BBC en 1995, uno de los componentes del grupo, Eric Stewart, confirmaba esta versión: «No, el nombre se le ocurrió a Jonathan King en un sueño la noche antes de venir a Manchester a un concierto de Donna Summer. Según él, había visto un cartel en un gran estadio que decía '10 cc, el mejor grupo del mundo'. Nos pareció bien y así fue como surgió».

Además, si esta historia fuese cierta, a quien la inventó se le olvidó un dato bastante importante: la cantidad media de semen en una eyaculación masculina es de 3 centímetros cúbicos, y no 9, con lo que 10cc se estarían considerando a sí mismos muy por encima de la media. Aunque tratándose del mejor grupo del mundo...

The White Stripes permiten a un equino entrometerse en su cerrado código tricolor.

★★★ **The White Stripes son hermanos.** Cuando aparecieron The White Stripes, el mundo de la música estaba muy necesitado de bandas que recuperasen el sonido de las guitarras. The Strokes, The Hives o The White Stripes tuvieron la suerte de surgir en el lugar adecuado en el momento justo, exactamente cuando la eclosión de la escena de la música de baile parecía haber tocado su techo.

La pareja formada por Jack White y Meg White recuperaba el rock con raíces anclado en el blues, el country y el sonido garage más primitivo. Ya habían editado dos discos cuando la prensa musical británica los descubrió con *White Blood Cells*. Su código tricolor -todo en rojo, blanco y negro- contribuía a hacer su imagen más atractiva.

Además, traían con ellos una historia que contribuyó en gran manera a que la gente se interesase por ellos. Jack y Meg, con un cierto parecido físico, se presentaban como hermanos, los más jóvenes de una familia de diez. Pero alguien en su ciudad natal sabía que eran marido y mujer, y no estaba dispuesto a callar, así que a partir de ese momento el resto del mundo quería saber si la pareja que recorría los cinco continentes juntos estaba formada por dos hermanos o un matrimonio.

En marzo de 2001, un periodista del "Detroit Free Press" consiguió los documentos que demostraban que John Jack Gillis y Megan White se habían casado en 1996, divorciándose en el 2000. A pesar de la evidencia, el rumor pudo más que la verdad, y todavía hoy hay quien sigue preguntándoles por su relación. Ellos, conocedores de la repercusión extra que les proporciona, nunca se han pronunciado en ningún sentido, y sesiones de fotos como aquella en la que se veía a Meg paseando a Jack cogido por una cuerda y un collar no hicieron más que alimentar la polémica y la duda.

ÍNDICE ONOMÁSTICO